엑스포 부산 오다
EXPO COMES TO BUSAN

세계의 대전환, 더 나은 미래를 향한 항해
Transforming Our World,
Navigating Toward a Better Future

머리말

엑스포는 1851년 런던박람회를 시작으로 인류가 품은 꿈과 상상력을 현실로 구현해온 무대입니다. 월드컵, 올림픽과 함께 세계 3대 메가이벤트로 불리는 것도 이런 이유에서입니다. 2030년 부산월드엑스포(등록엑스포) 유치에 성공한다면 대한민국은 세계 7번째로 3대 메가 이벤트를 개최하는 나라가 됩니다. 이미 우리나라는 1993년 대전엑스포와 2012년 여수엑스포를 개최하지 않았냐고 반문할지도 모릅니다. 부산월드엑스포는 인류 공통의 주제를 논의하고 해법을 모색하는 등록엑스포로, 인정엑스포인 대전·여수엑스포와는 체급이 다릅니다.

지금부터 7년 후, 2030년이면 현재 초등학생 고학년과 중학생은 20대로 성장해 부산엑스포의 경제적 파급 효과를 톡톡히 누릴 이른바 '부산엑스포 키즈(kids)'입니다. 엑스포 기간 자원봉사를 하고 비약적으로 높아진 대한민국의 위상과 부산의 도시브랜드 가치를 발판 삼아 미래 대한민국을 이끌 주역이 될 것입니다.

앞서 일본은 1970년 오사카엑스포를 개최하면서 '만박(万博, 반바쿠) 세대'를 낳았습니다. 만박은 '만국박람회'의 줄임말로 세계박람회, 엑스포와 같은 용어입니다. 만박 세대는 엑스포를 통해 꿈을 키운 청소년을 말합니다. 2002년 노벨화학상을 받은 다나카 코이치(64) 씨가 만박 세대를 상징하는 인물이죠. 그는 "유년 시절 엑스포 체험이 평생 공상을 펼칠 수 있는 계기가 됐다"며 "당시 태양의 탑 앞에서 찍은 사진을 지금도 간직하고 있다"고 자랑합니다.

'부산엑스포 키즈'인 우리 청소년들이 엑스포에 좀 더 많은 관심을 뒀으면 하는 바람과 시민들이 알아야 할 엑스포의 과거·현재·미래를 한 권의 책으로 묶었습니다. 국제신문과 (사)금융도시부산포럼이 공동으로 국제신문에 연재된 엑스포 관련 기획기사를 모으고 추리고 보완했습니다. 청소년과 시민들이 이 책을 읽으며 꿈과 상상력을 키우고 대한민국과 부산의 희망찬 미래를 그려나가길 기대합니다.

(사)금융도시부산포럼은 부산국제금융센터(BIFC) 준공과 금융공기업 부산 이전에 맞춰 부산을 세계적 금융도시로 육성하자는 취지로 2015년 4월 설립된 금융위원회 산하 비영리 사단법인입니다. 이 지면을 빌려 (사)금융도시부산포럼을 지원해주는 부산시, 부산시교육청, BNK 부산은행, 한국거래소, 한국예탁결제원, 한국자산관리공사, 한국주택금융공사, 부산연구원, 초록우산 어린이재단 부산지역본부, 동래구진로교육지원센터에 고마움을 전합니다.

2023년 3월 31일

구시영, 오룡, 이각규, 이석주, 정유선

World
EXPO
2030
BUSAN, KOREA

엑스포 부산 오다 차례

1부 엑스포의 과거

1장 엑스포 오디세이 | 오룡

2장 엑스포와 삶의 질 향상 | 오룡

2부 엑스포의 현재

3장 엑스포 유치전, MZ세대 잡아라 | 이석주

4장 중동에서 엑스포 희망 보다 | 정유선

5장 엑스포 유치 성공, 이래서 가능했다 | 이석주

6장 엑스포 ODA역사관 | 구시영

7장 빅데이터로 본 부산엑스포 | 부경대 지방분권발전연구소

3부 엑스포의 미래

8장 세대교체의 전환점 2030부산세계박람회 | 이각규

부록 2030부산월드엑스포 PPT

EXPO

1부 엑스포의 과거

1장. 엑스포 오디세이

2장. 엑스포와 삶의 질 향상

1장
엑스포 오디세이

1. 에펠탑, 박람회장 출입구

2030년 부산월드엑스포가 성사되면 170년 세계박람회 역사에서 어떤 맥락을 차지할까. 엑스포는 1851년 런던박람회 이래 69회 열렸다.

1889파리박람회 출입구 역할을 한 에펠탑

1893시카고박람회 놀이공원에 세워진 페리스 휠

역대 세계박람회(엑스포)는 개최지마다 불멸의 유물을 남겼다. 전시장 건축물과 기념탑 등 상징 조형물 등이 보전되고 있다. 그 중 대표적인 유산은 에펠탑과 페리스 휠(대관람차)이라 할 수 있다. 에펠탑은 1889년 파리박람회 때 세워진 이래 서구 문화를 상징하는 아이콘으로 떠올랐다. 너무 유명해져 오히려 엑스포라는 탄생 배경이 희미해졌지만, 에펠탑은 박람회장 출입구 겸 기념물로 조성된 건축물이다. 그 독특한 면모로 세계적 명성을 얻으며 170년 엑스포 역사가 남긴 최고의 유물이 되었다.

▸ 세계에서 가장 높은 '국기 게양대'

파리에 대형 철탑을 세우자는 아이디어는 오랫동안 건축가와 공상작가들 사이에서 나돌던 얘깃거리였다. 그런 구상은 애초 세계박람회와 밀접한 관계가 있다. 세계박람회 효시인 1851년 런던박람회의 온실 형태

전시장을 해체하면서 나온 엄청난 양의 철근을 재활용해 철탑을 짓자는 제안에서 비롯됐기 때문이다.

건설 중인 에펠탑

기념탑 건립은 1855년부터 파리에서 세 차례 박람회가 개최되며 점차 가시화됐다. 아름답고 역사적인 건물과 광장, 조형물로 가득한 유럽의 중심도시 한복판에 철제 탑을 세우면 그야말로 '독보적' 랜드마크가 될 것이란 발상이었다. 1889년 박람회는 프랑스혁명 100주년을 기념하는 뜻깊은 행사였다. 전문가 33명으로 구성된 조직위원회는 센 강변 '샹 드 마르스(전쟁 신의 들판)'에 프랑스의 진보와 성취를 상징하는 역사적 기념물을 세우기로 했다.

에펠탑 건립 과정

기념물 공모에서 당시 세계 최고 높이 철제 탑 건축물 설계안을 제시한 에펠이 낙점됐다. 건설비 2750만 프랑의 5분의 1을 조직위가 대고, 나머지는 에펠 회사가 조달하되 향후 20년간 운영수입을 에펠 측이 갖는 조건이었다.

탑 건설에는 공장에서 정교하게 제작된 1만 500개 연철 조각이 사용됐다. 철 부품을 연결하는 쇠못만 105만 개 들어갔다. 2년여에 걸친 공사는 1889년 3월 31일 마무리됐다. 에펠은 이날 조직위 고위 인사들과 함께 탑 정상에 올라 프랑스혁명의 산물인 3색 국기를 게양했다. 이어 예포 21발을 쏜 뒤 "이제 프랑스는 302.6m 높이의 국기 게양대를 가진 세계 유일의 나라가 됐다"고 만천하에 공포했다.

에펠탑은 박람회장 입구, 전망 외 이렇다 할 실용적 기능이 없었다. 조직위는 애초 이 탑을 에펠과 계약한 1910년까지만 유지한 뒤 헐어버릴 예정이었다. 그러나 에펠탑의 가치는 날이 갈수록 높아졌다.

1900년 박람회에선 에펠탑과 주변에 1만 6000개 컬러 전구를 설치해 빛의 향연을 펼쳤다. 과학이 꽃피운 전기의 마력으로 파리 경관은 눈부시게 빛났다. 에펠탑은 20세기 들어 영구보존 결정과 함께 철거의 해머를 피하게 됐다. 프랑스는 1937년까지 이곳에서 총 여섯 차례 박람회를 개최해 최다 엑스포 개최지 기록을 세웠다.

▸ 놀이시설의 원조

페리스 휠 건설 중 모습

에펠탑이 실물 그대로 남은 유적이라면, 1893년 시카고 박람회장에 등장한 페리스 휠은 실물은 사라졌지만 놀이시설의 원형이 된 유산이다.

시카고박람회는 신대륙 발견 400주년을 기념한 메가 이벤트였다. 신흥 산업국 미국이 심혈을 기울인 전시장도 성대했지만, 박람회에 본격 놀이 공원을 결합한 첫 사례로 중요한 의미를 지닌다.

서커스와 오락극, 음악회, 스트립쇼, 탈것과 놀이기구, 카지노, 토속인촌, 선술집과 식당가 등 온갖 위락시설이 한자리에 모인 대형 오락장에 랜드마크로 세워진 것이 페리스 휠이다. 설계자 조지 페리스의 이름을 딴 바퀴 모양의 회전기구로 '빅 휠'이라고도 불렸다.

지름 80.4m 바퀴에 36개 곤돌라를 매달아 관람객들을 태우고 빙글빙글 돌았다. 바퀴 중앙축 양쪽에선 대형 성조기가 휘날렸다. 에펠탑과 마찬가지로 빅 휠도 박람회 주최 측이 세상의 이목을 끌만한 획기적 기념물을 세우려는 의도에서 탄생했다.

'대담하고 독창적인' 기념물 공모가 시작되자 페리스는 거대한 철제 바퀴에 버스만한 관람용 곤돌라를 붙여 돌리는 창의적인 스케치안을 제출했다. 그의 제안은 애초 현실성이 없다는 이유로 퇴짜를 맞았다. 그러나 페리스는 철저한 기술 보증과 투자자 유치까지 나서는 끈질긴 추진력으로 조직위의 승인을 얻어냈다. 마침내 철탑을 세우고 2개 바퀴 테두리, 바퀴살을 만든 뒤 곤돌라를 붙여나가는 공사가 진행됐다. 가장 어려운 공정은 가동구조물의 엄청난 하중을 견뎌야 하는 42.7m 주탑을 세우는 일이었다. 무게 71 t 에 달하는 휠을 돌리기 위해 1000마력짜리 대형 증기 엔진이 장착됐다. 개막일을 맞추지 못하는 우여곡절 끝에 완공된 휠은 일각의 우려와는 달리 미시간 호반의 강풍에도 끄떡없이 잘 돌아갔다.

빅 휠의 인기는 압도적이었다. 36개 곤돌라에 탄 관람객들은 하늘에서 박람회장을 내려다보며 환호했다. 각 곤돌라 안에는 40개 의자가 설치됐고, 입석 탑승자까지 60명 정원이었다. 탑승료는 박람회 입장료와 같은 50센트였지만, 휠을 타려는 인파는 항상 긴 꼬리를 이었다. 빅 휠은 박람회 폐막 때까지 총 160만 명의 탑승자 수를 기록했다.

빅 휠은 박람회가 끝난 이듬해까지 운행된 뒤 1904년 세인트루이스 박람회장으로 옮겨졌다가 해체됐다. 원본은 사라졌지만 그 원형은 전 세계로 전파돼 박람회장과 놀이공원, 도시 전망대에서 빠질 수 없는 시설물로 되살아났다.

▸ **엑스포 상징 조형물**

이후 세계 각국은 가장 높은 휠 건설 경쟁에 뛰어들었다. 영국을 필두로 프랑스 일본 중국 베트남 싱가포르 등이 높이 경쟁을 이어갔다.

2021두바이엑스포 아인 두바이

현재 세계 최고 페리스 휠은 지난해 10월 두바이엑스포와 함께 문을 연 블루워터스 아일랜드 '아인 두바이' 휠이다. 현대건설이 건립에 참여한 이 휠의 높이는 250m로 이전 기록이던 미국 라스베이거스의 167m인 '하이롤러'를 가뿐히 제쳤다.

에펠탑과 페리스 휠 외에도 엑스포는 많은 상징 건축물을 남겼다. 주요 기념물로 ▷1888년 바르셀로나 콜럼버스 탑과 개선문 ▷1906년 밀라노 석조 수족관 ▷1939년 뉴욕 유니스피어와 타임캡슐 ▷1958년 브뤼셀 '아토미움' ▷1962년 시애틀 '스페이스 니들' ▷1970 오사카 '태양의 탑' ▷1993년 대전 '한빛탑' ▷2010년 상하이 '동방의 관' 등을 꼽을 수 있다.

부산엑스포가 열리면 어떤 기념물을 남기게 될까. 현재 검토 안은 부산항 북항 2, 3부두 터에 건설 중인 오페라하우스 옆 이벤트 문화마당에 상징 조형물을 조성하는 것으로 돼 있다. 이와 별도로 180m 높이의 전망 휠 건립도 거론되고 있다.

이곳은 부산역과 부산항국제여객터미널을 통해 방문하는 이들이 처음 마주하는 경관이다. 그런 만큼 '해양경제 수도, 세계 속의 부산' 이미지를 빛낼 환경 조성이 요구된다. 오페라하우스와 상징 조형물, 박람회장이 부산의 새로운 랜드마크로 우뚝 서기를 시민은 바라고 있다.

딸린 이야기 에펠탑 건설 논란

에펠탑은 건설 당시 큰 논란을 일으켰다. 파리에 거대 철제 탑을 세운다는 소식이 알려지자 프랑스 학계·언론·예술계 등 지식사회의 반대가 빗발쳤다. 철골 구조물은 무너질 위험이 있으며, 수려한 파리 풍광에 '눈엣가시'가 될 것이라는 비난이었다. 급기야 문화예술인 300명이 단체를 결성해 철탑 반대 성명서를 조직위에 보냈다. "우리 작가 화가 조각가 건축가들은 기품 있는 수도 한복판에 프랑스의 역사성을 위협하는 불필요하고 흉측한 구조물을 세우려는 데 대해 깊은 분개를 표시한다."

당대의 문호 알렉상드르 뒤마를 비롯한 많은 예술인이 이 성명에 서명했다. 언론에서는 한 건축기술자의 환상이 낳은 '어리석은 바벨탑'이 파리의 이미지를 더럽혀서는 안 된다고 일갈했다. 이어 "철골은 그 자체로 완성된 건축물이 될 수 없으며, 미적 감각과 거리가 먼 짓다 만 앙상한 새장 같은 꼴이 될 것"이라고 깎아내렸다.

그러나 건축가 구스타브 에펠은 흔들리지 않았다. 아무도 엄두 내지 못했던 프로젝트를 강력한 의지로 밀고 나갔다. 2년간 40명의 설계사를 동원해 세부설계를 완성했다. 그는 결과를 확신하고 비판자들에게 "당신들도 결국 좋아하게 될 것"이라고 반박했다.

1889년 박람회장에서 바라본 에펠탑

에펠탑이 완공되자 시민들의 반응은 다양했다. "놀랍게 아름답다, 장엄하다"는 찬사와 함께 "파리 시내를 우스꽝스럽게 압도하는 거대한 공장 굴뚝같다"는 비판도 나왔다. 에펠탑 혐오가로 유명한 모파상은 매일 에펠탑에 가서 점심을 먹었는데, 그 이유를 묻자 "파리에서 이 흉물스러운 구조물이 안 보이는 곳은 이곳뿐이어서"라고 답했다고 한다.

에펠의 장담대로 대중은 점차 이 탑의 매력에 빠져들었다. 외국 관광객은 너나없이 찬탄을 금치 않았다. 에펠탑에 오르려는 인파는 인산인해를 이뤘다. 박람회가 열린 연말까지 입장료 수입만으로 투자비용을 뽑고도 남을 정도였다.

2. 한 세기 넘긴 우리나라와 엑스포와의 인연

170년 엑스포 역사에 우리나라는 어떤 발자취를 남겼을까? 엑스포를 관장하는 국제박람회기구(BIE) 홈페이지를 보면 회원국 항목이 있다. 170개 회원국별로 가입 시기와 엑스포 개최와 참가 정보를 정리해놓은 곳이다. 소개 글은 BIE와 회원국의 관계를 상세히 언급하고 있다. 한국은 엑스포 개최에 처음 도전한 1987년 5월 BIE에 가입했다. 하지만 엑스포와의 인연은 이보다 훨씬 깊다. 첫 장면은 한 세기를 훌쩍 넘어 개화기로 거슬러 올라간다.

▸ 미국 땅에 울려 퍼진 조선 아악

1893시카고박람회 코리아 전시실

우리나라는 '대조선(Korea)'라는 국호로 1893년 미국 시카고박람회에 처음 참가했다. 그 배경에는 근현대사의 굴곡이 반영됐다. 일본의 압박과

청나라의 속방론, 러시아의 남하로 어지럽던 19세기 말 조선은 나라의 독립성을 확보하는 통로로 미국에 눈을 돌렸다. 1882년 조미 수호조약 체결 이후 보빙사 파견, 상호 공사관 개설, 우정국 신설, 경복궁 전기시설, 목축시험장 설치 등 미국이 서양문물 도입의 창구가 됐다. 시카고박람회 참가는 그런 움직임의 일환이었다.

정경원을 대표로 한 조선 사절단은 전시실을 짓고 외교·문화교류 활동을 벌였다. 코리아 전시실은 길이 500m, 너비 240m의 거대한 공산물전시관 안 전시빌라 구역에 마련됐다. 43.3㎡ 남짓한 전시실 전면과 측면에 현지에서 구운 기와를 쌓은 한옥 형태였다. 전시물은 도자기 부채 갑옷 등 민속품 중심이었다.

1893시카고박람회 오벨리스크와 중앙부 전경

시카고박람회는 아메리카 대륙 발견 400주년을 기념한 세기적 이벤트였다. 47개국이 참가했으며, 각종 건축물은 보는 이를 압도할 만큼 웅장했다. '화이트시티'라 불린 박람회장은 수도 워싱턴DC의 심장부 '내셔널몰' 조성의 전범이 됐다. 코리아전시실은 비록 참가국 중 가장 작은 규모였지만 이국적 풍모와 전시물로 호기심에 찬 관람자의 눈길을 끌었다. 전시실 앞면에 가마와 유리 진열장을 놓고, 관복 갓 짚신 같은 의복류와 생활용품, 조총 등 군용품을 전시했다. 지붕엔 대형 태극기를 달았다. 금·옥·주단 등은 진열장 안에, 피물·발·돗자리 등은 벽에 걸었다. 진귀한 물품에 대해 질문이 끊이지 않자 전시물 이름과 용도를 영어로 써 붙였다.

장악원 악공들은 개막식 날 미국전시관 앞에서 스티브 클리블랜드 미국 대통령이 지켜보는 가운데 조선 아악을 연주했다. 사상 최초로 우리 가락이 이역만리 미국 땅에 울려 퍼지는 순간이었다. 악사는 이창업 등 10명, 음악은 어전법악(御前法樂)이었다고 기록돼 있다. 훗날 국악연구자 안확은 자료 조사를 통해 당시 연주된 곡이 '황풍악(皇風樂)'으로 추정된다는 연구 결과를 발표했다. 황풍악은 고려 시대부터 이어져 온 궁중음악의 하나로 국왕의 행행(行幸:임금이 대궐 밖으로 나들이 함) 때 연주되던 군악풍의 활달한 곡이다.

▸ 1962년 세계박람회 복귀

우리나라는 1900년 파리박람회에 두 번째로 참가했다. 명성황후의 척신 민영찬이 참가단장 격인 박물사무부원으로 파견됐다. 파리에서 다섯 번째로 열린 이 박람회는 '한 세기의 평가'를 주제로 19세기를 결산하는 성대한 행사였다. 대한제국은 프랑스인 건축가가 경복궁 근정전을 본떠 지은 한옥 전시관을 할당받았다.

전시관 내부 중앙에 고종의 어진을 걸고 각종 생활용품을 전시했다. 당시 프랑스 언론은 화려한 색상의 단청과 하늘을 향해 솟은 처마를 가진 전시관이 관람객의 눈길을 끌었다고 전했다. 이어 조선의 풍습과 담뱃대 참빗 부채 한지 도자기 병풍 나전칠기 농경기구 서화작품 등 전시물을 소개했다.

1962시애틀박람회 한국관

대한제국은 1904년 미국 세인트루이스박람회에도 초청됐으나 외세 침범에 따른 급박한 정세로 참가하지 않았다. 이어 국권 상실과 전쟁 등 질곡의 시대를 거치면서 세계박람회를 매개로 한 문명 교류는 단절될 수밖에 없었다. 하지만 일제 강점기 전 두 차례 세계박람회 참가는 주체적 서양문물 직교류란 점에서 식민지 근대화론 극복에 의미 있는 관점을 제시한다.

전후 부흥기를 거친 대한민국은 1962년 미국 시애틀박람회로 세계박람회 무대에 복귀했다. 그 해는 제1차 경제개발 5개년계획을 세워 고도성장의 시동을 건 원년이었다. 한국은 326㎡ 규모의 번듯한 전시관을 짓고 식민통치와 전쟁의 참화를 딛고 신흥공업국으로 당당히 일어선 모습을 국제사회에 알렸다. 전시물은 재봉틀 피아노 라디오 타이어 철물제품 고무신 치약 등 공산품과 왕골 죽 나전칠기 도자기 등 전통 공예품이 주종을 이뤘다. 박람회는 임금 경쟁력을 기반으로 수출을 타진하는 무역의 장이 됐다. 실제로 일부 품목은 미국 캐나다 기업과 수출계약을 맺었다. 한국의 엑스포 참가는 이처럼 '수출입국' 드라이브와 동행했다. 세계박람회는 한국이 제조업, 중화학공업 국가에서 최첨단 ICT, 소프트파워 강국으로 성장하는 궤적을 오롯이 함께했다. 한국은 1960년대 이후 개최된 BIE 주관 등록·인정박람회에 모두 참가했다. 2010년 상하이엑스포에선 개최국 중국 다음으로 큰 7683㎡ 규모의 한국관을 개설했다. 박람회장 전체 입장객 10명 중 1명꼴로 한국관을 관람했다, 보통 서너 시간 줄을 서야 할 정도로 인기가 높아 "한국관 입장이 한국 가기보다 더 어렵다"는 말까지 나왔다.

1962시애틀박람회 한국관 내부 모습

▸ 들러리에서 국제무대 주역으로

한국은 참가에 그치지 않고 1993년 대전엑스포, 2012년 여수엑스포 등 두 차례 인정박람회를 성공적으로 개최했다. 특히 대전엑스포는 국악 공연과 민예품으로 세계박람회에 첫 선을 보인 지 꼭 100년 만에 세계무대 주역으로 우뚝 선 자리였다. 대전엑스포에선 엑스포와의 인연을 되새기는 특별한 장면이 펼쳐졌다. 박람회장 내 문예전시관에서 열린 '시카고박람회 참가 전시품 특별전'이 그것이다. 시카고박람회 전시물 원본 30점을 가져와 1세기 전 한국을 다시 보여준 전시회였다. 이 진귀한 전시물은 시카고 필드자연사박물관에 기증돼 소장 중인 것을 임대해왔다. 전시 품목은 삼회장저고리 가슴싸개 누비속바지 대님 도포 망건 소창의 갓 토시 버선 등 조선 후기 복식류 18점, 여자채상 등 주거용품 4점, 투구덮개 감투 조총 등 군용품 8점 등이었다.

부산이 도전장을 낸 2030년 월드엑스포는 3세기에 걸친 전통 위에 서 있다. 그 역사성을 기리는 이벤트가 마련된다면 BIE 핵심가치인 협력·교육·혁신 정신에 부합할 것이다.

이를테면 시카고박람회 당시 한옥 전시실을 재현하고 아악과 전시물을 다시 소환하는 방안도 가능하다. 2030부산엑스포가 인류 공통과제 해결의 대전환을 이끌며 엑스포 역사에 빛나는 새 장을 쓰기를 국민은 기대하고 있다.

딸린 이야기 정경원 '시카고박람회' 참가단장

우리나라의 엑스포 참가사에서 꼭 기억할 인물이 있다. 1893년 시카고박람회 참가단장인 정경원(鄭敬源, 1851~ 1898). 그는 1893년 3월 시카고박람회에 참석할 것을 명한 고종의 칙지를 받았다. 직책은 미국전람회

1893시카고박람회 사절단장 정경원

출품사무대원. 이역만리 미국 땅, 서양문물이 총집결하는 박람회에 나라를 대표해 참가하는 특별한 책무였다. 정경원은 1890년 별시 문과에 급제한 뒤 성균관 대사성, 이조참의 등을 지낸 정3품 참의내무부사였다. 지금으로 치면 행정안전부 실장에 해당하는 당상관이다.

그는 사무원, 통역원, 악공 등 12명을 이끌고 미국으로 건너가 박람회 업무를 총괄했다. 이승수 대리공사 등 주미 조선공사 관원들이 그의 지휘 아래 실무에 투입됐다. 그는 스티븐 클리블랜드 대통령을 면담하고, 시카고 시내 호텔에서 각국 외교사절 100여 명을 초청해 연회를 여는 등 활발한 외교활동을 벌였다.

특히 그는 박람회에 관한 기록을 상세하게 남겼다. '박물회약기(博物會略記)'라 불리는 이 문서에는 박람회 참가 결정 과정부터 모금, 운영 조직, 박람회장 구성 등 행정뿐만 아니라 건축물, 출품국, 전시물 내용, 관람객 현황 등이 생생하게 묘사되어 있다. 대규모 국제행사 경험이 없는 관헌의 보고서라기엔 믿기 어려울 정도로 정확하고 세밀한 기록이다. 이미 국운이 기운 조선말이지만 엘리트 관료의 만만찮은 실력과 내공이 엿보인다. 그해 12월 귀국한 정경원이 고종에게 박람회 업무를 복명한 내용이 '승정원일기'에 남아 있다.

그는 관리로서 구한말 격랑을 고스란히 겪었다. 박람회 공적을 인정받아 이조참판에 제수된 뒤 동학농민운동이 일어나자 민심을 달래는 선무사로 파견됐고, 갑오개혁 이후 설치된 군국기무처 회의원을 거쳐 평양부 관찰사를 지냈다.

3. 월드엑스포와 전문엑스포

부산이 개최를 추진 중인 세계박람회는 2030년 월드엑스포다. '월드엑스포'란 무엇인가. 엑스포는 규모·등급에 따라 등록박람회와 인정박람회로 나뉜다. 한때 공인, 종합, 특수, 1·2급 박람회 등의 명칭이 혼용됐다. 개최 주기도 일정하지 않았다. 엑스포 개최 주기와 등급은 1990년대 들어서야 명확해졌다.

▸ 5년 주기, 등급 재정립

엑스포를 관장하는 국제박람회기구(BIE)는 1996년 규약 개정을 통해 정규 세계박람회 주기를 5년으로 정하고 0과 5로 끝나는 해에 개최하도록 했다. 혼란을 거듭하던 박람회 등급은 5년 주기의 '등록박람회(registered exposition)'와 등록박람회 사이에 열리는 작은 규모의 '인정박람회(recognized exposition)'로 정립됐다.

새 규정은 2000년 하노버엑스포부터 적용됐다. 이후 2005년 아이치, 2010년 상하이, 2015년 밀라노, 2020년 두바이, 2025년 오사카·간사이, 부산이 유치 신청한 2030년 엑스포가 등록박람회 계보다. 그 사이 2008년 사라고사, 2012년 여수, 2017년 아스타나 등 세 차례 인정박람회가 열렸다. 이 등록·인정박람회를 좀 더 알기 쉽고 직감적인 용어로 바꾼 것이 '월드엑스포(world expo)'와 '전문엑스포(specialized expo)'다. BIE 규정상 등록박람회를 월드엑스포로, 인정박람회를 전문엑스포로 부른다. 월드엑스포와 전문엑스포는 규모와 주목도, 영향력 측면에서 상당한 차이가 있다. 개최 기간만 해도 월드엑스포는 6개월 이내, 전문엑스포는 3개월 이내다. 월드엑스포는 인류 활동과 미래비전을 포괄하는 보편적이고 광범위한 주제를 다루는 데 비해 전문엑스포는 특정 분야의 국제적 관심사를 다룬다. 박람회장 규모의 경우 월드엑스포는 제한이 없으나, 전문엑스포는 25만㎡ 이내로 규정돼 있다. 참가국 전시관도 월드엑스포는 개최국이 제공하는 부지에 참가국이 자국 경비로 짓도록 하는 반면 전문엑스포는 개최국이 일률적으로 지어 제공한다. 그런 만큼 월드엑스포는 참가국의 역량이 투입된 다양하고 창의적인 전시공간 조성이 가능하다.

▸ **월드엑스포에 대한 열망**

BIE는 정부 간 기구인 만큼 각 나라가 공식 외교채널을 통해 엑스포 개최권을 확보하고 참가국을 초청한다. 사실 BIE는 세계박람회라는 인류문명의 양태가 자리 잡은 뒤 1928년 뒤늦게 출범했다. 박람회 종주국을 자처해온 프랑스의 주도로 파리에 본부를 두고 31개국이 창립 조약에 서명했다. 현재 회원국은 170개국에 이른다.

1930년대 이전 세계박람회는 훗날 공인 박람회로 추인된 것이다. BIE는 개최 주기와 등급을 재정립하면서 구분이 없던 역대 박람회 전체를 두 카테고리로 나눴다. 이에 따라 1851년 런던부터 2025년 오사카·간사이까지 36번의 박람회가 월드엑스포로 분류됐다. 이 가운데 22번의 박람회는 BIE 창립 이전이거나 조약 발효 직후여서 BIE가 관장하지 않았지만 중요성을 인정해 월드엑스포로 공인됐다. BIE가 직접 관장한 1936년 이후 월드엑스포는 1937년 파리, 1939년 뉴욕, 1958년 브뤼셀, 1962년 시애틀, 1967년 몬트리올, 1970년 오사카, 1992년 세비야 등 14번의 박람회다. 전문엑스포는 1936년 스톡홀름부터 2017년 아스타나까지 34개로 정리됐다. 한국이 개최한 1993년 대전엑스포와 2012년 여수엑스포는 전문엑스포에 포함됐다.

우리나라는 두 차례 전문엑스포를 성공적으로 개최했지만 월드엑스포에 대한 열망이 여전히 남아 있다. 여수가 상하이에 밀려 월드엑스포 대신 전문엑스포를 개최한 데다 월드컵, 동계올림픽 등 굵직한 국제 이벤트를 치르면서 갈망은 더욱 높아졌다. 그 염원을 부산이 떠안은 셈이다. 부산은 여수엑스포 직후부터 월드엑스포 유치의 불씨를 지폈다.

2025오사카·간사이엑스포 조감도

2025오사카·간사이엑스포 조감도

부산항 북항 일원에 조성될 박람회장은 시민들의 접근이 어려웠던 컨테이너 항만, 콘크리트 호안이 초현대식 건축물과 친수공간으로 거듭나게 된다.

▸ '세박' '만박'

엑스포의 우리말 공식 용어는 '세계박람회'다. 유치위원회, 조직위원회 등 조직명에도 모두 이 용어를 쓴다. 일본은 엑스포를 '萬國博覽會'라 표기한다. 또 이를 줄여 '반파쿠(萬博)'라 한다. 만국박람회란 용어는 한동안 우리나라에서도 쓰이다 일본식 조어란 지적이 나오면서 기피되고 있다. 중국에선 세계박람회를 줄인 '스보(世博)'란 말이 통용된다. 상하이 엑스포를 앞두고 아기 이름을 '스보'로 짓는 유행이 생겼다.

'엑스포(EXPO)'는 'exposition'의 앞부분을 떼어낸 말이다. 그런데 이 용어가 세계박람회 초기부터 사용된 것은 아니다. 영어 'exposition'은 전시행사를 뜻한다. 철자가 같은 프랑스어도 같은 의미다. 사실 영어권에서는 'exposition'보다 'exhibition'이란 용어가 더 친숙했다. 세계박람회의 효시인 1851년 런던박람회의 공식 명칭만 해도 '만국 산업생산물 대박람회(The Great Exhibition of the Works of Industry of All Nations)'였다. 이후 19세기 말까지 파리가 박람회의 근거지가 되면서 프랑스어 'exposition'이 주로 사용됐다. 1876년 필라델피아박람회를 필두로 세계박람회 주 무대가 된 미국에서는 'exposition' 대신 'world's fair' 또는 'the fair'란 말이 널리 쓰였다. 대중에게 통용됐을 뿐 아니라 박람회 공식 명칭을 그렇게 썼다. 예컨대 미국 엑스포의 절정이라 할 수 있는 1939년 뉴욕박람회 공식 명칭은 'New York World' s Fair'였다. 'fair'는 '장터'나 '축제'라는 의미가 있으므로 대중적 오락성이 크게 강조된 미국 박람회의 성격이 느껴지는 대목이다.

'EXPO'란 줄임말은 1960년대 BIE 운영자들이 만들어낸 신조어다. 이 말이 처음 등장한 것은 1967년 몬트리올박람회 때였다. 2차 대전 이후 세계박람회가 평화와 진보의 메신저로 부활하기를 원했던 BIE가 만들어낸 새로운 브랜드네임이었던 것이다. 그 작명은 매우 성공적이어서 세계박람회의 통칭으로 뿌리내렸다. 이뿐 아니라 온갖 행사의 대명사가 돼 어떤 분야든 대형 전시이벤트를 '~엑스포'라 지칭하곤 한다.

엑스포가 세계박람회 공식 명칭으로 처음 사용된 것은 1970년 오사카엑스포(EXPO '70)였다. 이후 전 세계에 널리 알려지면서 고유어로 굳어졌다. 부산엑스포의 우리말 공식 명칭은 '2030 부산세계박람회', 영어 공식 명칭은 'World EXPO 2030 Busan, Korea'다.

월드엑스포-전문엑스포 구분

	월드엑스포	전문엑스포
공식 등급명	국제 등록박람회	국제 인정박람회
주최	개최국	개최국
주제	광범위한 인류의 과제	특정 분야의 국제적 관심사
개최기간	6개월 이내	3개월 이내
개최주기	5년	두 월드엑스포 사이
박람회장 규모	무제한	25만㎡ 이내
참가국 전시관	참가국 경비로 건설 또는 임대	개최국이 지어 유·무상 임대
공식 참가자	국가, 국제기구	국가, 국제기구
비공식 참가자	도시, 지역, 기업, 민간단체, NGO	도시, 지역, 기업, 민간단체, NGO

딸린 이야기 엑스포와 올림픽

엑스포와 올림픽, 월드컵을 흔히 글로벌 3대 메가 이벤트라 한다. 지금까지 이들 세 국제행사를 모두 개최한 나라는 프랑스 미국 캐나다 독일 이탈리아 일본 등 6개국이다. 부산이 2030월드엑스포를 열게 되면 7번째가 되는 셈이다.

엑스포-올림픽-월드컵 비교

	엑스포	올림픽	월드컵
성격	과학기술문화행사	스포츠행사	스포츠행사
관장 기관	BIE(정부간기구)	IOC(민간기구)	FIFA(민간기구)
첫 대회	1851년 런던	1896년 아테네	1930년 우루과이
개최 횟수	69회	하계올림픽 29회, 동계올림픽 22회	22회
개최 주기	2~5년	4년	4년
개최 기간	3~6개월	17일	30일
규칙	BIE 준칙 존중	IOC 규칙 준수	FIFA 규칙 준수
참가국	190개국, 56개 국제기구 (2010년 상하이엑스포)	206개국 (2020년 도쿄올림픽)	215개국 또는 지역 (예선 포함, 2022년 카타르월드컵)
직접 관람자	7300만 명 (2010년 상하이엑스포)	750만 명 (2016년 리우올림픽)	340만 명 (2022년 카타르월드컵)

엑스포와 스포츠 제전은 성격과 양식이 달라 단순 비교는 어렵다. 강력한 조직력을 갖춘 올림픽과 월드컵이 세계인의 눈길을 끄는 집중도, 정치·사회·문화적 영향력이 압도적인 반면 경제유발 효과, 관람자 수는 엑스포가 우위에 있다. 그런데 이는 오늘날의 관점이고 근대올림픽이 태동한 19세기 말에는 사정이 달랐다.

반세기 역사를 쌓으며 거인이 된 엑스포에 비해 올림픽은 갓난아기에 불과했다. 고대 올림픽 부활을 주도한 쿠베르탱 남작은 거대 국제행사인 세계박람회에 올림픽 개최지와 시기를 맞출 것을 제안했다. 박람회 관람객과 시설, 홍보 효과에 기대겠다는 의도였다.

논란 끝에 1회 올림픽은 그리스에서, 2회와 3회 올림픽은 각각 1900년 파리박람회와 1904년 세인트루이스박람회와 함께 열렸다. 하지만 엑스포와 올림픽의 더부살이는 '악연'으로 귀결됐다. 수천만 명의 관람객을 모은 성대한 박람회에 비해 올림픽은 한 귀퉁이에서 진행된 볼품없는 체육행사에 불과했다.

24개국이 참가한 2회 올림픽은 개·폐막식도 없이 5개월간 지루하게 치러졌고, 3회 올림픽은 박람회 주최 측에 반발한 쿠베르탱 국제올림픽위원회 위원장이 참석을 거부한 채 16개국만 참가했다. 두 대회 모두 박람회 조직위의 위세에 눌려 존폐가 위태로울 정도였다. 이후 올림픽은 조직력을 키우며 상승곡선을 그린 반면 엑스포는 매스미디어 등 대체재의 도전에 둘러싸여 한동안 제자리걸음을 했다.

4. 엑스포 새 지평 '아시아 시대'

엑스포의 흐름은 산업자본주의 무게중심과 함께 움직였다. 세계박람회의 시조인 1851년 런던박람회 당시 영국은 산업혁명과 제국주의의 최전성기였다. 그 바통은 19세기 말까지 5차례 박람회를 연 파리, 빈, 바르셀로나, 브뤼셀 등으로 이어지며 서유럽의 무대였다. 20세기 들어서는 신흥경제권이 된 미국이 세계박람회를 주도했다. 국가주의를 기반으로 한 유럽과 달리 미국 박람회는 상업주의가 깊숙이 작용했다. 그만큼 대중성과 오락성이 두드러졌다.

▸ 올림픽-엑스포 성공 공식

2차 세계대전 이후 엑스포는 새로운 전기를 모색했다. 엑스포가 찬양해온 과학기술이 결국 인류에 총부리를 겨눴다는 반성에서 초심인 평화·협력 정신 되찾기에 나섰다. 서방 선진국 일색이던 개최지를 다변화하고 인류의 공통과제를 논의하는 플랫폼으로 성격이 확장됐다.

1970년 일본 오사카엑스포는 세계 경제의 기운이 마침내 아시아로 넘어왔음을 알리는 신호탄이었다. 이후 일본 4회, 한국 2회, 중국 1회 개최하며 동아시아 3국이 엑스포를 주도하게 됐다. 문화적 다양성의 자양분을 흡수한 현대 엑스포는 더는 서방의 전유물이 아닌 공생의 문명 양식으로 자리 잡았다.

1970오사카 박람회장. 왼쪽 원통형 기둥이 있는 전시관이 건축가 김수근이 설계한 한국관이다.
오른쪽 사진은 2010년 4월 10일 상하이엑스포 개막식의 화려한 불꽃쇼.
10만여 발의 폭죽을 30분간 발사해 축제의 열기를 달궜다

일본은 올림픽, 엑스포 같은 초대형 국제행사를 통해 국운을 일으킨 모범사례다. 1964년 도쿄올림픽과 1970년 오사카엑스포는 일본이 패전국에서 선진국으로 부활했음을 세계만방에 알린 드라마틱한 무대였다. 반세기 넘어 일본은 다시 한 번 그 성공 공식을 들고 나왔다. 2020년 도쿄올림픽과 2025년 개최 예정인 오사카·간사이엑스포가 그것. 일본에선 1970년 오사카엑스포 당시 청소년층을 '반바쿠(万博) 세대'라 한다. 반바쿠는 엑스포의 일본식 번역어 '만국박람회'의 줄임말이다.

올림픽과 엑스포를 통해 청운의 꿈을 품었던 세대가 이제 장노년층이 됐다. 그 새 일본은 '잃어버린 20년'이라 불리는 장기 침체를 겪었다. 21세기 들어 다시 시도하는 올림픽-엑스포 세트는 이제 침체의 터널에서 빠져나와 재도약을 외치는 함성이다. 일본은 사실 세계박람회와 연고가 깊다. 1860년대 초기 박람회부터 참가하며 '동양의 대표선수' 역할을 했다. 박람회를 유력한 서구 문물의 하나로 인식하고 노하우를 배웠다. 1910년대와 1940년대 두 차례 세계박람회 개최를 추진하기도 했다. 하지만 첫 번째는 메이지 덴노 사망으로, 두 번째는 전쟁 발발로 무산됐다.

오사카 반바쿠万博기념공원 내 태양의 탑. 주변 시설을 철거한 채 보존했다

▸ 최고 히트작 '달에서 온 돌'

일본은 1970년 엑스포를 유치한 뒤 최고의 이벤트로 치르기 위해 총력을 다 했다. 오사카 시내와 50㎞ 떨어진 박람회장 중간에 수이타 위성도

시를 건설해 도로·철도·통신·전산망을 깔았다. 이 인프라 조성 사업에만 23억 달러를 투입했다. 1970년 일본의 외환보유고가 세계 6위인 38억 2800만 달러였던 점을 감안하면 엄청난 규모의 투자였다. '신일본' 기치 아래 지속해온 고도성장이 뒷배가 됐다.

오사카엑스포는 '인류의 진보와 조화'를 주제로 설정하고, 이상적인 미래도시 양식의 박람회장을 조성했다. 공연장·광장 등이 들어선 공동구역 중앙에 70m 높이의 '태양의 탑'을 세웠다. 가장 인기 있는 전시물은 미국관의 '달에서 온 돌'이었다. 1969년 7월 16일 인류 최초로 달에 착륙한 아폴로 11호가 가져와 처음 공개한 월석은 우주선 모형과 함께 뜨거운 화제를 모았다.

오사카엑스포는 올림픽과 개발 효과를 주고받으며 기념비적 성과를 거뒀다. 일본을 세계 경제 슈퍼파워로 자리매김했고 엑스포의 새로운 지평을 제시했다. 관람객 수 6422만 명은 40년 뒤 2010년 상하이엑스포에 와서야 깨진 역대급 기록이었다. 또 우리나라 대중이 엑스포에 눈뜨게 된 계기이기도 했다. 일본의 엑스포 개최는 독특한 궤적을 그렸다. 주기를 배씩 늘려가며 잇달아 개최한 것. 1970년 오사카 이후 5년 만에 1975년 오키나와, 그로부터 10년 만인 1985년 쓰쿠바, 그로부터 20년 만인 2005년 아이치엑스포를 열었다. 그리고 다시 20년 만인 2025년 오사카·간사이엑스포를 유치해놓은 상태다. 이 중 오사카, 아이치, 오사카·간사이는 월드엑스포, 나머지는 전문엑스포다.

▸ '잠에서 깬 용' 중국의 포효

일본이 뚫은 길을 한국과 중국이 뒤따랐다. 도쿄올림픽과 오사카엑스포가 각각 아시아 최초인 데 이어 1988년 서울올림픽과 1993년 대전엑스포는 나란히 아시아 두 번째였다. 대전엑스포를 통해 한국은 산업 강국으로 우뚝 섰음을 국제사회에 알렸다. 2012년 여수엑스포는 한국이 앞서가는 첨단 ICT 기술을 동원해 해양 이용의 새로운 패러다임을 제시했다.

상하이 세계엑스포박물관

중국은 2008년 베이징올림픽과 2010년 상하이엑스포를 통해 세계를 향해 포효했다. 굳이 'G2'란 말을 하지 않더라도 거대 시장과 막강한 생산력을 보유한 슈퍼파워임을 인정하지 않을 수 없는 기세였다. 중국이 '강대국관'을 너무 노골적으로 드러내고 있는 것 아니냐는 경계론이 나올 정도였다. 여수를 제치고 개최권을 확보한 중국은 '모든 것은 엑스포로 통한다'는 구호 아래 7년간 엑스포 준비에 심혈을 기울였다. 박람회장의 방대함은 '중국적'이란 수사에 걸맞았다. 랜드마크인 중국관은 전통 목조건축 두공기법으로 지은 6만8000㎡ 규모의 중국 홍색 건축물로 중국이 세계인에게 전하고픈 메시지를 집약했다.

상하이엑스포는 여러 면에서 종전 기록을 갈아치웠다. 황푸강 둔치 523만㎡ 부지에 펼쳐진 박람회장 규모와 190개국 참가, 7308만 명에 이른 방문자 수는 지금껏 최대 기록으로 남아 있다. 하루 최다 입장객 수도 사상 최초로 100만 명을 넘겼다. 북한과 대만이 처음으로 엑스포에 참가했다는 점도 특기할 만하다. 상하이엑스포는 개혁·개방 30년을 맞은 중국이 올림픽, 건국 60돌 기념식과 함께 공들여 준비한 '중화민족 부흥' 3대 행사의 완결판이었다. 중국 정부는 경제·문화강국으로서 국격을 높이고, 경제성장의 기폭제이자 국민통합의 기제로서 엑스포 효과를 극대화했다.

미디어의 비약적 발전과 함께 현대 엑스포는 자신이 세상에 내놓은 대체재와 경쟁하는 상황을 맞았다. 텔레비전·컴퓨터·인터넷 등 전자매체와 놀이공원, 각종 축제와 전시 이벤트가 그것이다. 엑스포가 새로운 환경에 적응하지 못한 공룡처럼 도태될지 모른다는 우려마저 나왔다. 하지만 엑스포는 늘 새로운 영역을 확보해왔다. 시대마다 인류 공통과제를 공유하고 논의하며 체험하는 소통의 장으로 진화를 거듭했다. 부산이 개최 추진 중인 2030년 엑스포는 창의적 공간 구성과 전시 콘텐츠 창출을 통해 대전환의 시대정신을 발산할 것으로 기대된다.

딸린 이야기 엑스포와 관부연락선

관부연락선은 경부선 철도가 완공된 1905년 9월 일본 산요기선주식회사가 개설했다. 부산잔교역과 시모노세키역을 직통으로 연결했다. 시모노세키(下關)와 부산(釜山)에서 한 자씩 따 '관부'가 붙었다. 조용필의 '돌아와요 부산항에' 속 "오륙도 돌아가는 연락선…"이 바로 관부연락선이다.

관부연락선은 물산 침탈, 징용자 수송로이자 만주로 이어지는 대륙 침략 중계항로였다. 유학, 사업, 노동, 온갖 돈벌이를 하러 현해탄을 건너는 조선인의 숱한 애환을 싣고 오갔다. 1940년대엔 연간 수송 인원이 200만 명에 달했다. 여류성악가 윤심덕이 기혼자 연인과 쓰시마섬 앞바다에 몸을 던진 게 관부연락선 '도쿠주마루'였다. 이병주 소설 '관부연락선'을 비롯해 많은 예술작품의 소재이자 무대가 됐다.

관부연락선은 미군의 공습이 심해진 1945년 3월 운항이 중단됐다. 오사카엑스포는 관부연락선 재개에 결정적 역할을 했다. 한일 국교 정상화 이후 양국은 부관(관부) 페리 운항 재개 협상에 나섰으나 타결이 쉽지 않았다. 협상은 3년간 난항을 겪었다. 그러다 오사카엑스포를 앞둔 일본이 강력히 밀어붙이면서 타결됐다. 1970년 6월 재개된 이 항로엔 지금도 1만6000 t 급 페리가 매일 운항하고 있다.

해방 후 폐역된 부산잔교역은 부산역 남쪽 제1부두 연안여객터미널 자리에 있었다. 부산엑스포 예정지에 포함된 부산항 북항 재개발 1단계 구역 남단이다. 경부선 종착역이었지만 일제 강점기엔 도쿄역이 시발역이어서 부산잔교역에 경성역 방향이 '하행'으로 표시돼 있었다고 한다.

1970년 오사카 박람회장의 왼쪽 원통형 기둥이 있는 전시관이 건축가 김수근이 설계한 한국관이다. 오른쪽 사진은 2010년 4월 10일 상하이엑스포 개막식의 화려한 불꽃쇼다. 10만여 발의 폭죽을 30분간 발사해 축제의 열기를 달궜다.

5. 엑스포가 낳은 문명의 산물

"Everything begins with EXPO." 2012년 여수엑스포 국제박람회기구(BIE) 전시관 입구에 새겨졌던 문구다. 이처럼 '당당한' 슬로건을 내세운 배경에는 170년간 쌓아온 세계박람회의 빛나는 전통이 있다. BIE관은 인류문명의 쇼케이스가 돼 온 엑스포 역사를 한눈에 살펴볼 수 있게 했다. 전시를 관통하는 키워드는 엑스포가 지켜온 핵심가치인 진보와 평화, 교육과 교류였다.

▸ 인류의 기술·자본 총동원

이들 가치는 세상을 움직인 새로운 산물로 구체화됐다. 엑스포는 산업혁명 이후 인류가 축적해온 지식과 기술, 자본과 인력이 총동원된 이벤트다. 현대문명을 구성하는 수많은 신개발품이 엑스포를 통해 세상의 빛을 봤다. 오늘날 우리가 향유하는 거의 모든 생산물이 엑스포에서 첫 선을 보인 뒤 대중에 보급됐다고 해도 과언이 아니다. 증기엔진, 수세식 화장실부터 청소기, 가스레인지 같은 생활용품, 고무타이어, 탈곡기, 에스컬레이터, X-레이, 플라스틱, 컴퓨터, 로봇, 로켓 등 온갖 발명품이 엑스포 무대를 장식했다. 엑스포를 모태로 한 물품 목록은 헤아리는 것이 무의미할 정도다. 케첩, 솜사탕 등 가공식품과 스트립쇼, 대관람차, 놀이동산 같은 대중문화, 에펠탑, 자유의 여신상 등 기념물도 예외가 아니다. 피카소의 '게르니카' 같은 걸작 예술품, 심지어 '달에서 온 돌'도 엑스포에서 처음으로 대중과 만났다.

대부분의 공산품이 엑스포에 첫 제품을 내놓은 뒤 박람회를 거치면서 진화해나갔다. 물론 기존 개발품이 엑스포를 통해 널리 보급되거나 대중화된 것도 많다. 초기엔 무기류가 주요 전시품이 되기도 했으나 평화 정신에 맞지 않는다는 지적에 따라 이내 무대에서 내려왔다. 1904년 세인트루이스박람회 조직위원장은 개회사에서 이렇게 공언하기까지 했다. "만약 끔찍한 재앙이 일어나서 이 박람회장 바깥에 있는 인류의 모든 성과물이 파괴된다 하더라도 여기 모인 각국 전시물로 문명을 재건하기에 충분할 것이다."

▸ 공상소설 소재가 현실로

초기 박람회에 등장한 획기적 물품 중 하나는 재봉틀이었다. 미국 발명가 아이작 싱어가 개발한 신형 재봉틀은 1855년 파리박람회에 첫 선을 보인 뒤 1862년 런던박람회에선 별도 전시실을 차리고 마케팅에 나섰다. 단순한 바느질 도구가 아니라 가사노동을 근본적으로 혁신한 기계라는 콘셉트를 내세웠다. 오늘날까지 명맥을 잇고 있는 싱어재봉틀회사는 엑스포와 함께 성장한 대표적 기업으로 뽑힌다.

전화는 세상을 놀라게 한 또 하나의 발명품이었다. 알렉산더 그레이엄 벨은 1876년 필라델피아박람회에서 먼 거리에 있는 사람과 말을 주고받는 시연을 했다. 송수화기 전자석에 설치한 얇은 철판을 진동시켜 유도전류로 음성을 재생하는 장치였다. 소리가 전기로 바뀌어 장거리를 이동하는 모습은 보는 이의 탄성을 자아냈다. 벨의 현장 시연은 엑스포 역사의 명장면 중 하나로 남아 있다.

움직이는 보도(moving walkway)는 공상과학소설에서 실제 세상으로 나왔다. '길이 움직인다면 얼마나 좋을까' 하는 공상은 많은 이가 가지고 있었다. 운송수단 없이 길이 움직여 가고 싶은 곳을 간다는 생각이다. H.G. 웰즈의 공상소설에 벨트식 이동보도를 건물 사이, 도시 사이에 놓아 편리하게 오간다는 내용이 나오곤 했다. 1893년 시카고박람회는 그런 공상을 현실로 보여줬다. 박람회장 놀이공원 호숫가에서 카지노까지 전기로 작동하는 곡선형 이동보도를 설치했다. 2개 층 중 한 층은 앉아서 가는 의자가 설치됐고, 다른 층은 서서 타게 돼 있었다. 속도는 시속 3마일로 걷는 속도와 비슷했지만 신기한 작동 모습으로 관람객의 인기를 독차지했다. 1900년 파리박람회는 한층 개선된 이동보도를 구현했다.

1939년 뉴욕박람회는 텔레비전 시대의 도래를 알렸다. 프랭클린 루스벨트 대통령의 개막연설이 세계 최초로 생중계된 것. NBC방송이 개막식 장면을 첫 정규 방송으로 송출했다. RCA가 개발한 기술과 엠파이어스테이트 빌딩 옥상 송신탑을 이용했다. 이 역사적 방송은 당시 뉴욕에 보급된 텔레비전 수상기 200대로 시청했다고 한다.

▸ 미니스커트와 재봉틀, 아이스크림

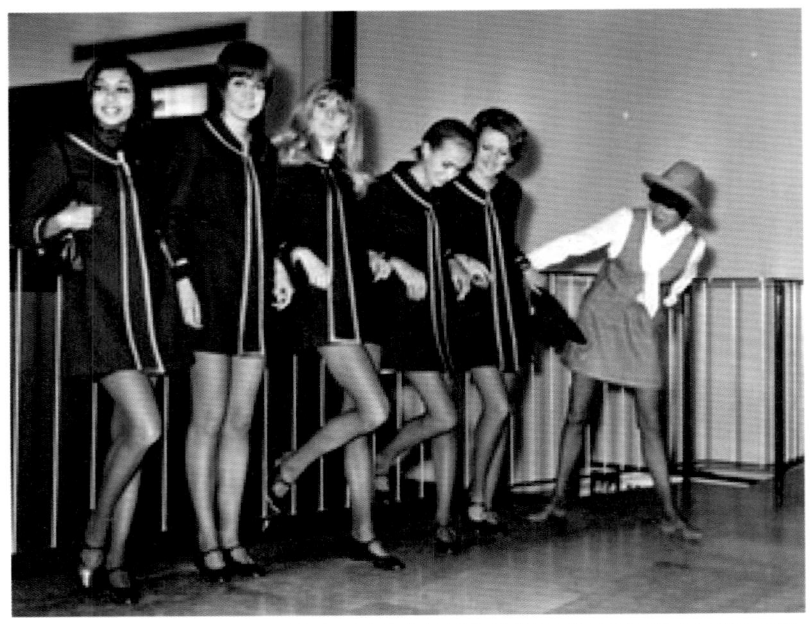

1967년 몬트리올박람회에서 메리 퀀트가 디자인한 미니스커트 유니폼을 입은 모델들

엑스포는 대중문화 확산의 발판이 되기도 했다. 아이스크림, 미니스커트 등이 대표적 사례다. 아이스크림은 1904년 세인트루이스 박람회장에서 선풍적 인기를 끌었다. 어른 아이 할 것 없이 아이스크림콘의 달콤함에 푹 빠져들었다. 그 모습을 담은 기념 우표까지 발행됐다. 미니스커트는 1967년 몬트리올박람회에 등장하면서 전 세계에 전파됐다. 영국관 여성 안내원이 영국 디자이너 메리 퀀트가 디자인한 스커트를 입어 눈길을 끌었다. 이 '과감한' 옷차림은 당장 다른 참가국 전시관 안내원 유니폼이 미니스커트로 바뀔 만큼 파급력이 폭발적이었다.

엑스포는 '지상 최대의 쇼'로 불린 1939년 뉴욕박람회에서 변곡점을 맞았다. 기술 문명이 이룩한 인류의 성취를 집대성하는 기존 방식에 정점을 찍었다. 2차 대전 이후 엑스포는 10여 년간 정체기에 들어갔다. 이어 열린 1958년 브뤼셀박람회와 1967년 몬트리올박람회는 분위기가 사뭇 달랐다. 과학기술이 야기한 비극적 살상에 대한 반성에서 평화주의와 휴머니즘, 미래주의가 강조됐다. 과시적 건축물, 지나친 상업주의와 향락문화 대신 인류 공통과제를 논의하는 소통이 장이 돼 갔다. 전시 콘텐츠와 기법도 디지털 미디어를 활용한 인식의 확장, 스토리텔링, 상호작용형 공유와 체험 방식으로 진화했다. 그런 면에서 19세기를 마감한 2000년 하노버박람회는 엑스포의 새로운 전범이 됐다는 평가를 받는다. 하노버엑스포는 6개 영역별 프로젝트를 제시하고 참가국이 곳곳에서 이를 풀어나가는 방식으로 진행됐다. 과학기술의 진보와 개발, 자연환경의 균형을 공통 주제로 4차 산업혁명의 발원지로 자리매김했다.

2030년 개최 추진 중인 부산엑스포는 엑스포 트렌드에 발맞춰 전 지구적 협력과 조화, 공존의 삶을 모색한다. 사람과 기술, 자연 간 패러다임 대전환이 그 지향점이다. 빅데이터, 인공지능, 메타버스 등 한국이 앞서가는 최첨단 ICT 기술을 활용한 매력적인 전시 공간과 콘텐츠 창출이 관건이라 할 수 있다.

딸린 이야기 타임캡슐

엑스포는 문명의 집대성뿐만 아니라 당대 산물을 미래사회에 전하는 시도도 했다. 먼 훗날 사람에게 보내는 '타임캡슐'이 그런 역할을 했다. '미래세계 건설'이 주제였던 1939년 뉴욕박람회가 그 첫 삽을 떴다. 부식되지 않는 합금으로 제작된 2.3m 통에 각종 물품을 넣은 타임캡슐을 웨스팅하우스 전시관 앞 기념탑 지하 15m에 묻었다.

1939뉴욕박람회. 타입캡슐을 묻는 장면과 타임캡슐에 담긴 내용물

개봉일은 무려 5000년 뒤인 6939년으로 설정됐다. 타임캡슐 안에는 1939년 시대상을 대표하는 물건 35가지가 담겼다. 자명종 시계, 미키마우스 손목시계, 깡통 따개, 큐피 인형, 야구공, 질레트 안전면도기, 카멜 담배, 1달러 동전, 나이프, 포크, 스푼 등 생활용품. 아인슈타인의 책과 신문, '라이프' 잡지 등 간행물이 포함됐다. 옥수수·콩·보리·쌀·면화 등 12개 농작물 씨앗은 유리관에 밀봉해 넣었다. 개봉 연도 숫자인 6939명 시민이 쓴 메시지도 포함됐다. 또 과학·기술·산업·예술·교육 등 각 분야 현황을 담은 글과 사진을 마이크로필름에 담아 이를 볼 수 있는 마이크로

스코프 기기와 함께 넣었다. 미래에 전한 정보는 읽는 데만 1년 이상 걸리는 방대한 양이었다. 타임캡슐과 수장품은 복사본을 만들어 전시했다. 타임캡슐이 묻힌 자리엔 표지석을 세우고, 관련 기록물을 3000부 찍어 공공도서관과 박물관에 배포했다.

일본판 타임캡슐도 등장했다. 1970년 오사카엑스포 때 마쓰시타가 제작했다. 똑같은 캡슐을 만들어 하나는 뉴욕 것처럼 5000년 뒤 6970년에, 다른 하나는 2000년부터 100년 간격으로 조금씩 개봉하도록 했다. 안에는 29개 용기에 시계, 전자기기, 옷, 예술품 등과 기록물 2098점을 담았다. 타임캡슐은 마쓰시타 전시관에 공개된 뒤 엑스포 폐막 후 관광명소인 오사카 성 공원에 매장됐다.

6. 도시의 얼굴 바꾼 엑스포의 힘

엑스포는 개최도시의 면모를 일신해왔다. 초기 세계박람회 무대였던 런던, 파리부터 두바이까지 도시 개발·개조·재생에 막대한 파급력을 발휘했다. 불멸의 랜드마크, 기념공원을 남긴 것은 물론 도로·철도·통신·상하수도 등 기반시설을 끌어올렸다. 도시계획의 기본 축을 재정립하고 낙후지역을 되살려 도시 전체에 활력을 불어넣었다. 그 과정에서 개최도시는 세계적 인지도를 얻었다.

▸ 유럽의 보석으로 거듭나

세계박람회를 통해 국제도시의 명성을 굳힌 대표적 도시는 파리다. 파리는 1855년부터 1900년까지 11~12년 간격으로 다섯 차례 박람회를 개최했다. 20세기 들어 1937년 한 번 더 열어 엑스포 최다 개최 기록을 세웠다. 개최 장소는 샹제리제 박람회장을 지은 첫 박람회 이후 모두 샹 드 마르스였다. 파리 서부 군사훈련을 하던 벌판에 트로카데로 궁 등 박람회

건물이 잇따라 들어서며 '엑스포의 명당'이 됐다.

1855년 박람회 준비 당시 파리는 런던에 비해 도시환경이 뒤떨어져 있었다. 런던에서 젊은 시절을 보낸 나폴레옹 3세는 박람회 준비와 동시에 파리 '대개조' 사업에 착수했다. 파리시장인 조르주외젠 오스만 남작에게 도시 구조개혁 총책을 맡겨 중세도시 형태이던 파리의 도로와 건축물, 상하수도, 녹지 등을 획기적으로 변모시켰다. 좁은 미로 같은 골목, 밀집 형태로 햇빛이 들어오지 않는 건물, 비만 오면 진창이 되는 도로, 생활하수와 오수가 넘치는 수로를 전면 개조했다. 개선문을 중심으로 한 12개 방사형 도로, 도심~외곽 연결 대로를 개설하면서 대대적인 재개발이 이뤄졌다.

샹 드 마르스 박람회장은 센 강변을 따라 크게 확장됐다. 1889년 박람회 때 마침내 서구문화의 아이콘이 된 에펠탑이 세워졌다. 1900년엔 박람회에 맞춰 지하철이 개통됐다. 포르트 드 뱅센 ~ 포르트 마이요 간 메트로 1호선이 그것이다. 이 무렵 파리는 에펠탑을 정점으로 한 빼어난 스카이라인을 완성했다. 샹 드 마르스는 세계적 관광명소로 떠올랐다. 오늘날 몽마르트르 언덕에 올라 조망하는 도심 전경은 당시와 크게 다르지 않다. 다섯 차례의 세계박람회는 파리를 눈부신 경관을 자랑하는 유럽의 보석으로 거듭나게 했다.

▸ 변방마을에서 국제도시로

19세기 말까지 세계박람회를 개최한 빈, 필라델피아, 바르셀로나, 브뤼셀 등도 박람회를 계기로 도시 면모를 혁신했다. 호주 멜버른의 경우 영국 식민지였던 1880년 박람회를 개최해 시골 마을이나 다름없던 곳을 번듯한 도시로 업그레이드했다. 당시 박람회장은 도심의 빅토리아 칼튼 공원과 박물관으로 남았으며, 2004년 유네스코 세계문화유산으로 등재됐다. 1893년 박람회를 연 미국 시카고는 17년간 심혈을 기울여 박람회장을 지었다. 전통 고딕양식의 흰 회벽, 대리석 건물이 주류여서 '화이트 시티'라 불렸다. 화이트 시티는 이상적 도시계획으로 여겨져 이후 미국 건축의 흐름을 바꿔놓았다. 특히 워싱턴DC 심장부인 내셔널 몰 조성의 전범이 되면서 대통령 관저 백악관을 포함한 도시환경을 유산으로 남겼다.

20세기 후반 이후 엑스포를 개최한 시애틀, 몬트리올, 오사카, 세비야, 리스본, 아이치, 상하이, 밀라노 등도 엑스포를 도시 재개발·개조의 결정적 동력으로 활용했다. 현대 엑스포장 건설은 외곽 낙후지역이나 유휴지를 개발하는 방식과 기존 도심부를 재생·재개발하는 방식으로 크게 나뉜다. 상하이, 밀라노, 두바이 등이 전자라면 시애틀, 세비야, 리스본 등은 후자에 속한다고 할 수 있다.

1962년 엑스포가 열린 시애틀은 우주 탐험을 상징하는 랜드마크인 스페이스 니들을 남겼다. 엑스포 시설 대부분을 항구 건축물로 지어 지금까지 곳곳에서 사용되고 있다. 1986년 엑스포를 개최한 캐나다 밴쿠버는 도심 재개발을 통해 조용한 항구도시를 국제적 관광지이자 대도시로 바꿔놓았다. 대중교통의 근간이 된 무인 경전철 스카이트레인이 개설됐다. 캐나다 플레이스 등 엑스포 시설은 지금까지 관광명소로 남아 있다.

2015년 밀라노엑스포는 교외의 쇠락한 공단지역을 재활용했다. 엑스포 이후 대학과 기업 등이 들어선 휴먼 테크노폴리스 과학기술파크로 재구성해 2024년 문을 열 예정이다. 역대 최대 규모를 자랑한 2010년 상하이 엑스포도 방직공장 등이 있던 황푸강 양안 낙후지역을 개발했다. 여느 엑스포의 2~3배 넓이인 523만㎡가 최첨단 시가로 탈바꿈했다. 각종 기반시설에 막대한 투자가 이뤄졌다. 지하철 199㎞를 증설해 세계 최장 지하철 네트워크(803㎞)라는 타이틀을 갖게 됐다. 박람회장은 중국관 등 영구보존용 랜드마크 건축물과 함께 세계 유일의 국제박람회기구(BIE) 공인 엑스포박물관이 들어서 도시의 자산이 되고 있다.

▸ 시너지효과

2030년 엑스포 개최를 추진 중인 부산은 어떨까? 무엇보다 부산 역사상 최대 개발사업인 부산항 북항 재개발과의 시너지 효과가 기대된다. 부산은 한때 검토했던 외곽 미개발지 대신 도심권 항만 부지를 활용하는 박람회장 조성 계획을 세웠다. 원도심 인접 수변을 전면 개조하는 개발계획에 엑스포란 강력한 추진동력을 얹겠다는 구상이다.

북항 재개발에 엑스포 엔진이 장착되면 상승효과가 폭발적일 것임은 자명하다. 가덕신공항 건설, 도심부 연계교통망 개편 등 교통 인프라 확충도 탄력을 받게 된다. 북항은 주택이 빼곡한 산비탈, 교통·항만·산업시설 등 복잡한 도시환경을 배경으로 한 워터 프런트다. 그래서 '카오스적 경관'이라 불린다. 북항 재개발은 가장 '부산다운' 모습인 이곳을 개조해 새로운 스카이라인을 만든다.

북항 박람회장 조성은 그 자체로 부산의 새 얼굴을 그리는 일이다. 개항 이래 가장 큰 변모로 후손에게 물려줄 도시의 미래상을 만들어가는 과업이라 할 수 있다. 일반인의 접근이 어려웠던 항만시설, 콘크리트 호안이 시민과 자연이 함께 숨 쉬는 공간으로 되살아나는 획기적인 재생 효과를 기대할 수 있다.

엑스포를 계기로 동천 하구 미군 기지와 일대 복원까지 이뤄지기를 부산시민들은 바라고 있다. 왜관 시대부터 산업화에 이르는 역사의 현장인 동천 변은 개발 과정에서 직강화·복개 등 훼손이 심했다. 철도·물류 부지 등으로 단절된 동천을 원래 모습으로 복원해야 한다는 시민운동이 지속돼 왔다. 회복의 대전환을 맞아 동천이 살아나고 북항이 열린 공간으로 돌아오면 서면에서 엑스포장을 거쳐 원도심으로 이어지는 도시재생의 축이 완성된다.

딸린 이야기 2025년 오사카·간사이엑스포

2025년 오사카·간사이엑스포는 부산이 개최 추진 중인 2030년 엑스포 직전 월드엑스포다. 박람회장은 오사카 남서쪽 앞바다 155만㎡ 넓이의 인공섬 유메시마(夢洲)에 조성된다. 엑스포를 섬에서 치른 경우는 1967년 몬트리올, 1992년 세비야 등 몇 차례 있었다. 하지만 인공섬에 박람회장을 조성하는 것은 처음이다.

오사카 앞바다 인공섬에 조성되는 2025오사카·간사이박람회

핵심 전시구역 외곽에 옥상보행이 가능한 링 형태의 건축물을 세울 예정이다.

유메시마는 오사카 앞바다 시유지인 3개 인공섬 가운데 하나다. 2008년 하계올림픽 후보지로서 유치 추진단계에서 오사카 연결 해저터널을 건설하는 등 대대적인 투자가 이뤄졌다. 하지만 2008년 올림픽이 베이징으로 낙착된 뒤 일부 항만시설이 들어섰을 뿐 대부분 미개발 상태로 간척사업만 진행돼 왔다.

엑스포 유치 덕분에 20년간 방치됐던 해저터널이 마침내 빛을 보게 된 것이다. 인근 2개 인공섬에는 대규모 상업시설과 테마파크, 유니버설 스튜디오 재팬 등이 들어서 엑스포 연계 관광지 역할을 하게 된다. 일본은 신규 건설 중인 4개 고속도로를 비롯해 항공, 해상, 육상 교통망, 숙박 등 인프라를 구축하고 오사카~고베~교토를 배후지로 활용할 계획이다.

인공섬은 공한지인 만큼 모든 시설은 새로 짓게 된다. 박람회장은 주제관과 참가국 전시관이 들어서는 파빌리온 월드, 녹지와 야외행사 플라자로 이뤄진 그린 월드, 플로팅 호텔, 분수대 등의 워터 월드로 구성된다. 전시관 배치는 랜드마크 시설을 중심으로 펼쳐지는 통상 방식에서 벗어나 탈중앙 분산화를 지향하고 있다. 주제관도 하나의 큰 전시관 대신 11곳에 분산 배치된다. 세포분열, 벌집 등에서 발견되는 이른바 보로노이 다이어그램(Voronoi diagram)을 차용한 구상이다. 무작위로 흩어진 전시관은 지구촌 전역에 퍼진 80억 인구가 만들어갈 미래사회 콘셉트를 반영한다.

7. 엑스포를 빛낸 위인들

엑스포 연륜엔 수많은 별이 새겨져 있다. 대형 전시 이벤트를 기획·창조하는 데 당대 위인들이 불굴의 의지와 역량을 발휘했다. 엑스포는 많은 이에게 '일생 한 번' 있을까 말까한 매혹적인 볼거리였다. 세계인들은 상상력이 빚어낸 온갖 산물에 환호했다. 동시에 과학기술과 산업 진보를 이끈 영감의 원천이 됐다. 위대한 과학자, 발명가, 건축가, 학자, 예술가, 기업인들이 성취동기와 아이디어를 얻고 성과물을 내놓았다.

▸ '엑스포 창시자' 앨버트 공

영국 런던 하이드파크 남서쪽 입구 퀸스 게이트를 들어서면 황금색 동상을 마주한다. 화려한 빅토리아 양식의 '앨버트 기념비'다. 엑스포의 효시인 1851년 런던박람회를 주도한 앨버트 공(Prince Albert)이 그 주인공. 그를 빼놓고는 세계박람회 역사를 말할 수 없다. 동상은 먼저 간 부군을 그리워한 빅토리아 여왕이 1872년 세웠다.

엑스포 창시자'를 기리는 런던 하이드파크 앨버트 기념비

망토를 걸친 앨버트 공은 왼손에 책을 들고 앉아 있다. 이 책이 다름 아닌 런던박람회 공식 안내서다. 계관시인 알프레드 테니슨은 송시에서 '세계를 아우르는 박람회 창시자'로 그를 기렸다. 인류문명사에 한 획을 그은 첫 세계박람회가 런던에서 열린 것은 우연의 산물이 아니다. 박람회 태동 여건이 먼저 조성된 프랑스를 제친 과감한 결단의 승리였다.

런던박람회 개막식엔 65만 명의 기록적인 인파가 운집했다. 당시 영국은 제국주의 위세와 국운이 정점에 달한 시기였다. 박람회 개막은 대영제국의 영광이 인류의 제전이란 화려한 꽃으로 만개했음을 선포한 역사적 순간이었다.

학술원 의장이던 앨버트 공은 박람회 조직위 명예회장을 맡아 사령탑 역할을 했다. 영국 사회는 산업혁명으로 축적된 부의 이면에 극심한 갈등과 빈부격차, 자본주의 모순이 깊은 그늘을 드리우고 있었다. 박람회에 대해서도 기술 유출과 사회 혼란 야기 등의 이유로 반대 여론이 팽배했다. 의회에선 안정적 기금 확보를 조직위 구성의 전제조건으로 내세웠다.

앨버트 공은 박람회가 위기극복과 사회통합의 발판이 될 수 있다고 반박하며 여론 을 설득해나갔다. 부르주아 계층에게 많은 기부금을 받아내고 정부를 동원하는 등 강력한 추진력을 보였다. 우려하던 소요 사태는 일어나지 않았고 박람회는 성황리에 마무리됐다. 앨버트 공은 두 번째 박람회를 준비하던 중 1861년 급서했다. 병명은 장티푸스, 42세의 젊은 나이였다.

▸ **상상력의 한계를 넓히다**

이후 세계박람회는 프랑스의 나폴레옹 3세, 오스트리아의 요제프 1세 등 군주와 집권자가 주도했다. 국가의 위용을 높이는 패권적 욕망과 국민통합을 다지는 통치수단의 양면적 동기가 작동했다. 박람회 콘텐츠엔 19, 20세기에 걸친 눈부신 과학기술 진보의 궤적이 고스란히 담겼다.

'발명왕' 토머스 에디슨의 등장은 명장면의 하나로 꼽힌다. 에디슨은 1878년 파리박람회에서 전구와 확성기, 축음기를 선보였다. 그는 축음기에 자신이 직접 부른 노래('Mary had a little lamb')를 녹음해 들려줬다. 관람객은 '노래하는 기계'를 보며 탄성을 질렀다. 에디슨은 1915년 샌프란시스코 박람회장에서 뉴저지주 자신의 집으로 최초의 대륙 횡단 장거리 전화를 걸어 큰 환호를 받았다.

엑스포는 인간 상상력의 한계를 넓힌 혁신 디자인의 쇼케이스다. 시대마다 걸출한 건축가가 박람회장 공간 조성에 창의력을 쏟아 부었다. 첫

박람회장인 수정궁을 설계한 조셉 팩스턴, 모더니즘 건축의 대가 르 코르뷔지에, 뉴욕 월드트레이드센터 설계자 야마사키 미노루, 천재 건축가이자 미래학자 리처드 버크민스터 풀러, 도시설계의 일인자 단게 겐조 등 거장들이 대거 참여했다.

헨리 포드왼쪽와 토머스 에디슨가운데

세계적 예술가들도 엑스포 무대를 빛냈다. 파블로 피카소의 '게르니카'가 대표적인 예다. 이 작품은 스페인 정부의 의뢰로 1937년 파리박람회에 출품돼 세계인의 공감을 얻었다. 전쟁의 참화를 입체파 특유의 파괴적 구성과 비극적 색조로 표현해 시공을 초월한 인도주의의 메시지로 평가됐다. 반 고흐, 살바도르 달리, 프란시스 고야 등 화가와 폴 팔레리 등 문인, 리하르트 바그너 등 작곡가가 엑스포에서 자신의 예술세계를 펼쳤다.

일본의 노벨화학상(2002년) 수상자 다나카 코이치는 1970년 오사카엑스포에서 과학자의 꿈을 키운 '반바쿠(万博) 세대'다. 그는 엑스포 체험이 "평생 마음껏 공상을 펼칠 수 있는 계기가 됐다"고 했다.

▸ **엑스포 스타**

20세기 들어 미국이 주도한 세계박람회는 상업주의의 영향을 많이 받았다. 미국은 박람회 주최부터 정부와 기업이 각자 역할을 맡는 이원화 방식을 썼다. 자연히 기업의 참여 폭이 넓어졌다. 개발자 이름을 단 브랜드가 잇달아 배출됐다. 초기 박람회부터 참가한 권총의 콜트, 타이어의 굿이어, 농기구의 매코믹, 케첩의 하인즈, 수프의 캠벨, 타자기의 레밍턴, 전화기의 벨, 엘리베이터의 오티스 등이 그들이다.

헨리 포드는 1915년 샌프란시스코 박람회장에 아예 공장을 지어 유명한 'T모델' 자동차를 하루 18대씩 만들어냈다. 포드는 대량생산 조립라인을 창안함으로써 전 산업 생산에 일대 혁명을 일으켰다. 그의 이름을 딴 '포디즘(Fordism)'이란 신조어는 대량 생산과 동의어가 됐다.

1867년 파리박람회에 등장한 루이뷔통, 1878년 파리박람회 때 에디슨이 세운 제너럴일렉트릭, 1893년 시카고박람회에서 글로벌 브랜드로 떠오른 코카콜라, 1933년 시카고박람회부터 자동차 대중화의 문을 연 GM

등이 엑스포를 통해 혁신기업으로 자리 잡았다.

현대 엑스포는 인물보다 기업이 주도했다. 처음으로 기업 전용 전시관을 세운 것은 1876년 필라델피아박람회의 싱어 재봉틀 회사였다. 1915년 포드 전시관 이후 관례로 굳어졌다. 1970년 오사카, 1985년 쓰쿠바엑스포에서는 로봇, 초대형 스크린을 앞세운 소니, 마쓰시타 등 일본 간판 기업이 큰 활약을 했다. 역대 최대 규모였던 2010년 상하이엑스포의 경우 코카콜라·GM·시스코 전시관, 한국·일본·상하이 기업공동전시관 등 기업 전시관만 19개 들어섰다.

부산은 2030년 월드엑스포에서 부산·울산·경남권 미래산업에 글로벌 브랜드파워를 충전하려는 야심을 갖고 있다. 인공지능, 확장현실, 사물인터넷, 블록체인, 퀀텀 컴퓨팅 등 '딥테크' 스타트업, 벤처기업을 세계가 주목하는 엑스포 스타로 띄우겠다는 각오다.

딸린 이야기 에펠탑과 빅휠

엑스포를 빛낸 수많은 건축가 가운데 조형물에 자신의 이름을 남긴 경우는 흔치 않다. 구스타브 에펠과 조지 페리스가 영광의 주인공이다. 에펠은 1889년 엑스포 역사상 최고의 유산인 '에펠탑'에, 페리스는 1893년 시카고박람회 때 세운 대관람차 '페리스 휠'에 이름을 새겼다.

두 사람은 공통점이 많다. 동시대 철공에서 재능을 발휘한 '철의 달인'으로 세기적 상징조형물을 원한 박람회 공모에 당선됐다. 주변의 우려와 반대를 무릅쓰고 불굴의 의지로 세계 초유의 구조물을 만들어낸 것도 닮은 꼴이다.

하지만 둘의 성취는 성격이 다르다. 에펠탑은 불멸의 기념탑으로 그 자리를 지키고 있는 반면 페리스 휠은 전 세계 놀이·관람 시설의 원형이자

구스타브 에펠

보통명사로 남은 채 실물은 해체됐다. 개인적 삶도 상반된 행로를 걸었다.

에펠은 1866년 파리박람회에 철공 기술자로 참여하며 엑스포와 첫 인연을 맺었다. 이후 다리, 돔 등 철골 구조물을 도맡아 건설하며 이름을 날렸다. 그렇게 쌓은 명성으로 에펠탑 프로젝트에서 안전과 미학을 둘러싼 숱한 비판과 저항을 제압했다. 에펠은 부와 명예를 다 얻은 건축가로 91세까지 장수했다.

반면에 페리스는 인생이 순탄치 않았다. 투자자까지 유치하며 밀어붙인 '빅 휠'의 대성공에도 불구하고 끊임없는 분쟁에 시달렸다. 운영수익을 둘러싸고 박람회 조직위와 소송을 벌였고, 특허 출원을 소홀히 한 탓에 대형 유원지 등에 설계도를 도용당했다. 결국, 큰돈을 벌기는커녕 다시 공사 현장을 전전하다 37세에 급성 장티푸스로 요절했다. 사망 1년 후 '뉴욕 타임스'엔 세계적으로 유명한 '빅 휠'의 설계자 페리스의 화장된 유골이 비용을 치르지 못해 장례식장에 보관돼 있다는 기사가 실렸다.

8. 시대정신을 선도한 엑스포 주제

엑스포는 시대정신으로 세계를 이끌었다. 그 시발점은 오늘날 국제질서의 근간이 된 '자유무역(free trade)'과 '세계화(globalization)'다. 영국이 1851년 첫 세계박람회를 개최하는 데 넘어야 했던 가장 큰 장벽은 다름 아닌 국제화였다. 영국은 온 나라가 참여하는 대규모 박람회 개최 필요성을 인정하면서도 당대 최고인 자국 기술 유출을 우려해 '국제' 행사를 꺼렸다.

▸ '자유무역' '세계화' 깃발

실제로 세계박람회의 태동은 프랑스에서였다. 사통팔달 교통이 발달한 파리에선 18세기 이후 농산물, 공예품 등 각종 상품 전시회가 자주 열렸다. 이들 행사는 점차 국경을 넘나드는 교역의 마당이 됐다. 국제 박람회를 열자는 목소리가 자연스럽게 나왔고, 훗날 황제로 등극한 나폴레옹 3세가 개최 의지를 표명했다. 그러나 세계박람회 창시 공적은 영국에 돌아갔다. 국제 정세에 밝았던 한 지식인이 물꼬를 텄다. 자유무역 신봉자였던 영국 공공기록물보관소 관리관 헨리 콜은 상품교역 제한을 철폐해야 인류 평화와 번영의 시대를 열 수 있다고 굳게 믿었다. 온 나라가 참여하는 세계박람회야말로 그 결정적 계기가 될 것이라는 신념을 가지고 있었다.

프랑스의 박람회 추진 움직임에 주목한 그는 빅토리아 여왕의 부군 앨버트 공을 찾아가 영국이 박람회를 선점해 세계 무역·경제 주도권을 쥐어야 한다고 역설했다. 그의 주장에 공감한 앨버트 공은 당시로선 넘기 힘든 벽이던 국제박람회 실현의 견인차가 됐다. 앨버트 공은 우려와 저항을 물리치고 세계를 놀라게 한 대박람회를 성사시켰다.

그는 런던박람회 개회사에서 "박람회는 인간 활동의 전 영역을 진보시키고 지구상 모든 나라의 평화와 유대를 강화하게 될 것"이라고 천명했다. 진보와 평화와 유대, 이들 키워드는 엑스포 역사를 관통하는 정신적 지주로 남았다. 엑스포는 교류·협력 정신을 바탕에 둔 문명의 결집체이자 기술·정보 소통의 장, 인터넷이 나오기 한 세기 전부터 세계를 연결한 산업·문화 네트워크로 자리매김했다.

▸ 주제 설정

초기 세계박람회는 특정한 주제 없이 당대 산물을 집대성하는 데 주력했다. '문명의 백과사전'이란 표현에 걸맞았다.

주제가 처음 등장한 1867년 파리박람회 전경

세계박람회에 주제가 처음 등장한 것은 1867년 파리박람회였다. 당시 주제는 프랑스의 철학적 사유가 담긴 '노동의 역사'였다. 인간의 모든 생산 활동을 대변하는 '전 인류적' 박람회를 표방한 것이다. 주제는 박람회장 중앙 정원에 파노라마 형태로 구현됐다. 석기시대부터 19세기까지 노동의 형태와 생산물의 역사를 펼쳐 보인 사상 첫 주제 기획 전시였다.

프랑스는 거대한 기계물산 전시장이던 세계박람회를 첨단산업과 예술, 오락을 망라한 종합 이벤트로 격상시켰다. 세계박람회는 이후에도 산업생산물과 신개발품 소개가 주류를 이뤘다. 주제보다 미국독립 100주년, 프랑스혁명 100주년, 미대륙 발견 400주년, 파나마운하 개통 같은 역사적 사건을 계기로 삼는 방식이 많았다.

주제의식이 본격화한 것은 1933년 시카고박람회였다. 시카고는 40년 만에 다시 세계박람회를 열면서 '한 세기의 진보'를 주제로 설정했다. 도시 성립 이래 100년간 눈부신 과학기술 발전을 '극적으로 연출'해 과학을 일상에서 체감할 수 있게 했다. 명료한 주제를 제시하고 전시 내용과 방식을 일치시킨 '테마 박람회' 개념은 향후 엑스포에 큰 영향을 미쳤다.

이후 엑스포의 흐름은 미래주의로 기울었다. 1939년 뉴욕박람회가 대표적인 예다. '지상 최대의 쇼'로 불린 뉴욕박람회는 '미래세계 건설'을 주제로 내걸고 100년 후 세계를 내다봤다. 이전 박람회가 과거의 성취를 모았다면 뉴욕박람회는 동시대와 미래 문명의 실체에 초점을 맞췄다. 2차 세계대전과 한국전쟁으로 오랜 침체기를 보낸 엑스포는 1958년 브뤼셀과 1967년 몬트리올에서 휴머니즘을 외쳤다. 고도로 발달한 과학기술이 인류에게 총부리를 겨눴다는 반성에서 세계박람회 초심인 평화정신을 되새겼다. 브뤼셀박람회는 원자력의 평화적 이용을 상징하는 조형물 '아토미움'을 세웠고, 몬트리올박람회는 생텍쥐페리의 '인간의 대지'가 제시한 인간성 회복과 공동체 의식이 기조가 됐다.

▸ **인간·기술·자연 패러다임 대전환**

엑스포는 개최지가 다변화하면서 문화교류 마당이자 개최국 브랜드가치를 높이는 이벤트로 성격이 확장됐다. 특히 2000년 하노버엑스포를 기점으로 환경문제와 4차 산업혁명 등 인류 공통과제를 논의하고 해결책을 모색해나가는 플랫폼이 됐다. '인류-자연-기술-떠오르는 새 세상'이 주제였던 하노버엑스포 이후 월드엑스포 주제를 보면 ▷2005년 아이치엑스포 '자연의 예지' ▷2010년 상하이엑스포 '더 나은 도시-더 나은 삶' ▷2015년 밀라노엑스포 '지구에 식량과 생명 에너지를' ▷2020년 두바이엑스포 '마음의 연결, 미래 창조' ▷2025년 오사카·간사이엑스포 '우리의 삶을 위한 미래사회 설계' 등이다.

부산이 개최 추진 중인 2030년 엑스포 주제는 '대전환'이 키워드다. 팬데믹, 기후변화, 기술·자본 양극화, 고령화, 생물다양성 감소 같은 인류가 직면한 과제를 해결하기 위해서는 인간과 자연과 기술의 상호관계에 점진적 변화가 아닌 근본적 대전환이 필요하다는 문제의식이다. 이런 인식에서 '세계의 대전환, 더 나은 미래를 향한 항해'라는 주제가 도출됐다.

지구적 현안 해결의 길은 패러다임 전환에 있음을 제안하면서, 뒷부분에 항구도시의 특성을 살려 더 나은 미래로의 '항해'란 표현을 담았다.

대전환은 위기 극복을 위한 글로벌 거버넌스 변환, 산업질서 재편, 모든 분야의 기반 변화를 포괄한다. 이를 통해 구현할 미래상은 개인 역량과 글로벌 연대가 강화되고, 환경·물리·세대적 한계를 넘어 전 지구적 균형을 이루는 협력과 조화, 지속가능한 공존의 삶이다.

2000하노버엑스포 상징 조형물.
21세기 엑스포는 인류 공통과제를 논의하는 장으로 기능과 성격이 확장됐다

21세기 엑스포는 포괄적 주제, 하위 세부적 부제에 맞춰 전시영역을 설정하는 추세다. 2020년 두바이엑스포가 바로 그랬다. 기회, 이동성, 지속가능성 등 3개 키워드에 따라 전시구역을 배치했다. 2025년 오사카·간사이엑스포는 탈중앙 분산화라는 미래사회 콘셉트를 반영한 무정형 전시관 배치를 계획 중이다.

부산엑스포도 부제를 통해 '대전환'이란 포괄적 주제를 구체화해 나가게 된다. 부제는 유엔 지속가능발전목표(SDGs) 구조에 맞춰 자연(Planet) 기술(Prosperity) 인간(People) 등 '3P축'으로 구성돼 있다. 대전환의 시대정신을 얼마나 창의적인 공간 구성과 소구력 높은 전시 콘텐츠 창출로 구현하느냐가 숙제다.

딸린 이야기 엑스포 역사박물관

170년 엑스포 역사를 한눈에 살펴볼 수 있는 곳이 있다. 중국 상하이 박람회장 문화전시지구에 세워진 '세계엑스포박물관'이다. 역대 엑스포 주제와 특징을 일별할 수 있는 전시 콘텐츠를 갖추고 있다. 상하이 시가 국제박람회기구(BIE)와 협약을 맺고 문을 연 세계 최초·유일의 엑스포 공인 박물관이다. 엑스포 유산을 보존하고 파급효과를 지속적으로 이어가기 위해 설립됐다. BIE 문서보관소 역할도 겸하고 있다.

상하이에 세워진 세계엑스포박물관

황푸강 변에 자리 잡은 엑스포박물관은 외형부터 상당한 규모다. 4만6550㎡ 부지에 연면적 9만580㎡, 높이 34.8m로 지하 1층, 지상 6층 전시관이 연결된 복합 건축물이다. 상하이엑스포 개막 7주년인 2017년 5월 1

일 문을 열었다. 2010년 상하이엑스포 건축물과 함께 항구적 랜드마크로 박람회장을 지키고 있다.

박물관은 8개 상설전시실, 3개 특별전시실, 문서보관·연구센터 등을 갖췄다. 엑스포 포스터, 책자, 영상, 각종 전시물·기념물 등 자료 2만8000여 점을 소장하고 있다. 상설전시실은 역대 엑스포를 시대별, 주제별로 묶어 사진과 그래픽, 비디오, 조형물로 생생하게 보여준다.

전시 주제는 관람 동선에 따라 ▷세계가 한자리에 모이다 : 역대 박람회 디렉토리 ▷이동수단의 진보, 도시의 변모, 과학기술 혁신 ▷현대성 : 새로운 질서, 미래세계 엿보기 ▷세계의 과제 : 환경문제와 첨단기술, 대중문화 ▷세기적 이벤트 : 상하이엑스포 기획·건설·운영 ▷세계 문명 : 상하이엑스포 참가 146개 국가관 ▷중국의 지혜 : 상하이엑스포 중국관 ▷미래 비전 : 새로운 역사를 써나갈 엑스포의 미래 등으로 구성돼 있다.

2장
엑스포와 삶의 질 향상

1. 2025년 오사카·간사이엑스포

현대 엑스포는 개최국 수도보다 제2의 도시, 경제 수도에서 열려 성장의 기폭제 역할을 하는 추세다. 특히 부산처럼 개방성·포용성·다양성이 특징인 관문 해양도시가 유력한 개최지가 돼왔다. 오사카(2025년), 두바이(2020년), 상하이(2010년), 세비야(1992년), 밴쿠버(1986년) 등이 그렇다. 초기 엑스포는 런던, 파리, 빈, 브뤼셀 등 서유럽 수도가 주도했다. 20세기 들어 미국에 주도권이 넘어가면서 샌프란시스코, 시카고, 뉴욕, 시애틀 등 경제 대도시가 활약했다.

▸ 엑스포와 올림픽

2025년 오사카·간사이엑스포는 아시아 최초 엑스포였던 1970년 오사카엑스포 이후 다시 열리는 글로벌 이벤트다.

한 도시에서 엑스포가 2회 이상 열린 것은 1947년까지 6회 개최 진기록을 가진 파리 등 몇몇 사례가 있지만, 2차 대전 이후 현대 엑스포에선 오사카가 처음이다.

하계올림픽의 경우 2회 이상 개최도시가 런던, 파리, 로스앤젤레스, 아테네, 도쿄 등 5곳이다. 이들 도시의 개최 간격은 대체로 50년 안팎이다. 일본은 1964년 도쿄올림픽 이후 56년 만에 2020년 도쿄올림픽을 개최한데 이어 엑스포 또한 55년 만에 같은 도시에서 다시 열게 된 것이다. 2025

년 엑스포 명칭을 오사카·간사이엑스포로 한 것은 1970년 오사카엑스포와 구별하기 위해서다.

2022년 10월 26일 오사카·간사이엑스포 개막 D-900일을 맞아 열린 국제실행회의(IPM)에 참석한 각국 대표들이 박람회장 투시도를 살펴보고 있다(출처:국제박람회기구 홈페이지)

일본은 올림픽, 엑스포 같은 초대형 국제행사를 국가발전 전략의 자양분으로 활용한 모범사례다. 한국과 중국이 그 성공 공식을 이어받았다. 1970년 오사카엑스포는 일본이 패전국에서 경제대국, 선진강국으로 부활했음을 세계 만방에 알린 무대였다. 이후 일본은 엑스포를 3차례 더 개최했다.

그것도 개최 주기를 2배씩 늘려가는 특이한 궤적을 보였다. 오사카 이후 5년 만인 1975년 오키나와, 그로부터 10년 만인 1985년 쓰쿠바, 그로부터 20년 만인 2005년 아이치에서 엑스포를 열었다. 이번엔 다시 20년 만에 원점으로 돌아와 새 출발을 하는 셈이다. 이 중 오사카·간사이, 아이치, 오사카는 규모가 큰 등록엑스포이고, 나머지는 인정엑스포다.

일본은 엑스포와 인연이 매우 깊다. 전시는 없었지만 1851년 런던박람회부터 참가국에 이름을 올렸고, 1867년 파리박람회 때 첫 전시관을 개설했다. 일본은 일찌감치 엑스포를 유용한 서구 문물의 하나로 인식하고 그 노하우를 배웠다.

▸ 주제

오사카·간사이엑스포 주제는 인간의 삶에 초점을 맞췄다. '우리의 삶을 위한 미래사회 설계(Designing Future Society for Our Lives)' 주제 아래 생명 구원(Saving Lives), 역량 강화(Empowering Lives), 삶의 연결(Connecting Lives)이 부제로 설정됐다. 경제성장과 스마트기술이 낳은 부의 양극화, 사회적 갈등을 넘어서기 위해 삶과 일의 양식을 근본적으로 재설계하자는 제안이다. 유엔 지속가능발전목표(SDGs)에 발맞춰 글로벌 이슈 해결에 노력하면서 백신, 건강위생, 수명 연장, 지식 개선, 환경보존 등 세부 주제를 통해 신체적·정신적·사회적 웰빙을 도모한다는 구상이다.

'세계의 대전환, 더 나은 미래를 향한 항해(Transforming Our World, Navigating toward a Better Future)'를 주제로 인간과 자연, 기술 간 패러다임 대전환을 제안한 2030년 부산엑스포의 주제의식과도 일맥상통한다고 할 수 있다.

오사카·간사이엑스포 조직위원회는 디미트리 케르켄테스 국제박람회기구(BIE) 사무총장과 100여 개국 대표들이 참석한 가운데 1차 국제실행회의(IPM)를 열어 준비 상황을 점검했다. 독일, 브라질, 사우디아라비아 등 9개국은 전시관 주제와 위치, 건립계획 등을 포함한 협약을 체결했다.

▸ 해저터널

일본은 오사카·간사이엑스포를 '소사이어티 5.0' 실험의 장으로 설정했다. 소사이어티 5.0은 인공지능, 사물인터넷, 로봇, 드론, 빅데이터, 클라우드 컴퓨팅 같은 정보통신기술(ICT)이 개인의 잠재력 발현으로 이어지는 수렵-농업-산업-정보사회 이후 미래사회를 말한다.

미소노 토모도리 오사카부 엑스포추진국장은 2022년 6월 30일 열린 부산공공외교포럼에서 "참가국과 공동가치 창조를 실현하는, 매력 넘치는 엑스포를 구현하기 위해 '올 저팬(All Japan)' 체제로 준비에 총력을 기울이고 있다"고 밝혔다. 오사카 현지실사 단장을 맡았던 최재철 국제박람회기구(BIE) 총회 의장은 "엑스포 기본개념과 박람회장 조성계획에서 기후변화 대응 등 인류 공통 과제 해결 노력이 돋보였다"고 평가했다.

박람회장은 오사카시 남서쪽 155만㎡ 넓이의 인공섬 유메시마(夢洲)에 조성된다. 오사카 앞바다 3개 인공섬 가운데 하나다. 엑스포를 섬에서 치른 경우는 여러 번 있었으나 인공섬을 통째로 박람회장으로 조성하는 것은 처음이다. 이름 그대로 '꿈의 섬'을 만들어 나가는 것이다.

유메시마는 2008년 하계올림픽 후보지로서 해저터널을 건설하는 등 대대적 투자가 이뤄졌다. 하지만 올림픽 유치 탈락 이후 일부 항만시설, 간척 외 미개발 상태로 남아 있었다. 엑스포 유치 덕분에 20년간 방치됐던 해저터널이 마침내 빛을 보게 된 셈이다. 사키시마, 마이시마 등 인근 2개 인공섬에는 대규모 상업시설과 유니버설 스튜디오 재팬, 테마파크 등이 들어서 엑스포 연계 관광지 역할을 하게 된다. 일본은 신규 건설 중인 4개 고속도로를 비롯해 항공, 해상, 육상 교통망, 숙박 등 인프라 시설을 구축하고 오사카-고베-교토를 엑스포 배후지로 활용할 계획이다.

박람회장은 주제관과 참가국 전시관이 들어서는 파빌리온 월드, 녹지와 야외행사 플라자로 이뤄진 그린 월드, 플로팅 호텔과 분수대 등의 워터월드로 구성된다. 중앙 랜드마크 시설을 중심으로 펼쳐지는 통상적인 전시관 배치에서 벗어나 탈중앙 분산화를 지향하고 있다.

주제관도 하나의 대형 전시관 대신 11곳에 분산 배치된다. 세포분열, 벌집 등에서 발견되는 보로노이 다이어그램(Voronoi diagram)을 차용한 구상이다. 이렇게 무작위로 배치된 전시관은 지구촌 전역에 퍼진 80억 인구가 만들어갈 미래사회 콘셉트를 반영한다.

딸린 이야기 공상의 나래

2002년 노벨화학상 수상자 다나카 코이치는 만국박람회 세대를 상징하는 인물이다. 그는 유년 시절의 엑스포 체험이 "평생 공상을 펼칠 수 있는 계기가 됐다"며 "당시 태양의 탑 앞에서 찍은 사진을 지금도 간직하고 있다"고 했다. 만박 세대는 영화·소설·노래 등 대중문화 소재로 널리 다뤄졌다. 1970년 제작된 유아사 노리아키 감독의 영화 '가메라 대 지거'는 오사카 박람회장을 습격한 괴물을 물리치는 내용이다. 일본 대중문화에서 큰 자리를 차지하고 있는 만화도 선풍적인 인기를 끌었다.

역시 만박 세대인 우라사와 나오키의 '20세기 소년'이 대표적인 작품이다. 1969~2017년을 시대 배경으로 한 이 만화에선 오사카 박람회장과 태양의 탑이 주요 무대로 등장한다. 여섯 명의 소년이 성장하면서 펼치는 미스터리 명작만화다. 1999년부터 만화주간지 '빅코믹스피릿'에 연재된 뒤 단행본으로 출간돼 2000만 부 이상 판매고를 기록했다.

'20세기 소년'은 코단사 만화상, 소학관 만화상, 일본 만화가협회장 대상 등 일본 국내외에서 여러 차례 상을 받았다. 2008년엔 츠츠미 유키히코 감독에 의해 3부작 영화로도 제작됐다. 만박 세대는 이제 장노년층이 됐다. 2025년 오사카·간사이엑스포는 21세기형 새로운 만박 세대를 창출할지 궁금하다.

2. 2010년 상하이엑스포

2010년 4월 30일 오후 8시 빛의 향연이 중국 상하이 밤하늘을 수놓았다. 고층빌딩과 황푸강 위 배에서 초당 70발씩 30분간 폭죽 10만여 발이 솟았다. 그때마다 'EXPO' 글자와 오각형 별 등 300여 종의 불꽃무늬가 새겨졌다.

2010년 4월 30일 상하이엑스포 개막식의 화려한 불꽃쇼

베이징올림픽 때 세계인의 눈을 사로잡았던 중국 특유의 현란한 불꽃쇼가 다시 펼쳐졌다. 불꽃은 지난 세기 서구 열강의 각축장이었던 와이탄의 서양식 고건물과 50층 이상 건물이 즐비한 푸둥 마천루 숲까지 파란만장한 상하이의 어제와 오늘을 훤히 비췄다.

▸ 184일간의 대장정

5일간 임시공휴일로 지정된 상하이는 도시 전체가 축제 열기로 달아올랐다. 도심 거리엔 오성홍기가 형형색색 네온사인에 빛나고, 육교마다 엑스포 장식과 환영문구가 내걸렸다. 엑스포 엠블렘과 다양한 모습의 마스코트 하이바오(海寶)가 거리를 뒤덮었다. 은빛 비행접시 모양의 엑스포센터에선 후진타오 중국 국가주석의 개막 선언과 함께 상하이엑스포의 막이 올랐다. 개막식에는 이명박 대통령, 니콜라 사르코지 프랑스 대통령 등 20여 개국 정상이 참석했다.

"중국이 나아갈 미래를 알고 싶으면 중국관 앞에 서보라…. 당신이 전시관을 돌아보며 느낀 것이 당신의 미래를 좌우할 수도 있다."

2010상하이엑스포. 엑스포대로와 중국관(출처:국제박람회기구 홈페이지)

상하이엑스포를 다룬 한 중국 언론의 자부심 넘치는 논평이다. 중국관은 개최기간 내내 많은 인파로 붐빈 박람회장 랜드마크였다. 중국은 '동양의 왕관' 모습을 본뜬 중국관에 세계인에게 전하고자 한 메시지를 집약했다. 전통 목조건축 두공기법으로 지은 연면적 6만8000㎡의 거대한 건축물로 중국의 상징색 '중국홍(中國紅)'이 강렬한 색채감을 내뿜었다.

중국의 미래로 통하는 중국관은 항구보존용으로 지어져 지금도 엑스포 개최지를 지키고 있다. 상하이엑스포는 한마디로 중국의 경제·문화 역량, 역사와 현재, 미래가 응집된 '전시된 중국'이었다. 엑스포는 분명 세계 각국이 참가하는 세계인의 향연이지만 상하이는 개·폐막식부터 전시 환경까지 유독 중국 특색이 짙었다.

상하이는 2002년 12월 국제박람회기구(BIE) 총회에서 한국 여수를 제치고 개최지로 선정됐다. 중국 정부는 이후 7년여간 엑스포 준비에 총력을 기울였다. “모든 것은 엑스포로 통한다(一切始于世博)”는 구호 아래 상하이를 엑스포의 도시로 만들어 나갔다.

중국은 ‘더 나은 도시-더 나은 삶’을 상하이엑스포의 주제로 내세워 엑스포의 효용이 도시 현대화 개발에 있음을 명확히 했다. 엑스포는 개혁·개방 30년을 맞아 공들여 치른 베이징올림픽, 건국 60돌 기념식과 함께 ‘중화민족 부흥’ 3대 행사의 완결판이었다.

▸ **엑스포의 중국 명칭 스보(世博)**

중국은 유치기간 1390일, 준비기간 2703일, 개최기간 184일간 국가역량을 총동원했다. 엑스포를 성장의 기폭제이자 국민통합 기제로 최대한 활용했다. 유치 단계에서 이미 국제엑스포센터를 짓고 유치전을 벌였다. 2001년 완공된 엑스포센터는 20만㎡ 넓이의 대규모 전시·컨벤션 시설로 상하이모터쇼가 여기서 열린다.

중국에선 엑스포를 ‘스보(世博)’라 한다. 세계박람회(世界博覽會)를 줄인 말이다. 그런데 2000년대 들어 아기 이름을 ‘스보’라 짓는 유행이 생겼다. 이는 중국 공민증 데이터베이스 검색에서 확인됐다. ‘스(世)’는 성이기도 해서 이름을 ‘보(博)’라 짓는 경우도 있었다. 그만큼 엑스포가 사회 분위기를 압도하는 국가 대사였다는 얘기다.

하드웨어로는 도시 인프라와 경제구조 업그레이드, 소프트웨어는 사회자원 동원, 위기관리 등 공공관리 혁신, 문화·사회심리·시민소양 향상, 국제적 이미지 상승 등이 포함됐다. 엑스포가 지향하는 협력·교육·혁신 등 추상적 가치를 현실 속에 접목하기 위해 각 항목을 지표로 평가·관리했다고 한다. 지루더 전 상하이엑스포 주제연출부장은 “엑스포는 결코 일회성 이벤트가 아니다. 엑스포 가치 실현을 위해 지속적 혁신과 다양한 국제교류가 이뤄져야 한다"고 강조했다.

상하이는 엑스포를 디딤돌 삼아 획기적인 도시 현대화를 이뤘다. 황푸강 양안 낙후지역에 지은 박람회장 자체가 첨단 디지털 도시로 변모했다. 철공소 조선소 방직공장 등이 있던 쇠락한 공업지역의 공장 270여 곳과 주민들을 이주시키고 대대적인 개발사업을 벌였다.

박람회장엔 엑스포 개최 7주년인 2017년 '세계엑스포박물관'이 세워져 도시의 자산으로 남았다. 이 박물관은 연면적 9만㎡의 대규모 시설로 세계 유일의 BIE 공인 엑스포 전문박물관 겸 문서보관서다.

▸ 세계 최장 803㎞ 지하철

교통 기반시설의 경우 훙차오 신공항과 푸둥국제공항 증설, 쑤퉁대교·창장쑤이교 개설 등 대폭 확충됐다. 지하철 노선도 199㎞ 증설됐다. 이로써 1982년 지하철 건설을 시작한 상하이는 총연장 803㎞로 세계 최장 지하철 네트워크를 보유한 도시가 됐다.

중국 당국이 발표한 엑스포 예산은 박람회장 건설·운영 등 약 300억 위안에 이른다. 하지만 이는 국무원 비준 예산 기준이고, 사회간접자본 등에 쏟아 부은 투자까지 따지면 수천억 위안에 이른다는 게 통설이다.

상하이엑스포는 베이징올림픽과 승수효과를 일으키며 기념비적 성과를 냈다. 여러 방면에서 종전 기록을 갈아치웠다. 523만㎡ 부지에 펼쳐진 박람회장부터 '역대급'이었다. 상하이시 전체 면적의 1%로 지붕이 있는 실내공간만 328만㎡에 달했다. 2000년 하노버, 2005년 아이치, 2015년 밀라노보다 3배 이상 넓은 규모다.

참가국과 관람객 수도 지금껏 최다 기록으로 남아 있다. 참가국은 190개 국가, 56개 국제기구. 이전 기록은 155개국, 22개 국제기구가 참가한

2000년 하노버엑스포였다. 관람객은 7308만 명으로 종전 기록인 1970년 오사카엑스포의 6421만 명을 훌쩍 넘어섰다. 하루 최다 입장객도 처음으로 100만 명을 넘겼다.

중국은 엑스포를 통해 슈퍼파워 진입을 외쳤다. 30년 전 개혁개방에 시동을 건 상하이가 그 용틀임의 선봉에 섰다. 상하이는 오랜 무역항이자 물류·금융·해운·서비스, 글로벌 비즈니스 중심이다. 중국은 저장성 장쑤성과 함께 창강(長江) 삼각주 일대를 '부(富)의 허브'로 키우고 있다. 상하이엑스포는 그 상하이 경제권에 막대한 성장 에너지를 주입했다.

딸린 이야기 | 첫 북한 전시관

상하이엑스포엔 국제행사에 좀처럼 모습을 보이지 않는 북한이 참가해 눈길을 끌었다. 엑스포 사상 최초로 국가 전시관을 개설하고, 명목상 국가수반인 김영남 최고인민회의 상임위원장이 개막식에 참석했다.

상하이엑스포에 등장한 북한 전시관 내부 모습

북한은 2007년 7월 상하이엑스포 참가를 결정한 뒤 그해 11월 BIE에 가입했다. 이어 조선상공회의소를 주축으로 중국 정부와 협의해 전시관을 지었다. 공식명칭이 '조선관'인 북한 전시관은 한국관에서 100m 떨어진 A지구에 자리 잡았다. 1000㎡ 면적으로 참가국 전시관 중 가장 작은 규모였다.

전시 주제는 '번영하는 평양'으로 '인민의 낙원'과 '조선인민의 강성대국 건설'을 선전했다. 전시관은 단순하고 소박한 건물로 국기 도안과 비마(飛馬)상으로 외벽을 장식했다. 푸른 하늘과 흰 구름을 담은 사진이 건물 중앙에 걸렸고, 국호인 '조선' 안내판과 인공기를 나란히 게시했다. 내부에는 4.5m 높이의 주체사상탑이 중앙을 차지했다.

평양 대동강 기슭에 세워진 세계 최고 높이 석탑인 주체사상탑(탑신 150m, 봉화 20m 포함 전체 높이 170m) 모형이었다. 그 옆에는 대동강을 표현한 실내 분수가 조성됐다. 주요 전시물은 전통 기와 정자, 유네스코 세계문화유산으로 등재된 평남 강서군 고구려 고분벽화 복사본과 고분 모형, 로켓추진체 모형 등이었다.

이밖에 평양의 역사문물, 현대적 도시 건축물, 민속 문화 등을 선보였다. 북한은 엑스포 기간 중인 9월 6일 '조선관의 날' 행사를 열고 고위 대표단을 파견했다. 북한은 식량 문제가 주제였던 2015년 밀라노엑스포에도 참가했다. 그러나 전시관을 짓지는 않고 60㎡짜리 소형 전시실에서 개성산 고려인삼을 전시하는 데 그쳤다.

3. 밴쿠버엑스포

현대 엑스포에서 박람회장 조성은 크게 두 가지로 나뉜다. 도시 외곽 미개발 유휴지, 낙후지역을 개발하는 방식과 기존 도심부를 재생·재개발하는 방식이다. 앞서 다룬 2025년 오사카·간사이와 2010년 상하이, 2015년 밀라노 등이 전자에 속한다.

도시재생을 통한 도심권 박람회장은 1986년 밴쿠버, 1962년 시애틀이

전형적인 예다. 2030년 엑스포 예정지를 북항 재개발과 연계하고 있는 부산의 경우 두 가지 성격을 다 가졌다고 할 수 있다. 노후 항만부지 대체 활용이란 점에서는 유휴지 개발 효과가 돋보인다.

반면에 인근 도심 재개발과 맞물린 중심부 재구성이란 관점에선 도시 재생의 의미가 드러난다. 일반인의 접근이 어려웠던 항만시설 콘크리트 호안에 창의력 넘치는 박람회장이 들어서면 그 자체로 재생 효과를 기대할 수 있다.

▸ **세계 최고 높이 국기게양대**

북미 서부 태평양 연안에 나란히 위치한 캐나다 밴쿠버와 미국 시애틀은 자연환경과 관문 기능부터 도시 형성과정까지 여러모로 닮은꼴이다. 1980년 11월 국제박람회기구(BIE) 총회에서 엑스포를 유치한 밴쿠버는 앞서 1962년 엑스포를 개최한 시애틀을 본보기로 삼았다.

시애틀은 박람회 시설 대부분을 다운타운에 항구 건축물로 지어 지금껏 사용하고 있다. 도심에는 박람회 주제인, 우주탐사를 상징하는 185m 높이의 '스페이스 니들'을 세웠다. 박람회 예산의 절반이 투입된 이 상징탑은 시애틀 하면 떠올리는 랜드마크가 됐다. 시내에는 시속 100㎞ 전동차가 달리는 모노레일을 깔아 대중교통 인프라로 남았다.

밴쿠버는 시애틀 방식을 벤치마킹했다. 바다로 둘러싸인 다운타운 남쪽 폴스 크릭(False Creek) 해변을 박람회장 부지로 선정했다. 부산 북항 예정지와도 비슷한 입지조건이다. 박람회장 입구에는 당시 세계 최고 높이인 86m 국기게양대(flagpole)를 세웠다. 깃대 위엔 가로 24m, 세로 12m짜리 대형 캐나다국기가 펄럭였다.

랜드마크는 '미래전시관'이라 불린 17층 높이의 거대한 원구형 엑스포 센터였다. 내부엔 500석 아이맥스 극장과 미래형 놀이기구, 전시공간을 갖췄다. 이 돔 건축물은 엑스포 이후 '사이언스 월드'란 이름의 과학전시관으로 개조돼 1990년 재개관했다. 박람회장엔 누구나 무료로 이용할 수 있는 모노레일 5.4㎞와 곤돌라 두 대를 설치했다.

밴쿠버엑스포를 앞두고 개통된 스카이트레인이 박람회장역에 정차한 모습(출처:국제박람회기구 홈페이지)

최대 건축물은 엑스포 개막식이 열린 'BC 플레이스(BC Place)'였다. 세계 최초 에어 돔 지붕을 갖춘 4만5000㎡ 넓이의 스타디움이다. BC 플레이스는 엑스포 이후 스포츠 명예의 전당, 미식축구, 축구, 럭비 팀 홈이자 각종 경기·행사장으로 활용되고 있다. BC는 밴쿠버가 속한 브리티시 콜럼비아 주의 약자다.

2007년 1월엔 기록적 폭설로 공기로 지탱하는 에어 돔 지붕 일부가 무너지는 사고가 발생했다. 이후 대대적인 개보수를 거쳐 2010년 2월 밴쿠버동계올림픽 개·폐막식장으로 화려하게 부활했다. 박람회장 부지 일부엔 올림픽 선수촌이 들어섰다. 스페인 바르셀로나 몬주익 박람회장에 이어 엑스포 시설이 올림픽 명소로 이어지는 또 하나의 사례가 됐다.

▸ 흥행

1986년 찰스 왕세자가운데와 다이애나비가 밴쿠버 박람회장을 둘러보고 있다. 왼쪽은 브라이언 멀로니 캐나다 총리

1986년 밴쿠버엑스포는 1976년 몬트리올엑스포에 이은 캐나다의 두 번째 세계박람회이자 북미에서 열린 마지막 세계박람회였다. 몬트리올엑스포는 등록박람회인 반면 밴쿠버엑스포는 인정박람회였다. 주제는 '교통과 통신, 움직이는 세계-만나는 세계'였다.

인정박람회여서 특화된 주제를 설정했으나 박람회 규모와 내용, 성과는 등록박람회와 다르지 않았다. BIE 규정이 정비되기 전이어서 개최기간도 등록박람회와 같은 6개월이었다. 관람객 수는 2200만 명으로 성공적인 여느 엑스포 못지않았다. 관람객의 절반가량은 미국인이었다.

밴쿠버엑스포 성공 개최에는 영국 왕실이 큰 몫을 했다. 1983년 10월 열린 박람회장 기공식에 엘리자베스 2세 영국 여왕이 참석해 캐나다관 시공 버튼을 눌렀다. 캐나다관은 엑스포 주 무대와 별도로 다운타운 북쪽 항만 '캐나다 플레이스'에 지었다. 엘리자베스 여왕은 유명한 왕실 요트 브리태니아호를 타고 이곳에 도착했다. 캐나다관은 엑스포 이후 마리나 시설로 개조됐고, 캐나다 플레이스는 크루즈 터미널, 월드트레이드센터, 호텔,

컨벤션 시설을 갖춘 밴쿠버 다운타운 스카이라인의 중심으로 거듭났다.

엑스포 개막 연설은 찰스 왕세자가 맡았다. 연설을 마친 뒤 왕세자비를 소개하자 환호성이 터져 나왔다. 바로 '20세기 동화의 히로인' 다이애나비였다. 미디어를 몰고 다닌 다이애나의 등장은 전 세계 대중의 뜨거운 관심을 불러일으켰다. 당시 왕세자 부부의 관계는 위기에 처해 있었지만 그럴수록 다이애나의 인기는 치솟았다. 흰색 재킷에 검은색 스커트를 입은 다이애나의 일거수일투족에 카메라 세례가 쏟아지면서 밴쿠버는 핫스팟이 됐다.

영국 왕실이 엑스포 흥행을 책임졌다고 해도 과언이 아닐 정도였다. 영국 왕실의 이런 응원은 미국과 러시아 틈바구니에서 대결과 협상을 통해 어렵게 지켜낸 서부 캐나다와의 끈끈한 유대가 반영된 것이었다. 밴쿠버 엑스포는 시 탄생 100주년 기념 성격도 부가돼 있었다.

▸ 엑스포와 부동산

엑스포를 계기로 밴쿠버는 대중교통의 근간을 갖췄다. 광역 밴쿠버를 가로질러 다운타운 박람회장에 이르는 경전철 스카이트레인 28.9㎞ 노선이 1985년 개통됐다. 스카이트레인은 기관사 없이 중앙통제실에서 운전하는 무인 시스템으로 운영됐다. 역에도 직원이 없이 기계로 승차권 발매 등이 이뤄졌다. 당시로선 최첨단 시스템이었다.

'엑스포 라인'이라 이름 붙은 이 노선은 대중교통이라곤 버스밖에 없던 시민들에게 편리한 발이 됐다, 스카이트레인은 2010년 동계올림픽을 앞두고 공항을 잇는 노선이 증설되면서 총 68.7㎞의 3개 노선망으로 확장됐다.

엑스포는 북미 서북부의 조용한 항구도시였던 밴쿠버를 국제적 관광지이자 대도시로 변모시켰다. 도심에 건설된 박람회장은 캐나다에서 가장 성공적인 재개발 사례로 꼽힌다. 사이언스 월드, 캐나다 플레이스 등 엑스포 시설들은 지금껏 관광명소로 남아 있다.

그 파급효과로 밴쿠버는 세계 부동산시장의 블루칩으로 떠올랐다. 다운타운 일대 공공용지가 홍콩 재벌 리카싱에게 매각돼 호텔, 고층아파트로 개발됐다. 1997년 영국의 홍콩 반환 전후로 홍콩 부동산 자본이 대거 밴쿠버로 몰리면서 '홍쿠버'란 별명까지 생겼다.

딸린 이야기 짐 패티슨

짐 패티슨

밴쿠버엑스포 성공의 이면엔 주목할 만한 인물이 하나 있다. 박람회공사 회장을 맡아 엑스포 시행을 진두지휘한 짐 패티슨(Jim Pattison·사진)이 그다. 패티슨은 자동차 딜러로 출발해 거부로 성장한 사업가다. 캐나다가 두 번째 엑스포를 유치하자 패티슨은 연봉 1달러를 받는 조건으로, 즉 자원봉사로 엑스포에 뛰어들었다.

캐나다인들은 '세일즈의 귀재'로 유명한 그가 과연 공공사업인 엑스포에서도 뛰어난 수완을 발휘할 수 있을지 관심 있게 지켜봤다. 박람회장 건설은 첫 삽을 뜬 지 얼마 되지 않아 노동자 파업으로 위기를 맞았다. 패티슨은 노조 미조직 회사로 대체하는 등 강경책으로 대처했다. 하지만 공사가 5개월가량 중단되는 사태는 막을 수 없었다.

우여곡절 끝에 건설 공기는 가까스로 맞췄다. 하지만 재정은 3억1100

만 달러 적자를 기록했다. 적자가 났다고 문을 닫을 수 없는 공공 프로젝트의 특성은 사업의 달인인 그도 어쩔 수 없었던 셈이다. 재정적자는 연방정부 보조금과 기업 후원금으로 충당했다.

패티슨은 엑스포 폐막 후 박람회장 입구의 국기게양대를 매입해 자신이 운영하는 밴쿠버 근교 자동차판매장에 옮겨 세웠다.

'프래그 원(Flag One)'이라 이름 붙인 이 게양대는 맞은편의 21층 쉐라톤호텔보다 더 높은 지역 명물이 됐다. 지금도 단풍잎 문양의 캐나다 국기가 휘날리고 있다.

패티슨은 밴쿠버동계올림픽 조직위에도 참여해 민간인이 받을 수 있는 최고위 훈장(Order of Canada)을 받았다. 94세인 그는 여전히 현역 사업가다. 캐나다 재계 2위 짐 패티슨 그룹 회장이자 자산 57억 달러를 보유한 캐나다 4위 부자로 자선사업 등 다방면의 활동을 하고 있다.

4. 놀이공원 탄생과 진화

온갖 문명의 산물이 엑스포를 통해 세상에 나왔지만 그중 가장 덩치가 큰 발명품은 아마도 놀이공원일 것이다. 놀이공원이란 흔히 테마파크, 어뮤즈먼트파크라 불리는 대규모 위락시설을 말한다.

두바이엑스포에 맞춰 2021년 완공된 '아인 두바이' 전망 휠의 모습. 오른쪽 사진은 1893년 시카고 박람회장 놀이공원에 세워진 원본 페리스 휠(출처:위키피디아·국제박람회기구 홈페이지)

세계박람회는 전시가 아닌 평시에 가장 많은 사람이 모이는 행사였으니 자연스럽게 본연의 전람기능 외 오락기능이 생겨났다. 171년 세계박람회 역사상 처음으로 놀이공원이 등장한 것은 1893년 시카고박람회였다. 물론 이전에도 잘 가꾼 야외 정원, 공연장, 수족관, 미니어처, 민속물, 음식점, 탑승용 열기구 등 다양한 유흥 장치가 있었다.

하지만 시카고 박람회장에 등장한 본격 놀이공간은 이전의 오락시설을 압도했다. '미드웨이 플레이선스'라 명명된 이 최초의 놀이공원은 면적만도 박람회장 290만㎡의 절반을 넘었다. 어찌 보면 박람회장 자체가 놀이터가 됐다. 중앙로 1.5㎞를 따라 서커스, 오락극, 퍼레이드, 스트립쇼, 카지노, 토속인촌, 각종 공연, 탈것과 놀이기구, 선술집과 식당가 등 온갖 위락시설이 한자리에 모인 놀이문화의 결정판이었다. 그야말로 먹고 마시고 타고 보는 놀거리가 넘쳐났다.

▸ **대관람차**

이집트 카이로 풍경을 재현한 마을에서 음식과 술을 즐기고, 남태평양 토속촌에선 이국적 정취를 한껏 맛볼 수 있었다. 낙타 타기와 야생마 길들이기, 벨리댄스, 패션쇼, 마운틴 혼과 요들송 공연, 인조얼음 스케이트장 등이 인기를 끌었다. 유럽과 미국 식민지에서 가져온 각종 토속품도 눈요깃거리가 됐다.

놀이공원 어디서든 보이는 랜드마크는 대관람차였다. '빅 휠(Big Wheel)'이라 불린 이 놀이기구는 높이 80.4m 바퀴에 매단 36개 곤돌라에 관람객들을 태우고 빙글빙글 돌았다. 바퀴 중앙축 양쪽엔 대형 성조기가 휘날렸다.

빅 휠의 탄생은 세상의 이목을 끌 획기적인 조형물을 세워보자는 의도에서 비롯됐다. 시카고박람회 조직위는 1889년 파리박람회에서 에펠탑이란 독보적 기념물이 등장한 데 고무됐다. 그래서 대놓고 '에펠탑을 능가할 만한' 독창적인 기념물 공모에 나섰다. 이에 철골건축가 조지 페리스(George Ferris)가 대담한 아이디어를 들고 나왔다.

수직으로 세운 철제 바퀴 2개 사이에 버스만한 관람용 곤돌라를 붙여 돌린다는 구상이었다. 페리스는 자전거 바퀴에서 이 아이디어를 얻었다고 한다. 휠 설계안은 위험하고 현실성이 없다는 이유로 거부당했다. 그러나 페리스가 끈질긴 기술 보증과 직접 투자자까지 유치하는 추진력을 발휘한 끝에 조직위의 승인을 얻어냈다.

공사는 엄청난 하중을 견딜 높이 42.7m, 무게 40.5 t 주탑을 세우고 바퀴살과 테두리, 곤돌라를 붙여나가는 순으로 진행됐다. 전체 무게 71 t 의 휠을 돌리기 위해 1000마력짜리 대형 증기엔진이 장착됐다. 어렵게 완공된 휠은 애초 우려와 달리 미시건 호반의 거센 바람에도 끄떡없이 잘 돌아갔다.

빅 휠의 인기는 선풍적이었다. 한 번에 최대 2160명을 태우고 20분간 운행했다. 의자 40개가 설치된 곤돌라는 입석까지 60명 정원이었다. 탑승료는 박람회 입장료와 같은 50센트였다. 그럼에도 인파가 줄을 이어 폐막 때까지 탑승자 수 160만 명을 기록했다.

▸ 엑스포와 상업주의

빅 휠은 박람회가 끝난 이듬해까지 운행된 뒤 해체됐다. 이후 1904년 세인트루이스 박람회장으로 옮겨 다시 운영됐다. 원본 휠은 재활용 뒤 사라졌지만 그 원형은 설계자 이름을 딴 '페리스 휠'이란 명칭으로 전 세계에 전파됐다.

대중 흡인력이 높은 놀이공원 덕분에 시카고박람회는 흥행에 대성공했다. '시카고 데이'로 선포된 10월9일엔 75만1026명이 입장해 미국 역사상 가장 많은 사람이 한자리에 모인 진기록을 남겼다. 이후 놀이공원은 엑스포의 필수요소가 됐다. 특히 1915년 샌프란시스코, 1939년 뉴욕, 1974년 스포캔, 1984년 뉴올리언스 등 일련의 미국 박람회에서 상당한 비중을 차지했다. 금주령 폐지 직후 열린 1933년 시카고박람회 놀이공원은 놀이와 환락, 퇴폐와 외설의 경계를 넘나들었다. 뱀쇼, 나이트클럽, 댄스홀, 누드촌 등 온갖 유흥거리가 관람객들을 유혹했다.

자녀를 동반한 관람객들을 위해 '마법의 성'이란 최초의 어린이 전용 놀이공원을 따로 만들었다. 유럽과 달리 미국 박람회는 "박람회도 비즈니스"라는 상업주의와 이윤 동기가 깊숙이 작용했다. 놀이공원은 미국 대중문화가 빚어낸 문화상품이라 할 수 있다.

엑스포에서 독립해 특화 발전한 놀이공원은 뉴욕 코니아일랜드부터 디즈니월드, 유니버설 스튜디오, 드림랜드, 무비월드 등으로 진화의 맥이 이어졌다. 그새 박람회장 내 놀이공원은 효용도가 크게 낮아졌다. 인류 공통과제 논의를 전면에 내세운 2000년 하노버엑스포 이후엔 거의 자취를 감췄다.

1993대전엑스포. 왼쪽 아래 구역이 놀이공원 '꿈돌이동산'이다

우리나라가 개최한 1993년 대전엑스포에선 모노레일과 함께 '꿈돌이 동산'이란 놀이공원이 설치된 반면 2012년 여수엑스포는 놀이공원이 없었다. 2010년 상하이엑스포에선 10만㎡ 규모의 놀이공원이 설치됐다.

▸ 아인 두바이

대관람차는 여전히 인기가 높다. 박람회장뿐만 아니라 놀이공원과 더불어 빠질 수 없는 상징물로 자리 잡았다. 대관람차의 규모는 1985년 일본 쓰쿠바엑스포 때까지는 원형보다 그리 크지 않았다. '테크노코스모스'라 불린 휠은 높이 85m로 8명 정원인 48개 곤돌라를 달고 15분마다 한 바퀴씩 돌았다. 곤돌라에 태양열 집적판을 달아 에어컨이 가동되는 첨단 방식이었다. 이 무렵 세계 각국은 최고 높이 휠 건설 경쟁에 뛰어들었다. 1990년 일본 후쿠오카 테마파크에 건립된 '스페이스 아이' 휠이 처음으로 높이 100m를 돌파했다.

그러자 중국 베트남 이집트 호주 미국 대만 등이 잇따라 높이 100~160 m 휠을 세웠다. 올해 완공된 러시아 '선 오브 모스크바'(140m), 2008년 세운 '싱가포르 플라이어'(165m), 2000년 건설된 영국 '런던 아이'(135 m) 등은 도시의 랜드마크로 세계적 인지도를 얻었다.

현재 세계 최고 높이 대관람차는 두바이엑스포와 함께 문을 연 블루워터스 아일랜드의 '아인 두바이(Ain Dubai)'다. 현대건설이 건설에 참여한 이 휠은 250m 높이로 이전 기록이던 미국 라스베이거스의 '하이롤러'(167m)를 훌쩍 넘어섰다.

2030년 부산엑스포 예정지에도 180m 높이 대관람차 건립이 민간 차원에서 거론된 바 있다. 북항에 이 정도 규모의 대관람차가 들어선다면 현재 건설 중인 오페라하우스와 상징조형물, 재개발 건축물들과 함께 부산의 새로운 스카이라인을 그리게 될 것이다.

딸린 이야기 | 낙하산 점프

'지상 최대의 쇼'라 불린 1939년 뉴욕박람회엔 기상천외한 놀이기구가 등장해 눈길을 끌었다. 80m 상공에서 낙하산을 타고 떨어지는 스릴 만점의 '패러슈트 점프'였다.

패러슈트 점프

이 놀이기구는 엘리베이터를 타고 낙하대까지 올라가는 데 1분, 2인 1조로 낙하산을 타고 내려오는 데 20초가량 걸렸다.

낙하산은 항상 펼쳐진 상태였고, 좌우로 흔들림과 이탈을 막는 유도철선이 설치됐다. 2인승 좌석엔 완충기를 달아 착륙 시 충격을 흡수했다. 미군이 실제 사용하던 훈련장비를 본떠 만든 것이었다. 균형 유지를 위해 12개 고공 낙하대 중 1개는 비워두고 운행했다.

이용료는 어른 40센트, 어린이 25센트였는데, 매표소엔 항상 긴 줄이 끊기지 않았다. 개발·운영업자는 곧바로 돈방석에 앉는 듯했다. 그런데 위기가 닥쳤다. 운행 중 낙하산 줄이 얽히면서 탑승했던 중년 부부가 5시간 동안 공중에 매달려 있는 사고가 일어난 것이다.

이 부부는 구조된 뒤 두둑한 보상과 간곡한 부탁을 받고 다음날 다시 낙하산을 탔다. 놀이기구의 안전성을 홍보하려는 운영사의 위기관리대책이었다. 라이프세이버란 이름의 운영사는 사업수완이 뛰어났다. 타워 꼭대기에서 '낙하산 결혼식' 이벤트를 벌이기도 했다. 신혼부부는 상공에서 혼인서약을 한 뒤 낙하산 강하로 신혼여행을 대신했다.

낙하산 점프는 박람회 폐막 후 뉴욕 코니아일랜드 놀이공원에 팔렸다. 판매가는 15만 달러로 기구 개발비의 10배에 달했다. 낙하산 점프는 '브룩클린의 에펠탑'이란 애칭으로 불리며 회전목마 롤러코스터와 함께 간판 놀이기구로 인기를 누렸다. 많은 영화와 대중소설의 무대로 등장하며 1968년까지 운영됐다.

5. 역사의 지문

엑스포엔 세계를 움직인 역사가 쌓여 있다. 세계박람회는 '역사의 지문'이다. 각 시대의 취향과 지향점은 안내책자·포스터·엽서·우표·사진·메달·도자기·기념품 등 방대한 아카이브로 남아 있다.

그 자체도 유서 깊지만 69회 공식 박람회 중 상당수는 역사적 상징성이 큰 사건을 기념했다. 엑스포에 주제가 처음 등장한 것은 1867년 파리박람회, 본격화한 것은 1933년 시카고박람회였다. 초기 박람회는 주제보다 역사 이벤트를 기리는 경우가 많았다.

세계박람회를 통해 경축의 의미를 한껏 살린 대표적 기념일은 프랑스혁명 100주년과 미국독립 100주년이다. 1889년 파리박람회는 추진 단계부터 프랑스대혁명을 기리는 데 초점이 맞춰졌다.

프랑스는 1855년 첫 세계박람회를 개최한 이래 1867년, 1878년, 1889년, 1900년 정확히 11년 간격으로 박람회를 개최했다. 11년 주기는 처음엔 우연이지만 세 번째 박람회부터는 의도됐다. 1889년은 프랑스혁명 100주년, 1900년은 19세기 총정리에 방점을 뒀다.

▸ 프랑스 진보·성취 상징 '에펠탑'

박람회 조직위는 혁명 100주년을 맞은 프랑스의 진보와 성취를 상징하는 역사적 기념물 공모에 나섰다. 그 결과 파격적인 박람회장 출입구 아치 겸 상징조형물 에펠탑이 선정됐다. 에펠탑은 프랑스대혁명 기념비였던 셈이다.

1889년 3월 31일 에펠탑이 완공되자 설계자 구스타브 에펠과 조직위

고위인사들은 302.6m 탑 정상에 올랐다. 이들은 예포 21발이 울리는 가운데 프랑스대혁명에서 유래한 3색 국기를 게양한 뒤 "이제 프랑스는 세계 최고 높이의 국기게양대를 가진 나라가 됐다"고 선언했다.

1889년 파리박람회 당시 출입구 겸 상징탑으로 세워진 에펠탑(출처:국제박람회기구 홈페이지)

'엑스포의 슈퍼스타' 토마스 에디슨은 자신이 발명한 전구로 에펠탑을 장식했다. 프랑스국기의 파랑·하얀·빨강 3색 전구를 달아 파리 밤하늘을 밝혔다. '빛의 혁명'이라 칭송받은 세계 최대의 전구 주위에 프랑스 국기, 1889 숫자, 자신의 이름 등을 총천연색 조명으로 구현해 눈부신 경관을 선사했다.

1876년 필라델피아박람회는 미 연방의회가 독립 100주년 기념위원회 구성 법안을 통과시키면서 추진됐다. 각 주에서 1명씩 참여한 기념위가 박람회 조직위가 됐다. 필라델피아는 독립선언의 현장이자 1790~1800년 수도여서 미국의 첫 세계박람회 개최지로 이견이 없었다.

1876년 5월10일 개막식에선 리하르트 바그너가 작곡한 미국독립 100주년 기념 행진곡이 연주되고, 독립선언문이 낭독됐다. 율리시스 그랜트 미 대통령이 세계 최대 600 t 급 증기기관 시동 스위치를 누르자 환호성이 울렸다. 당시 건립한 독립기념관은 페어마운트 공원 내 필라델피아미술관으로 남아 있다.

1876필라델피아박람회장에 등장한 자유의 여신상 오른팔

가장 눈길을 끈 전시물은 횃불을 든 거대한 팔 조형물이었다. 프랑스가 미국독립 100주년 축하 선물로 보낸 자유의 여신상 일부였다. 제작이 예정보다 늦어져 오른팔 만 공개됐다. 머리 등 나머지 조각은 1878년 파리 박람회에 전시한 뒤 214개 조각으로 운반돼 1886년 뉴욕 맨해튼 섬에 세워졌다.

▸ **교통로 개설 효과**

엑스포는 지난 역사뿐만 아니라 당대의 성취를 찬양함으로써 파급력을 극대화했다. 획기적인 교통로 개설이 그런 경우다. 1906년 밀라노박람회는 스위스 마터호른과 이탈리아 북부를 잇는 19.8㎞ 셈피오네 터널 개통을 기념했다. 주제도 '육상·해상 운송'으로 설정됐다. 셈피오네 터널은 밀라노의 입지 여건을 근본적으로 바꾼 게임체인저였다. 이탈리아를 유럽 주류경제권에 편입시키고 밀라노를 이탈리아의 '경제수도'로 만드는 데 결정적인 역할을 했다. 알프스를 관통한 셈피오네 터널은 1982년까지 세계 최장 철도 터널이었다.

박람회가 기폭제가 되면서 밀라노는 섬유·화학·제약·자동차 등 제조업 중심지로 본격 성장했다. 박람회장은 셈피오네 공원과 다르미 광장에 조성돼 두 곳을 잇는 1.3㎞ 전기철도가 놓였다. 셈피오네 공원엔 유럽 세 번째 수족관인 아르누보 양식의 석조건축물이 유물로 남아 있다.

1915년 샌프란시스코박람회는 국제 해양수송로의 패러다임을 바꾼 파나마운하 개통을 경축했다. 박람회 주제와 명칭부터 '파나마-퍼시픽 국제박람회'였다. 파나마운하가 미국 서부 태평양 연안에 미치는 영향은 절대적이었다. 유럽 관점에서 볼 때 북미 서해안은 지구상 마지막 오지였다. 운하 수로 확보를 통해 미국은 비로소 하나의 경제권으로 묶이게 됐다.

그 의미는 박람회 공식 포스터에 인상적으로 표현됐다. 헤라클레스처럼 건장한 남자가 한쪽 절벽에 어깨를 대고 팔과 다리로 다른 쪽 절벽을 밀어 바다 물길을 내는 모습이 그것이다. 바다 너머 박람회장이 이상향처럼 빛나고 있다. 이 포스터는 미국의 힘과 의지, 개척정신을 상징하는 이미지로 세계인들의 머릿속에 각인됐다.

1915샌프란시스코박람회 포스터. 바다 넘어 박람회장이 이상향처럼 빛나고 있다

사상 최대 난공사였던 파나마운하는 착공 10년여 만인 1914년 8월 완공됐다. 1906년 4월 샌프란시스코에 대지진이 발생해 3000여 명이 사망하고 많은 건물이 붕괴했으나 강인한 추진력으로 박람회를 성공적으로 치러냈다. 박람회장엔 파나마운하 갑문 작동 모습을 재현한 대형 모델이 등장해 인기를 끌었다.

▸ 인류 공통과제 논의의 플랫폼

역사성을 내세우는 방식은 미국 박람회에서 두드러졌다. 1893년 시카고박람회는 아메리카 신대륙 발견 400주년을 기념해 '콜롬비아 박람회'로 통칭했고, 1904년 세인트루이스박람회는 루이지애나 매입 100주년을 개최 계기로 삼았다. 개최도시 창설을 기념하기도 했다. 1933년 시카고박람회는 시 창설 100주년을 기념해 '한 세기 과학기술 진보'를 주제로 설정했다. 역사성과 과학적 성과를 결합한 것이다. 1893년에 이어 40년 만에 다시 개최한 박람회란 점에 착안해 개막식에서 40광년 떨어진 목동자리 별 아르크투르스 별빛을 천체망원경으로 포착하는 이벤트를 시연했다.

엑스포는 밖으로 자국의 위상을 높이고 안으로 국민 통합을 꾀하는 양면적 동력으로 움직였다. 과거의 성취를 백과사전식으로 집대성하는 방식은 점차 미래세계를 내다보는 경향으로 바뀌었다. 2차 세계대전 이후엔 원자력의 평화적 이용과 휴머니즘, 인간성 회복을 외쳤다. 그 과정에서 역사적 사건을 기념하는 방식은 퇴조했다.

현대 엑스포는 역사성보다 주제의식을 강조하고 있다. 개최지가 다변화하면서 기술 경쟁, 과시적 조형물, 지나친 상업주의 대신 인류 공통과제를 논의하는 소통의 플랫폼으로 성격이 확장됐다. 전시 콘텐츠와 기법도 단순 전시를 넘어 디지털 미디어를 활용한 인식의 확장, 스토리텔링, 상호작용형 공유와 체험 방식으로 진화했다.

딸린 이야기 루이지애나 땅 매입

1904년 세인트루이스박람회가 기념한 '루이지애나 매입(Louisiana Purchase)'은 1803년 미국 정부가 미시시피강과 로키산맥 사이 지역을 프랑스로부터 1500만 달러에 사들인 사건을 말한다. 루이지애나란 '루이 14세의 땅'이란 뜻이다. 박람회 개최지인 미주리주 세인트루이스가 이 지역에 속한다.

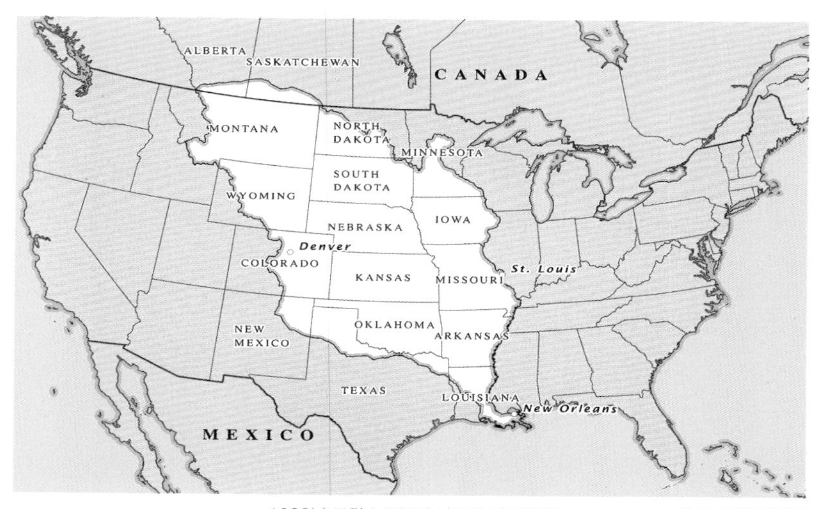

1803년 프랑스로부터 사들인 루이지애나가운데 흰색 부분 (출처:위키피디아)

이 땅을 매입함으로써 미국 영토는 2배로 늘어났고 서부 개척의 발판이 됐다. 당시 매입가는 1㎢당 7달러에 불과해 '미국 역사상 가장 수지맞은 거래'라 불린다. 사들인 지역은 지금의 루이지애나 등 6개 주 전체와 미네소타 등 8개 주. 캐나다 2개 주 일부를 포괄하는 214만7000㎢, 한반도 면적의 9.6배에 이르는 땅이다.

매입 당시 인구는 약 9만7000명이었다고 한다. 거래는 대륙의 젖줄인 미시시피강 수로를 확보하려는 미국의 제안에서 시작됐다. 1800년 이후 수로의 길목인 프랑스 관할 뉴올리언스를 지나려면 통행료를 지불해야 했다. 이에 불만이 쌓이자 토머스 제퍼슨 대통령은 의회를 설득해 1000만 달러로 뉴올리언스를 사들이기로 하고 교섭에 나섰다.

미국 사절단을 맞은 사람은 프랑스 황제 나폴레옹 보나파르트였다. 여기서 그는 이 땅 전체를 1500만 달러에 팔겠다고 역제안했다. 미국은 즉각 동의했다. 당시 나폴레옹은 아이티 반란 진압에 골머리를 앓고 있었다. 식민지 관리에 드는 전비 확보가 다급했다.

프랑스는 루이지애나 지역을 북미 식민지 건설의 발판으로 삼으려던 계획을 포기해야 할 상황이었다. 그런데 거래가 워낙 전격적으로 성사되면서 두 당사국은 막상 루이지애나 지역의 정확한 면적조차 파악하지 못했던 것으로 훗날 밝혀졌다.

6. 박람회장 변천사

엑스포 하면 보통 넓은 부지에 다양한 전시관이 들어선 모습을 떠올린다. 주제·참가국·영역별로 창의적 디자인의 조형·건축·전시 등 볼거리가 즐비한 광경이다. 하지만 박람회장이 처음부터 이런 모습은 아니었다.

1851년 첫 세계박람회가 열린 런던 하이드파크의 수정궁(출처:국제박람회기구 홈페이지)

초기 세계박람회는 대규모 단일 건축물에서 열렸다. 한 지붕 아래 모든 전시를 담아내는 백과사전식이다. 엑스포의 효시인 1851년 런던 박람회장은 길이 563m, 너비 124m, 전시면적만 축구장 11개 크기인 9만2200㎡의 초대형 전시관이었다. 철골과 유리로 지은 직사각형 온실 형태여서 '수정궁'이라 불렸다. 전면 길이(1851피트)는 개최연도에 맞춘 것이다. 중앙엔 42m 높이의 돔 지붕을 얹었다. 그곳에 하이드파크에 있던 느릅나무 세 그루를 실내로 감싸 안았다. 칸막이로 구획을 나눈 1, 2층 전시공간엔 32개국에서 출품한 1만3000종, 100만여 점이 전시됐다.

수정궁은 박람회 폐막 뒤 해체·이전됐다. 런던 남부 시드넘 힐로 옮겨져 각종 행사장으로 활용되다 1936년 화재로 소실됐다. 파리 런던 빈 바르셀로나 멜버른으로 이어진 초기 박람회는 대형 전시관 체제였다. 보조 전시관을 짓거나 기존 건물을 예술작품 전시 등에 부분적으로 활용하기도 했지만 지배적인 주전시관 중심이었다.

▸ **이상적 도시 모델**

1855~1900년 다섯 차례 박람회를 개최한 파리는 센 강변 샹 드 마르스 박람회장에 샤요궁 트로카데로궁 등 기념비적 건축물을 추가해 나갔다. 1867년 파리박람회는 대규모 주전시장 지붕 아래 다양한 전시관을 꾸몄다. 주전시관은 콜로세움을 닮은 길이 490m, 너비 390m의 타원형 임시 건물이었다.

로마의 콜로세움이나 성 베드로 성당보다도 큰 규모였다. 그 안에 처음으로 참가국 전시관과 오락시설이 들어섰다.

샹 드 마르스는 1900년에 이르러 120만㎡로 확장됐다. 에펠탑은 물론 알렉상드르 3세 다리, 박람회 기념문, 예술전시관인 그랑 펠레와 프티 펠레 등 항구적 건축물이 들어서 파리의 문화적 가치를 높였다.

프랑스 센강에서 바라본 1900년 파리 박람회장. 부대행사처럼 열린 2회 올림픽 수영 경기가 강에서 펼쳐졌다.
오른쪽 작은 사진은 1900년 파리올림픽 메인 스타디움인 뱅센 경기장(출처:국제박람회기구 홈페이지)

박람회장은 해를 거듭하면서 독립 전시공간을 확보하는 방향으로 진화했다. 1873년 빈박람회는 박람회장에 울타리 경계를 짓고 주전시장과 보조전시장, 국가전시관 등을 배치했다. 현대 엑스포와 같은 주제별 전시영역을 조성한 첫 박람회는 1876년 필라델피아박람회였다. 페어마운트 공원 내 175만㎡ 부지에 길이 5㎞ 펜스를 치고 산업생산·기계류·농업 등 5개 주제별 전시관을 지었다. 주전시관을 두지 않고 200여 개 전시부스와 참가국 전시관, 편의시설을 지었다.

이처럼 일정 구획 안에 다수의 주제·국가별 전시장을 배치하는 방식은 현대 박람회장의 기본 틀로 정형화됐다. 1893년 시카고박람회는 미시건 호에서 끌어온 인공 수로와 석호 사이에 전시관 14동, 오벨리스크, 기념 조형물 등을 세웠다. 박람회장 절반을 놀이공원으로 조성해 유흥오락 시설의 신기원이 됐다.

전통 고딕 양식에 흰 대리석과 석고로 지어 '화이트 시티'라 불린 박람회장은 수도 워싱턴DC 심장부 내셔널 몰의 모델이 되는 등 도시건축에 큰 영향을 미쳤다. 이후 1904년 루이지애나, 1915년 샌프란시스코, 1933년 시카고, 1939년 뉴욕으로 이어진 일련의 미국 박람회는 미래 도시의 모델을 구현했다.

▸ 도시 개조·재생·리모델링 효과

당대 거장 건축가들이 창의력을 쏟아 부은 박람회장은 근현대 도시건축의 실험장이 됐다. 박람회장은 혁신 디자인과 자재, 기술의 견본으로서 그 성과를 개최도시와 공유했다. 박람회장에 채택된 다양한 건축 실험은 새로운 전형으로 도시건축에 전파됐다.

엑스포 시설은 항구 보존용으로 짓는 것도 있지만 한시적 건축물이 대부분이다. 그런 만큼 시대를 앞선 진보적, 실험적 조형이 쏟아져 나왔다. 현대 엑스포는 보편적 양식 안에서 주제·기술·문화를 반영한 개성 넘치는 박람회장을 선보여 왔다. 낙후지역을 개조·리모델링해 도시 재생과 불균형 해소 효과를 낳기도 했다. 박람회장이 도시의 일부로 확장된 것이다.

'4차 산업혁명의 발상지'라 평가받는 2000년 하노버엑스포가 그 한 예다. 박람회장은 100만㎡의 기존 전시시설을 60만㎡ 넓혀 조성했다. 전시시설 건립엔 종이튜브 등 친환경 자재를 적극 활용했다. 전시 콘텐츠 또한 디지털 미디어를 활용한 인식의 확장, 참여·체험·상호작용형 소통의 플랫폼으로 발전했다.

1998년 리스본엑스포는 도심 북동쪽 타호강변을 개발했다. 계획 단계부터 도심 확장을 염두에 두고 너비 700m, 길이 5㎞의 긴 띠 형태의 박람회장을 건립했다. 지하철 연장 등을 통해 도심을 옮겨놓은 것 같은 계획시가지가 조성했다. 박람회장은 엑스포 이후 업무시설과 공원, 편의시설을 갖춘 인구 2만5000명의 현대적 도심으로 거듭났다.

역대 최대 규모였던 2010년 상하이엑스포는 황푸강 양안 낙후 공단지역을 재개발했다. 교통인프라 구축, 항구보존 건축물 건립 등을 통해 여느 엑스포의 2, 3배 넓이인 523만㎡가 최첨단 시가지로 탈바꿈했다. 2017년엔 세계 유일의 국제박람회기구(BIE) 공인 엑스포박물관까지 세워 도시의 자산이 됐다.

2015년 밀라노엑스포도 교외의 낡은 공단지역을 재활용했다. 엑스포 이후 대학·기업 등이 들어선 '휴먼 테크노폴리스'란 혁신단지로 재구성해 2024년 문을 열 예정이다. 2020년 두바이엑스포는 박람회장 조성에 기회, 이동성, 지속가능성 등 3개 부제를 철저히 반영했다. 꽃잎 모양의 3개 전시영역을 짓고 참가국 전시관도 그에 맞춰 배치했다.

▸ **부산의 얼굴**

2030년 부산엑스포 예정지는 수역 61만㎡를 포함한 부산항 북항 일원 344만㎡ 부지다. 비슷한 해안 조건이었던 여수엑스포에 비하면 13배 이상 넓다. 역대 박람회장과 견줘도 상하이와 두바이를 빼고는 가장 넓다. 면 형태의 전형적인 박람회장과 달리 북항 부지는 해안을 따라 'ㄱ'자 형태를 띤 선형 구조다. 부지 형태가 길어서 '리본 프로젝트'라 불렸던 리스본엑스포와 비슷한 입지다. 이동거리가 약 5㎞로 긴 반면 바다와 어우러진 매력적인 공간 창출이 가능하다.

부산 박람회장은 북항 재개발사업과 연계돼 있다. 도심권 항만부지 개조를 통해 도시 공간 재구성·개조가 이뤄진다. 전체 부지의 30%에 이르는 공원·녹지계획, 전기·통신·상하수도 등 지하 인프라는 북항 재개발 설계를 그대로 활용한다. 부산의 심장 북항에 박람회장이 들어서면 현재 건설 중인 오페라하우스 등과 함께 부산의 새로운 얼굴이 된다.

개항 이래 가장 큰 변모로 후손에게 물려줄 도시의 미래상을 만드는 일이다. 북항에서 펼쳐질 부산엑스포는 도시 인프라 등 하드웨어뿐만 아니라 시민의식, 소프트파워에도 '퀀텀점프'를 가져올 것으로 보인다.

딸린 이야기 여수엑스포 스카이타워

2012년 여수엑스포에선 높이 67m의 거대한 원통형 구조물이 눈길을 끌었다. 박람회장 북단 여수엑스포역 부근에 들어선 전망대 '스카이타워'다. 엑스포 시설 중 가장 높은 건축물로 전망대에 오르면 박람회장 전경과 다도해 풍광을 한눈에 볼 수 있었다.

2012여수엑스포 스카이타워

스카이타워는 박람회장으로 개발된 여수신항에 있던 시멘트 저장 사일로 2기 중 하나를 재활용한 것이다. 외부엔 하프 모양 장식을, 내부엔 뱃고동 음색을 내는 대형 파이프오르간을 설치했다. 이 초대형 악기는 연주 소리가 반경 6㎞까지 울려 퍼져 '세계에서 가장 큰 소리를 내는 파이프오르간'으로 기네스 인증을 받기도 했다.

스카이타워 최상층은 전망 라운지로 탐방에 지친 관람객들에게 인기가 높았다. 지상층에는 해수 담수화 시설이 설치돼 바닷물을 마실 수 있는 물로 처리하는 과정을 보여줬다. 관람객들에게 담수화한 물 한 컵을 기념 잔과 함께 제공해 직접 시음할 수 있게 했다.

산업용 사일로의 재활용은 중국 상하이에 전례가 있다. 상하이 민생부두의 아시아 최대 곡물 사일로를 명품 브랜드 패션쇼가 열리는 문화·전시공간으로 개조해 명소가 됐다. 2030년 부산엑스포 예정지인 북항에도 거대한 사일로 콤플렉스가 있다. 양곡 전용 부두인 5부두의 곡물 저장용 사일로군이 그것이다.

이곳은 사일로 수십 기가 덩어리를 이룬 복합체여서 대규모 문화플랫폼으로 재생하는 방안을 추진 중이다. 일부 사일로와 크레인, 계선주 등은 항만유산으로 보존해 과거와 미래를 잇는 매개체로 삼는다. 내부에 각종 이벤트 공간을 조성하고, 지붕 구조물을 추가해 12층 높이의 루프탑 전망카페와 레스토랑 등으로 활용할 계획이다.

7. 엑스포를 빛낸 예술품

피카소의 '게르니카' 1937파리박람회 외면 벽화로 전시(출처:국제박람회기구 홈페이지)

화면 왼쪽에 죽은 아이를 팔에 안은 어머니가 울고 있다. 그 모습을 황소가 눈을 부릅뜬 채 내려다본다. 부상의 고통에 일그러진 말 머리를 눈 모양의 등불이 마치 고문실의 전등처럼 비춘다. 그 아래 시신과 해골, 잘린 팔다리가 널렸다. 숨진 병사의 손바닥에 예수의 수난을 상징하는 흔적이 새겨져 있다. 오른쪽엔 화염에 휩싸여 공포에 질린 사람이 보인다.

전쟁의 참화를 형상화한 스페인 화가 파블로 피카소의 역작 '게르니카'다. 가로 777㎝, 세로 349㎝의 이 유채 벽화는 1937년 5월 25일 문을 연 파리박람회 스페인관 외면에 전시돼 세계인들에게 충격을 던졌다.

그림은 스페인 내전 당시 독재자 프랑코를 지지하던 독일군이 1937년 4월26일 스페인 바스크 지방의 작은 마을 게르니카 일대를 폭격해 빚어진 참상을 표현했다. 피카소는 스페인 정부로부터 스페인관 벽화 제작을 의뢰받고 고심하다 게르니카 피폭에서 영감을 얻어 한 달 만에 작품을 완성했다고 한다.

그는 전화(戰禍)에 휩싸인 조국의 모습을 입체파 기법의 파괴적 구조와 검정·흰색·회색 등 비극적 색조를 사용해 묘사했다. 그림은 투우와 말의 상징성을 빌어 시공을 초월한 인도주의 메시지를 전달한 것으로 평가됐다.

▸ 예술을 통한 호소

엑스포는 과학기술의 향연이라 여겨지지만 대중적 소구력 있는 예술품도 전시물로써 한몫했다. '게르니카'는 엑스포 전시를 위해 요청·제작된 예술품 중 역대 최고작으로 손꼽힌다. 파리박람회 이후 유럽과 미국 각지를 옮겨 다니며 전시되다 1981년 스페인에 반환돼 현재 마드리드 소피아왕비 미술센터에 소장돼 있다.

파시즘 독재세력인 프랑코와 치열한 내전을 벌이던 스페인 공화정부는 국제적 지지를 얻기 위해 파리박람회장에 호소력 높은 예술품을 전시했다. 피카소뿐만 아니라 세계적 명성의 스페인 예술가들이 그 대열에 동참했다.

전쟁을 배경으로 한 또 다른 작품 '사신'을 출품한 초현실주의 화가 호안 미로를 비롯해 영화감독 루이스 브뉴엘, 건축가 호세 루이스 세르트 등도 파리박람회에 참여했다. 2층 직사각형 건물인 스페인관은 아방가르드적 건축물로 호평을 받았다.

세계박람회의 예술품 전시 전통은 프랑스가 창시했다. 1855년 파리박람회는 미술의 전당이란 별도 전시장을 마련해 다양하고 질 높은 조각·회화 작품 5000여 점을 선보였다. 그중 절반 이상이 프랑스 작가 작품이었다. 특히 파리 화단의 양대 산맥이던 장 오귀스트 도미니크 앵그르와 외젠 들라크루아의 작품이 관람객들의 탄성을 자아냈다.

이에 맞서 영국도 토머스 웹스터 등이 출품했지만 프랑스 작품만큼 높은 평가를 받지는 못했다. 사진 작품도 비상한 관심을 끌었다. 사진은 당시 은판화를 거쳐 감광인화법으로 발전한 새로운 예술 분야였다. 비송 형제 등 프랑스의 65개 스튜디오 소속 작가들이 작품을 출품했다.

그런데 박람회 조직위는 정작 서양미술사의 흐름을 바꾼 사실주의 화풍의 거장 귀스타브 쿠르베를 배제하는 오점을 남겼다. 쿠르베가 박람회 출품을 위해 그린 대작 '화가의 아틀리에'와 '오르낭의 매장'이 고전파 일색이던 미술아카데미 심사를 통과하지 못한 것이다.

▸ 장르를 망라한 엑스포의 자산

분노한 쿠르베는 미술의 전당 인근 몽테뉴 거리에 별도의 전시실을 열어 자신의 작품 40점을 전시했다. 전시회 주제는 '사실주의 선언'이었다. 19세기 후반 서양미술이 사실주의, 인상주의로 넘어가는 변곡점이 된 사건이었다.

새로운 사조의 미술운동은 1867년 파리박람회에도 이어졌다. 인상파 화가 에두와르 마네가 쿠르베의 선례를 좇아 박람회장 밖에 사설 전시장을 만들어 운영했다. 예술작품은 신발명품에 비하면 관심도가 덜했지만 박람회의 문화적 품격을 높여주는 고정메뉴로 자리 잡았다.

1900파리박람회. 예술품 전용 전시관으로 건립된 그랑 팔레 전면

파리는 다섯 차례 박람회를 치르며 예술적 가치가 높은 기념문과 다리, 전시관을 여럿 지었다. 1900년에는 회화·조각·공예 작품 전용 전시관인 그랑 팔레(예술의 대전당)와 프티 팔레(예술의 소전당)가 나란히 들어섰다.

예술품 전시 전통은 20세기 엑스포를 주도한 미국에도 이어졌다. 미국 박람회의 절정을 이룬 1939년 뉴욕박람회에선 초현실주의 화가 살바도르 달리가 활약했다. 달리가 바닷 속 세계를 주제로 지은 '비너스의 꿈' 전시관은 비너스상과 산호, 물고기 모양 티켓 부스로 장식된 전시관 자체가 작품이었다.

1939뉴욕박람회. 초현실주의 화가 살바도르 달리가 바닷속 세계를 주제로 만든 '비너스의 꿈' 전시관 입구

1970오사카 박람회장 전경. 원통형 기둥이 있는 한국관과 엑스포 기념물인 '태양의 탑'이 보인다
(출처:국제박람회기구 홈페이지)

건축가들은 박람회장마다 예술성 높은 랜드마크를 창출했다. 르 코르뷔지에, 야마사키 미노루, 리차드 버크민스터 풀러 같은 거장들이 혁신적 조형물을 통해 건축양식을 주도했다. '일본의 피카소'로 불리는 오카모토 다로는 1970년 오사카엑스포 상징탑인 '태양의 탑'을 만들었다.

미술·사진·건축뿐만 아니라 문학·음악·영화 등 다양한 예술 장르가 세계박람회에 복무했다. 윌리엄 새커리, 빅토르 위고 등 문호가 글로 박람회를 찬양했고, 리하르트 바그너 같은 작곡가가 기념 행진곡 등을 작곡했다.

▸ 디지털 피로감에 대한 지적

프랑스 작곡가 카미유 생상스는 1867년 파리박람회 기념 콩쿠르에서 칸타타 '프로메테우스의 결혼'으로 수상한 후 엑스포에서 자신의 진가를 발휘한 대표적 음악가로 꼽힌다. 1900년 파리박람회에선 관람객들이 에펠탑 앞 60m 높이 공 모양 우주 전시관에 올라 생상스의 웅장한 오르간 음악을 들으며 우주 운행 모습을 지켜봤다.

1939년 뉴욕박람회는 사진·영화 기법을 극대화한 디오라마 작품을 통해 100년 후 미래세계를 구현했다. 1967년 몬트리올엑스포에선 팝아트가 등장하고 '폴리비전'이란 멀티미디어 프로젝트 영상물이 전시관마다 도입됐다.

전시물과 전시기법, 건축양식은 ICT 기술에 근거한 현대성으로 치달았다. 예술품도 원본보다 디지털 미디어를 통한 재해석, 인식의 확장, 공유·상호작용형 유비쿼터스 전시가 주류를 이루고 있다. 2012년 여수엑스포의 중심축 디지털갤러리도 그 한 예다. 전시시설 사이 길이 415m, 폭 30m 지붕과 외벽을 무정형 디지털 가상공간으로 꾸며 밤하늘에 고래가 떠다니는 디지털 아쿠아리움 등 환상적 미디어아트를 선보였다.

2030년 부산엑스포도 3차원 가상세계 메타버스를 활용한 시공간 확장을 계획 중이다. 온·오프라인 박람회장이 연계되는 최첨단 전시기법이 각광받을 것으로 보인다. 이와 관련해 일각에선 현대 엑스포의 과도한 디지털미디어 집중화가 '디지털 피로감'을 낳을 수 있다는 지적도 나오고 있다.

딸린 이야기 97년 만의 나들이

2010년 상하이엑스포엔 덴마크 코펜하겐 해변의 명물 인어공주상이 등장해 눈길을 끌었다. 덴마크는 자국 전시관의 인기몰이를 위해 높이 1.25m, 무게 175㎏ 원본 동상을 공수했다. 처음 세워진 1913년 이후 97년 만의 첫나들이였다.

2010상하이엑스포에 전시된 인어공주상

덴마크 시민단체는 "문화유물을 선전도구로 쓰려고 지구 반 바퀴를 날아가게 하는 것은 불명예"라며 모조품을 보낼 것을 주장했다. 하지만 덴마크엑스포 조직위는 "모형을 전시하면 효과가 반감된다"며 운송 작전을 강행했다.

2010년 3월 25일 동상이 기단에서 떼어져 크레인으로 트럭에 오르는 순간 많은 시민이 국기를 흔들며 8개월간의 이별을 아쉬워했다고 현지 언론은 전했다. 인어공주상이 떠난 자리는 비디오 영상 설치물이 대신했다. 덴마크관은 흰 외벽에 개방·나선형으로 지어져 호평을 받았다. 동상은 지상층에 수변 조경과 함께 전시됐다.

인어공주상은 덴마크 측의 기대대로 큰 화젯거리가 됐다. 일부 관람객은 사진을 찍기 위해 만지거나 심지어 동상 위로 기어올라 전시관 관계자들이 골치를 앓기도 했다. 인어공주상은 안데르센의 동화 '인어공주' 발레가 모티브다. 당시 모델인 발레리나가 전신 누드를 거절해 머리 외 나머지는 조각가의 아내가 모델이 됐다는 일화가 남아 있다.

인어공주상은 브뤼셀의 오줌싸개 동상, 독일의 로렐라이상 등과 함께 '이야기가 있는 명소'로 수많은 관광객을 끌어들이고 있다. 유명세 탓에 여러 차례 두상, 팔 등이 잘렸다가 복원되는 수난을 겪기도 했다.

8. 올림픽과의 악연

엑스포를 흔히 올림픽, FIFA 월드컵과 함께 '지구촌 3대 축제'라 한다. 전 세계 국가를 망라하는 대표적 국제 이벤트라는 뜻이다. 세 국제행사를 비교해 보면 관람자 수는 개최일이 90~180일로 긴 엑스포가 압도적으로 많은 반면 세계인의 이목을 집중시키는 폭발적 관심도는 올림픽과 월드컵이 높다. 재정 규모와 산업에 미치는 효과 면에서는 엑스포가 앞서지만 개최국의 인지도 향상, 수익 창출은 올림픽과 월드컵이 우위라 할 수 있다. 2008년 베이징올림픽과 2010년 상하이엑스포를 잇따라 치른 중국은 경제적 파급효과에서 엑스포가 올림픽의 3.49배에 달한다는 추산치를 발표한 바 있다.

하지만 미디어 노출, 대중 통합력, 국민적 자긍심 등 무형의 가치까지 따지면 올림픽과 월드컵의 정치·사회적 영향력이 우세하다고 할 수 있다. 사실 국가대항 승부를 겨루는 스포츠행사와 산업·과학·문화 종합행사인 엑스포를 단순 비교하는 것은 무리가 있다.

부산이 2030년 엑스포 유치에 성공하면 한국은 엑스포와 올림픽, 월드컵을 모두 개최한 7번째 나라가 된다. 기존 3대 글로벌 메가 이벤트 개최국은 프랑스 미국 캐나다 독일 이탈리아 일본이다.

▸ 엑스포와 올림픽 한 해 개최

엑스포를 2회 이상 개최한 도시는 6회로 최다 기록인 파리를 비롯해 런던 바르셀로나 브뤼셀 리에주 밀라노 토리노 플로브디프 시카고 등 9곳이다. 2025년 엑스포 개최 예정인 오사카는 '아시아의 시대'를 연 1970년 엑스포에 이어 10번째 복수 개최도시가 된다.

일본은 1964년 도쿄올림픽 이후 56년 만에 2020년 도쿄올림픽을 개최한 데 이어 엑스포도 55년 만에 같은 도시에서 다시 열게 됐다. 하계올림픽 2회 이상 개최도시는 런던 파리 로스앤젤레스 아테네 도쿄 등 5곳이다. 한 나라가 엑스포와 올림픽을 같은 해에 개최한 경우도 있다. 미국과 스페인이다. 미국은 1984년 뉴올리언스엑스포와 로스앤젤레스올림픽을, 스페인은 1992년 세비야엑스포와 바르셀로나올림픽을 한꺼번에 치렀다.

올림픽은 근대 올림픽 태동 이래 4년 주기를 철저히 지킨 반면 엑스포는 개최시기가 들쭉날쭉했다. 국제올림픽위원회(IOC)가 강력한 조직력을 발휘한 데 비해 국제박람회기구(BIE)는 1928년 뒤늦게 출범한 데다 정부 간 기구여서 통제가 느슨했기 때문이다.

0과 5로 끝나는 해에 열리는 등록엑스포 5년 개최 주기도 2000년 하노버엑스포에 와서야 비로소 정착됐다. BIE는 1936년 이전 22개 박람회를 등록박람회(월드엑스포)로 추인했다. 이후 BIE가 관장한 13개 등록박람회와 34개 인정박람회(전문엑스포)가 열렸다.

엑스포 시설을 올림픽에 재활용한 도시로는 바르셀로나 몬트리올 밴쿠버 등이 꼽힌다. 바르셀로나는 1929년 박람회를 성곽 요새였던 몬주익 언덕에서 열었다. 평지가 아닌 비탈 지형에 조성된 박람회장은 처음이었다. 3단 계단식 파노라마 형태의 박람회장 가장 높은 지대에 수용인원 6만 명 규모의 대형 스타디움이 들어섰다. 이곳이 1992년 바르셀로나올림픽 주경기장이 됐다. 황영조 선수가 막판 역주로 손기정 이후 56년 만에 마라톤 우승 테이프를 끊은 것이 바로 이곳이다. 몬트리올은 1967년 세인트 헬렌 섬 박람회장을 1976년 하계올림픽 경기장으로, 밴쿠버는 1986년 엑스포 때 지은 BC 플레이스를 2010년 동계올림픽 개·폐막식장으로 활용했다.

▸ **엑스포와 초기 올림픽**

흥미로운 대목은 초기 올림픽이 엑스포와 함께 개최된 인연이 있다는 점이다. 정확히 말하면 새로 생긴 올림픽이 반세기 역사의 거대 국제행사로 자리 잡은 세계박람회에 '더부살이'하면서 존폐가 위태로울 정도로 구박받았다.

엑스포-올림픽 병행 개최는 근대 올림픽운동을 이끈 쿠베르탱 남작의 구상에서 비롯됐다. 그는 애초 첫 올림픽을 1900년 파리박람회와 함께 열 것을 제안했다. 국제적 인지도가 높은 세계박람회와 함께 개최하면 경기장 건설과 각국 참가, 관중 동원, 홍보 등에 큰 이점이 있다고 생각했던 것이다. 그런데 일부 IOC 위원들이 조기 개최를 주장했다. 논란 끝에 올림픽 발상지인 그리스 아테네에서 1896년 1회 대회를 개최하고, 1900년 2회 대회를 파리에서 치르는 방안으로 조정됐다. 조촐하게 열린 1회 이후 2회 올림픽은 파리박람회 조직위의 몰이해와 텃세에 부닥쳐 난항을 겪었다.

운영주체 등을 둘러싼 다툼으로 쿠베르탱 IOC 위원장 등 지도부가 총사퇴하는 상황이 벌어졌다. 박람회 조직위는 프랑스사격협회장을 회장으로 임명해 박람회 부대행사를 밀어붙였다. 대회명도 올림픽 대신 '국제스포츠대회'란 멋쩍은 이름을 썼다. 당시 언론은 파리박람회 스포츠대회로 통칭했다.

파리올림픽은 개막식도 없이 1900년 5월14일부터 뱅센 경기장 등 14곳에서 열렸다. 개최기간이 10일이었던 1회와 달리 5달에 분산돼 열려 주목도가 낮았다. 엑스포 개최기간에 맞춘 것이다. 그나마 1회에 비해 규모는 커졌다. 경기 종목이 9개에서 20개로, 참가국이 14개국에서 24개국으로, 참가선수가 245명에서 994명으로 늘었다. 3회 올림픽도 엑스포에 휘둘려 제 모습을 갖추지 못했다. IOC는 애초 3회 올림픽 개최지로 시카고를 선정했다. 1893년 성대한 세계박람회를 치른 경험을 높이 샀다. 그러자 1904년 세인트루이스박람회 주최 측이 훼방을 놓았다. 국제행사가 세인트루이스와 시카고에서 동시에 열리면 관심이 분산된다는 이유에서였다.

▸ 엑스포와 올림픽의 쌍곡선

박람회 조직위는 세인트루이스에서 별도의 국제스포츠대회를 열겠다고 IOC에 통보했다. 쿠베르탱 위원장은 이에 굴복해 올림픽 개최권을 넘겨준 뒤 세인트루이스올림픽에 참석하지 않았다. 힘겨루기를 통해 '뺏어온' 행사답게 3회 올림픽은 2회보다 더 맥 빠진 모양새가 됐다.

1904년 세인트루이스올림픽 육상경기장인 프랜시스 필드

1904년 7월1일부터 5달여에 걸쳐 16개 종목, 91개 경기가 분산 개최됐다. 참가국(12개국)과 참가선수(651명) 규모도 줄었다. 먼 거리를 이유로 유럽 선수들은 거의 참가하지 않았기 때문이다. 쿠베르탱은 훗날 회고록에서 "그때 박람회 조직위에 굴복하지 않고 어떻게든 싸웠어야 했다"고 한탄하며 "올림픽 운동이 세계박람회를 거치면서 고사하지 않고 살아남은 것은 기적"이라고 밝혔다.

엑스포와 초기 올림픽의 '악연'은 거인과 갓난아기 같았던 당시 위상을 단적으로 보여준다. 2차 대전 이후 올림픽은 매스미디어의 도약, 스포츠 대중화 속에 급속한 상승곡선을 그렸다. 반면에 엑스포는 자신이 세상에 내놓은 텔레비전·컴퓨터·놀이공원 등 대체재의 도전으로 제자리걸음을 했다.

새로운 환경에 적응하지 못한 공룡처럼 도태될지 모른다는 우려마저 나왔다. 하지만 현대 엑스포는 새 지평을 열어나갔다. 과시적 경쟁보다 인류의 공통과제를 논의하고 미래비전을 제시하는 플랫폼으로 거듭난 것이다.

딸린 이야기 초기 올림픽 이색종목

엑스포의 들러리 행사로 치러진 2, 3회 올림픽에선 '진기한' 장면이 많았다.

2회 파리올림픽은 육상 사이클 펜싱 체조 사격 수영 테니스 등 1회 종목에서 역도 레슬링을 빼고 양궁 크리켓 축구 골프 폴로 조정 럭비 줄다리기 등 13개 종목을 추가했다.

센강에서 열린 수영은 빨리 헤엄치기 외 보트 장애물을 잠수로 통과하는 경기가 있었다. 사격에선 비둘기를 날려 쏘아 떨어트리기가 등장해 스포츠로서 적정성 논란을 빚었다. 승마는 높이뛰기와 멀리뛰기가 포함됐다. 정식종목은 아니지만 낚시, 기구 띄우기, 대포 쏘기, 연날리기, 화재진압 등의 경기가 열렸다.

3회 세인트루이스올림픽에선 승마 럭비 조정 등이 빠지고 권투 아령 라크로스 10종경기 등이 새로 등장했다. 농구 야구가 시범종목으로 첫선을 선보였다. 그런데 마라톤에서 어처구니없는 촌극이 빚어졌다. 박람회장 외곽 비포장도로를 달려 처음 결승선에 도달한 선수가 메달 수여식 직후 일부 구간에서 자동차를 탄 행위가 발각돼 실격 처리된 것이다.

금메달은 2위로 들어온 토마스 힉스에게 돌아갔는데, 그는 경기 도중 코치가 건네준 스트리크닌이란 흥분제를 브랜디에 섞어 마신 사실이 드러나 입상이 취소됐다. 힉스는 올림픽 최초의 약물복용 메달 박탈자로 기록됐다. 경기 중 그의 양쪽에서 마실 것을 전달하는 코치들의 모습이 사진으로 전해진다.

쿠바 대표인 우편배달부 출신 펠릭스 카바잘은 경기 도중 주변 목장에서 딴 사과를 먹고 배탈이 나는 바람에 누워 잠들었다가 다시 뛰었는데 당당히 4위를 차지하기도 했다. 박람회공사 회장 이름을 딴 육상경기장 프랜시스 필드는 워싱턴대학 스타디움으로 남아 있다.

9. 엑스포와 함께 성장한 기업들

엑스포는 혁신기업과 브랜드를 발굴하고 키우는 플랫폼이 돼왔다. 역대 엑스포를 빛낸 숱한 발명품 뒤에는 그것을 개발한 기술자와 기업이 있었다. 굿이어·싱어·코카콜라 등 한 세기를 넘긴 장수 브랜드들은 어김없이 엑스포 무대를 통해 성장했다.

기업을 키운 전통은 일찍이 엑스포의 효시인 1851년 런던박람회부터 시작됐다. 산업혁명 완숙기에 열린 런던박람회는 대형 기중기, 증기보일러 등 당대 최고 수준의 영국산 공산품이 압도했다. 중후장대(重厚長大)한 기계류 틈새엔 정밀시계, 전보타전기, 망원경 등 실용적 신개발품도 많았다.

특히 미국 발명가들의 활약이 돋보였다. 총기제조업자 새뮤얼 콜트는 연발권총을 비롯한 총기류를, 찰스 굿이어는 세계 최초 고무 타이어를, 사이러스 매코믹은 식량혁명에 기여한 바인더 수확기를 출품했다. 콜트, 굿이어, 매코믹 등 개발자 이름은 전통의 전문업체이자 브랜드로 오늘날까지 존속한다.

재봉틀은 초기 세계박람회에 등장한 획기적인 품목 중 하나였다. 아이작 싱어가 개발한 재봉틀은 1855년 파리박람회에 첫 선을 보인 뒤 1862년 런던박람회에선 아예 별도의 전시실을 차리고 마케팅에 나섰다.

▸ 세계적 명품 브랜드의 요람

싱어재봉틀

재봉틀은 단순한 바느질 도구가 아니라 가사노동과 의류산업의 근본을 바꾼 혁명적 제품이었다. 싱어는 이를 마케팅 콘셉트로 적극 내세웠다. 1876년 필라델피아박람회에선 엑스포 사상 최초로 기업 전용 전시관을 세우고 첫 전기 재봉틀을 선보였다. 지금껏 명맥을 잇고 있는 싱어재봉틀회사는 엑스포 무대에서 성장한 대표적 기업으로 꼽힌다.

엑스포는 명품 브랜드의 고향이기도 하다. 파텍필립 손목시계는 1851년 런던박람회 금메달 수상작 중 하나로 눈길을 끌었다. 폴란드 기술자 파텍과 프랑스 기술자 필립이 공동 출품한 이 시계는 세계 최초의 독립 분침과 자동 태엽을 장착한 첨단 정밀제품이었다. 파텍필립 시계는 박람회 폐막 뒤 빅토리아 여왕과 앨버트 공에게 헌정돼 명품시계 계보의 시조가 됐다.

파텍필립 손목시계

루이뷔통

럭셔리 브랜드 루이뷔통은 1867년 파리박람회를 통해 국제무대에 데뷔했다. 루이뷔통은 마차에서 기차·자동차로 이전하는 교통혁신 트렌드를 미리 읽고 캔버스천으로 만든 직사각형 트렁크를 출품해 시그니처 제품이 됐다.

알렉산더 그레이엄 벨

캐나다 출신 발명가 알렉산더 그레이엄 벨은 필라델피아박람회에서 전화기를 시연해 세상을 놀라게 했다. 먼 거리에 있는 사람과 말을 주고받는 장면이 눈앞에서 벌어진 것이다. 송수화기에 설치한 전자석 극의 얇은 철판을 유도전류로 진동시켜 음성을 재생하는 방식이었다.

소리가 전기로 바뀌어 먼 거리를 이동하는 경이로운 모습은 관람객들의 탄성을 자아냈다. 인간 상상력의 한계를 넓힌 현장이었다. 박람회 이듬해 설립된 벨전화회사는 1915년 샌프란시스코박람회에서 대륙횡단 장거리 전화를 개통하는 등 혁신을 거듭하며 성장했다.

'발명왕' 토머스 에디슨과 그가 1878년 파리박람회 당시 설립한 제너럴일렉트릭(GE)은 엑스포의 슈퍼스타였다. 에디슨은 역대 박람회에서 전구, 확성기, 축음기, 활동사진 영사기, 투시경 등 발명품을 잇따라 출품했다. GE는 1889년 박람회에서 에펠탑과 오페라거리에 각양각색의 컬러 전구를 설치해 '빛의 혁명'이란 찬사를 받았다.

▸ 박람회장의 차 생산라인

축음기의 경우 에디슨이 직접 부른 동요('떴다 떴다 비행기'의 원곡 'Mary had a little lamb')를 녹음해 들려주는 시연으로 환호를 받았다. 사실 노래라기보다 읊조리는 정도의 이 녹음은 지금도 인터넷에서 검색해 들어볼 수 있다.

엑스포의 흐름은 산업 자본주의의 무게중심과 함께 움직였다. 20세기 들어 신흥경제권으로 일어선 미국이 세계박람회를 주도했다. 국가주의 기반의 유럽과 달리 미국 박람회는 상업주의와 이윤동기가 깊숙이 작용했다. 박람회의 기획·집행에서 정부와 기업이 역할을 나누는 이원화 방식을 썼다. 그만큼 기업의 참여 폭이 넓어졌다.

미국의 첫 세계박람회였던 1876년 필라델피아박람회 개막식은 조지 콜리스의 700 t 급 세계 최대 증기엔진 가동이 하이라이트였다. 콜리스증기엔진회사가 제작한 20개 실린더 엔진은 산업 강국 미국의 힘을 다이내믹하게 표출했다.

코카콜라 전시관

대규모 박람회가 이어지면서 개발자의 이름을 딴 기업과 브랜드가 속출했다. 1893년 시카고박람회에서 글로벌 브랜드로 떠오른 코카콜라를 비롯해 타자기의 레밍턴, 엘리베이터의 오티스, 케첩의 하인즈, 수프의 캠벨 등이 엑스포를 통해 세계를 선도하는 혁신기업으로 자리매김했다.

헨리 포드는 1915년 샌프란시스코 박람회장에 생산공장을 지어 유명한 'T모델' 자동차를 하루 18대씩 만들어냈다. 포드회사는 대량생산 조립라인을 창안함으로써 전 산업 생산에 일대 혁명을 일으켰다. 대량생산을 뜻하는 '포디즘(Fordism)'이란 신조어까지 만들어졌다.

싱어가 첫 테이프를 끊은 기업 전시관은 1915년 포드 전시관 이후 관례로 굳어졌다. GM은 1933년 시카고박람회부터 참여해 자동차 대중화의 문을 열었다. 에디슨의 GE는 미국 박람회의 절정을 이룬 1939년 뉴욕박람회에서 1000만 V 방전 시연을 통해 전기시대의 리더임을 선언했다. RCA는 개막식 생중계로 텔레비전 시대의 개막을 알렸다.

1915샌프란시스코박람회. 포드 생산공장

▸ 기업 공식 후원제 도입

'아시아의 시대'를 연 1970년 오사카엑스포와 1985년 쓰쿠바엑스포에선 로봇, 초대형 스크린을 앞세운 소니, NEC, 마쓰시타, 히타치 등 일본 간판 기업들이 대형 전시관을 세우고 다양한 제품을 선보였다.

1982년 녹스빌엑스포는 미국 중소도시에서 열린 작은 박람회였지만 중요한 유산을 남겼다. 엑스포 사상 최초의 기업 '공식(official) 후원제' 도입이 그것이다. 재원조달을 위해 효율적인 기업 후원 방식을 고안해 낸 것이다. 이에 따라 코카콜라가 공식 음료로, 뽀빠이 팝콘이 공식 팝콘으로, 거버가 공식 이유식으로 각각 지정됐다.

최대 규모였던 2010년 상하이엑스포는 기업 전시관도 역대급이었다. 코카콜라·GM·시스코 전시관, 석유 전시관, 한국·일본·상하이 기업공동 전시관 등 19개 기업관이 설치됐다. 공동전시관엔 삼성·현대차·LG·포스코·롯데·두산·한국전력·효성 등 한국 대기업이 대거 참여했다. 한국이 엑스포에서 기업 전시관을 세운 것은 1993년 대전엑스포 이후 처음이었다.

해운·물류 산업 현장인 북항에서 열리게 될 2030년 부산엑스포는 부산·울산·경남권을 포함한 한국 기업의 혁신 콘셉트를 세계 소비자에게 신뢰성 있게 전달하게 된다. 그 과정에서 생성될 글로벌 브랜드파워는 기업의 신성장동력이 될 수 있다.

부산의 블록체인, 영상·문화·게임, 창원의 스마트팩토리 솔루션, 거제의 조선해양플랜트, 밀양의 나노융합, 울산의 수소 기반 모빌리티, 진주·사천의 항공우주 등 미래산업이 글로벌 무대에 본격 진출할 계기가 될 것으로 기대된다.

딸린 이야기 루빅큐브

1982년 녹스빌엑스포는 전 세계에 조각 맞추기 선풍을 일으킨 히트작을 낳았다. 헝가리관에 선보인 루빅큐브(Rubik's Cube), 면마다 다른 색 정육면체 가로세로 3개씩 9개 조각을 돌려 흩어진 각 면의 색깔을 맞추는 콤비네이션 퍼즐이다.

큐브는 6개 센터 조각, 12개 엣지 조각, 8개 코너 조각으로 구성돼 있다. 여섯 가지 색 27개 정육면체가 모여 다시 큰 정육면체가 된다. 루빅큐브는 헝가리 발명가이자 수학자, 건축디자이너인 부다페스트응용미술대학 교수 에르뇌 루비크(Erno Rubik)가 개발해 그의 이름이 붙었다. 루비크는 애초 이 3D 퍼즐을 매직 큐브라 이름 지었다.

헝가리는 자국 전시관 앞에 대형 회전식 큐브 조형물을 세우고 퍼즐경연대회를 여는 등 엑스포에서 루빅큐브를 대대적으로 홍보했다. 루비크가 직접 참석해 설명회를 열기도 했다. 그는 학생들에게 3차원 공간을 이해시킬 과제물을 생각하다가 강변의 조약돌을 보고 아이디어를 얻었다고 한다.

루빅큐브

퍼즐은 각 조각이 돌면서 생기는 조합이 무려 4325경2003조2744억8985만6000가지이며 그 가운데 6면 색깔이 다 맞는 경우는 딱 한 가지다. 루빅큐브는 엑스포를 통해 전 세계에 퍼진 뒤 3×3 외에 2×2, 4×4, 피라미드 형태 등 다양한 모습으로 응용 개발됐다.

1979년 국제특허를 낸 뒤 미국기업 아이디얼 토이와 라이선스 계약을 맺고 대량 생산에 들어갔다. 2000년 특허가 만료될 때까지 3억5000만 개를 팔아 세계 최대 판매 장난감으로 기록됐다. 생산·판매사는 루빅스란 이름으로 운영되고 있다. 루비크는 2009년 계명대 건축학부 특임교수로 한국과 인연을 맺기도 했다.

10. 역대 엑스포 한국관

172년 엑스포 역사 속에 우리나라는 어떤 궤적을 그렸을까. 어떤 모습의 전시관과 전시물을 세계인에게 보여 왔을까. 우리나라와 엑스포의 인연은 생각하는 것보다 연륜이 깊다. 보통 해방 후 참가만 떠올리기 쉬운데, 실은 19세기 말 개회기에 첫 만남이 있었다.

우리나라는 1893년 시카고박람회에 처음 참가했다. 1870년대 개화의 물꼬를 튼 조선이 국제무대에 모습을 드러낸 역사적 장면이었다. 고종의 칙지를 받은 정삼품 참의내무부사 정경원은 사무원, 통역원, 장악원 악공 등 12명을 이끌고 미국으로 건너가 박람회 업무를 수행했다.

사절단은 할당받은 구역에 전시실을 짓고 외교·문화교류 활동을 벌였다. 코리아 전시실은 박람회장에서 가장 큰 거대한 공산품전시관(길이 500m, 너비 240m) 안에 마련됐다. 참가국 전시빌라 구역, 이탈리아와 실론 전시실 중간 위치였다.

43.3㎡ 개방형 직사각 전시실 전면과 측면에 한옥 형태로 현지에서 직접 구운 기와를 올렸다. 정면에 가마와 유리 진열장을 놓고 관복·갓·짚신

등 의복류와 생활용품, 군용품을 전시했다. 금·옥·주단 등은 진열장 안에, 피물·발·돗자리 등은 벽에 걸었다.

1893시카고박람회 코리아 전시실

▸ 3세기에 걸친 엑스포 여정

전시실은 46개 참가국 중 가장 작은 규모였다. 하지만 동양에서 온 이국적 풍모의 생활용품들이 호기심에 찬 관람객들의 인기를 끌었다. 진귀한 물품에 대해 질문이 끊이지 않자 전시물 이름과 용도를 영어로 써 붙였다.

당시 전시물은 세계박람회 참가 100주년에 열린 1993년 대전엑스포 때 다시 볼 수 있었다. 문예전시관에서 열린 '시카고박람회 참가 전시품 특별전'이 그것이다, 전시 품목은 △삼회장저고리·가슴싸개·누비속바지·도포·망건·토시·버선 등 복식류 18점 △여자채상 등 주거용품 4점 △투구덮개·감투·조총 등 군용품 8점이었다.

1900파리박람회. 대한제국 전시관 홍보엽서

시카고 필드자연사박물관이 소장 중인 원본 30점을 임대해온 것이다. 한 세기 전 조선의 생활상을 보여줌은 물론 엑스포와 맺어온 오랜 인연을 기리는 뜻 깊은 전시였다. 시카고박람회 폐막 뒤 전시 물품을 박물관에 기증한 사실은 정경원이 고종에게 활동내역을 복명한 <승정원일기>에 기록돼 있다.

1900파리박람회. 경복궁 근정전을 본떠 지은 대한제국 전시관

우리나라는 이어 1900년 파리박람회에 참가했다. 명성황후의 척신 민영찬이 참가단장으로 파견됐다. 19세기를 결산한 이 박람회에서 대한제국은 프랑스 건축가 페레가 경복궁 근정전을 본떠 지은 한옥 전시관을 할당받았다. 전시관 중앙에 고종 어진을 걸고 각종 생활용품과 민속품을 전시했다.

담뱃대·참빗·부채·한지·도자기·병풍·나전칠기·농경기구·서화작품 등이 주요 전시물이었다. 프랑스 신문 <르 프티 주르날>은 대한제국관에 대해 "극동의 미를 한껏 살려 가장자리가 살짝 들린 지붕을 덮은 화려한 색상의 목재건물이 큰 관심을 끌었다"고 전했다.

우리나라는 1904년 세인트루이스박람회에도 초청됐으나 외세 침범 등 급박한 정세로 참가하지 못했다. 이후 국권 침탈과 전쟁 등 격랑의 시대로 이어지며 엑스포를 매개로 한 문명 교류는 중단됐다.

▸ 1962년 시애틀박람회서 복귀

전후 부흥기를 거친 대한민국은 1962년 시애틀박람회에서 엑스포 무대에 복귀했다. 그 해는 고도성장의 시동을 건 경제개발5개년계획 원년이었다.

1962시애틀박람회 한국관

한국은 326㎡ 규모의 단독 전시관을 짓고 다른 참가국들과 어깨를 나란히 했다. 식민통치와 전쟁의 참화를 딛고 일어선 신흥공업국으로서 자부심을 가질 만한 전시관이었다.

1962시애틀박람회 한국관 내부 모습

전시물은 재봉틀·피아노·라디오·타이어·고무신·치약 등 공산품과 왕골·나전칠기·도자기·공예품 등 1608점이었다. 시애틀박람회는 한국이 임금경쟁력을 기반으로 수출을 타진하는 무역의 장이 됐다. 실제로 일부 품목은 미국·캐나다 기업과 수출 상담과 계약이 이뤄졌다.

한국은 이후 개최된 엑스포에 빠짐없이 참가했다. 1967년 몬트리올엑스포에선 한옥 처마와 단청 등을 현대식 건물에 접목시킨 장방형 목재 전시관을 선보였다. 건축가 김수근이 설계한 423㎡의 전시관은 한국의 미를 잘 구현한 건축물로 평가됐다. 전시물은 수출로 성가를 높인 직물·의류·신발 등 경공업 제품 중심이었다.

'아시아의 시대'를 연 1970년 오사카엑스포는 국내 언론에서 대대적으로 다루면서 엑스포에 대한 대중의 관심을 고조시켰다. 서방 선진국들의 잔치로만 여겼던 엑스포가 비로소 눈앞의 현실로 다가왔다. 한국은 4150

㎡ 규모의 역대 최대 전시관을 짓고 각종 공업제품과 분청사기·바가지·키 등 전통용품을 전시했다.

1970오사카엑스포 한국관.
태양의 탑 왼쪽 원통형 기둥이 있는 전시관이 건축가 김수근이 설계한 한국관이다

한국관은 랜드마크인 태양의 탑 서쪽 요일별 7개 광장 중 화요광장에 들어섰다. 오사카엑스포 참가 경비는 총 40만 달러(약 1억800만 원)에 달했다. 1970년 정부예산이 62억 원이었던 것에 견주면 대규모 투자였음을 알 수 있다.

1985년 쓰쿠바엑스포 한국관은 과학기술, 자연환경, 문화유산 테마를 두루 담았다. 특히 멀티스크린과 주경기장 모형을 통해 1988년 서울올림픽을 홍보했다. 1992년 세비야엑스포에선 전통한옥 지붕의 2400㎡ 한국관에서 각종 산업제품과 대전엑스포 홍보물을 전시했다.

▸ 2030 부산엑스포 한국관은?

1998년 리스본엑스포 한국관은 해양 주제에 집중했다. 조선산업과 남극 세종기지, 제주도 해녀와 바다환경, 장보고 영상물 등의 전시 콘텐츠를 담았다. 2000년 하노버엑스포에선 새 밀레니엄을 향한 배의 이미지를 형상화한 2371㎡ 규모의 한국관을 세웠다.

2005아이치엑스포 한국관. 한류문화를 강조했다

2005년 아이치엑스포 한국관은 한류문화를 첨병으로 한 혁신 디자인과 콘텐츠로 소프트파워 강국의 면모를 과시했다.

2010년 상하이엑스포 한국관.
"한국관 입장하기가 한국 가기보다 더 어렵다"는 말이 나올 정도로 긴 대기줄이 길었다

사상 최대 규모였던 2010년 상하이엑스포에선 개최국 중국을 제외한 참가국 중 가장 큰 규모인 7683㎡의 한국관을 개설했다. 관람객 또한 역대 최다인 725만 명을 기록했다. 이전 최다 관람 한국관은 아이치엑스포의 350만 명이었다.

2015년 밀라노엑스포 한국관. 한식 요리를 주제로 했다

식량을 주제로 한 2015년 밀라노엑스포에선 한식 요리로 세계인의 입맛을 사로잡았다. 장류저장 옹기, 김치 등이 전시됐다. 전시관 안에 한식당을 차려 직접 음식을 맛볼 수 있게 했다.

2020년 두바이엑스포 한국관. 1600개 회전 큐브

2020년 두바이엑스포 한국관은 회전큐브 디스플레이, 내외부를 잇는 나선형 통로가 돋보이는 디자인으로 최첨단 ICT를 활용한 '이동성' 테마 전시를 선보였다.

2030년 부산엑스포는 이처럼 3세기에 걸친 전통 위에 서 있다. 엑스포 개최국은 관례적으로 박람회장 내 가장 돋보이는 자리에 자국 전시관을 개설한다. 항구보존용 랜드마크로 세워진 6만8000㎡ 규모의 웅장한 상하이엑스포 중국관이 대표적인 예다. 2012년 여수엑스포 한국관도 기념관으로 남아 있다.

당시 한국관은 해양 주제를 살려 다도해 풍광, 몽돌해변, 반구대 암각화, 장보고 이야기 등을 첨단 디지털미디어로 구현했다. 부산엑스포가 창의력 넘치는 공간 구성과 전시 콘텐츠로 엑스포 역사의 새로운 지평을 열기를 온 국민은 바라고 있다.

딸린 이야기 태극마크 달고 달리는 미국 열차

태극 문양을 차용한 NPR 엠블렘

조선의 1893년 시카고박람회 참가는 뜻밖의 유산을 남겼다. 미국 열차가 태극 문양을 달고 달리게 된 것이다. 그 사연의 전말은 이렇다. 우리나라는 시카고박람회 참가 당시 '대조선(大朝鮮, Korea)' 국호와 태극기(국기로 지정된 지 10년)를 사용했다. 기와를 올린 전시실 입구 상단에 태극기를 걸었다.

이렇게 대중에 공개된 태극기 문양이 미국의 한 철도회사 로고로 차용됐다. 북태평양철도(NPR) 수석엔지

니어였던 에드윈 해리슨 맥헨리는 시카고박람회를 관람하던 중 조선 전시실에서 태극기를 보고 눈길이 꽂혔다. 빨간색과 파란색이 물결 무늬를 이룬 단순한 원형 태극 문양(monad)의 아름다우면서도 강렬한 인상에 매료됐다.

이 철도회사는 마침 트레이드마크를 만드는 중이었다. 여러 디자인을 검토했으나 적합한 것을 찾지 못하고 있었다고 한다. NPR은 미국 중북부 미네소타주에서 서북부 워싱턴주를 연결하는 철도 운영사로 본선 10,900㎞를 1883년 완공한 상태였다. 맥헨리는 회사로 돌아가 태극 문양을 회사 마크로 사용할 것을 제안했다.

NPR 열차

그 제안이 중앙에 청·홍이 좌우로 배치되고, 둘레에 회사 이름이 새겨진 철도회사 엠블렘으로 탄생했다. 태극 문양 엠블렘은 NPR 기관차 앞머리에 부착돼 북부 대륙 횡단 노선을 달려 미국인들의 눈에 익숙한 상징물이 됐다.

NPR은 홈페이지에 엠블렘이 만들어진 사연과 함께 태극 문양의 유래와 음양론에 입각한 동양철학적 의미를 소개하고 있다. 특히 태극 문양이 안전한 운송과 행운의 상징이라고 풀이했다. NPR은 경영 악화로 인한 몇 차례 구조조정 끝에 1970년 대형 화물철도회사 BNSF에 합병됐다.

EXPO

2부 엑스포의 현재

3장. 엑스포 유치전, MZ세대 잡아라

4장. 중동에서 엑스포 희망 보다

5장. 엑스포 유치 성공, 이래서 가능했다

6장. 엑스포 ODA역사관

7장. 빅데이터로 본 부산엑스포

3장
엑스포 유치전, MZ세대 잡아라

1. 글로벌 파급력

부산시가 2014년 2030부산세계박람회(부산월드엑스포) 유치추진 방안을 수립한 후 10년 가까이 이어 온 엑스포 개최 염원은 향후 1년 여간 '부산 세일즈' 등의 효과를 얼마나 극대화하느냐에 따라 현실화 여부가 판가름 난다. 특히 MZ세대(1980년대 초~2000년대 초 출생)의 '엑스포에 대한 관심'을 높이는 것은 해외 교섭 활동 못지않게 중요하다.

▸ MZ세대의 파급력

"긴 말 필요 없다. 게임 끝났다."

2022년 7월 19일 방탄소년단(BTS)이 부산엑스포 유치 홍보대사로 위촉될 당시 최태원 대한상공회의소 회장이 한 말이다. 한덕수 국무총리와 '2030부산세계박람회 유치위원회' 공동위원장을 맡은 최 회장은 "천군만마를 얻었다"는 말도 덧붙였다.

최 회장의 이 말에는 한국의 대중문화와 MZ세대를 대표하는 BTS가 인지도를 바탕으로 향후 '부산 세일즈'에 힘을 보탤 것이라는 전망과 함께 BTS의 활동을 계기로 MZ세대가 부산엑스포 유치에 보다 많은 관심을 갖게 될 것이라는 기대감이 동시에 있는 것으로 분석된다. 실제로 최 회장은 "BTS가 (유치 활동에) 함께 나선다면 (현재 사우디아라비아가 앞선 것으로 분석되는) 엑스포 유치 판도가 바뀔 것"이라고 강조했다.

MZ세대 이미지

MZ세대가 부산엑스포 유치의 핵심 키워드로 떠오른 것은 해당 세대가 앞으로 8년 뒤 경제·문화 등 우리 사회의 주요 분야를 이끌어 갈 주역이 되는 것과 무관치 않다. 여기에 기존 X세대(통상 1970년대에 태어난 인구) 등과 확연히 다른 생활방식을 지닌 것은 물론, 디지털 환경에 익숙하고 정보 탐색 능력이 뛰어나다는 점도 부산엑스포 유치 활동 극대화를 위한 필수 세대로 인식된다.

부산대 김이태 관광컨벤션학과 교수는 "'디지털 신인류'로 불리는 MZ세대는 전 세계에 부산엑스포 유치 의지를 손쉽게 보여주거나 '부산'이라는 도시 이미지를 홍보하는 역할을 할 수 있다"며 "이들 세대의 관심을 높이는 것만으로도 그 이상의 효과를 얻을 수 있다. 이들은 부산엑스포 유치 성공에 도움을 줄 파급력을 갖고 있다"고 진단했다.

▶MZ세대란 20~39세 80만4598만 명
국내 전체 인구의 24.1% 차지

▶엑스포 유치전 활용 기대효과
-디지털 활용해 부산의 이미지 홍보 가능
전 세계 MZ세대와 엑스포 의견 교환
-'미닝아웃'은 기후변화 주제 홍보 극대화
-행사 개최 지역경제 살려 '탈부산' 방지

MZ세대란?

통계청에 따르면 MZ세대로 볼 수 있는 부산의 20~39세 인구(주민등록 기준)는 2022년 7월 말 기준 80만4598명으로 지역 전체 인구(333만4595명)의 24.1%를 차지했다. 청년 인구의 '탈부산' 현상이 갈수록 심화하고 있기는 하지만, 여전히 지역 인구 4명 중 1명이 청년일 정도로 큰 비중을 차지한다.

▸ 엑스포 유치와 탈부산 방지

정부와 시도 이런 점을 잘 알고 있다. BTS(3호 홍보대사)에 앞서 1호와 2호 홍보대사로 각각 배우 이정재와 가상인간 로지를 선정했다. 젊은 층에 비교적 익숙한 대상을 선정한 것은 MZ세대에 초점을 맞춘 전략으로 볼 수 있다. 삼성전자를 비롯한 주요 기업이 스마트폰 등 ICT(정보통신기술) 기기 광고를 활용해 부산엑스포를 홍보하거나 스포츠·유통 관련 주요 제품에 유치 응원 문구를 삽입한 것도 MZ세대를 타깃으로 한 유치 캠페인의 일환으로 볼 수 있다.

정부가 부산엑스포 유치와 관련한 '2022년 종합홍보 용역' 문건에는 국내 홍보 전략의 핵심 키워드로 'MZ세대'가 명시돼 있다. 해당 문건에 따르면 정부는 3차원 가상세계 구현 기술인 메타버스 플랫폼을 활용해 부산엑스포 가상 홍보관을 구축하고, 엑스포 유치와 관련된 주요 행사를 개최할 때 메타버스를 이용한 온·오프라인 하이브리드(두 개 이상의 요소를 결합한 것) 행사를 열기로 한 것이다.

전문가들은 MZ세대를 잡아야 유치 성공에 한걸음 더 다가갈 수 있다고 강조한다. 특히 부산엑스포를 유치한 뒤 2030년 행사 개최로 지역경제가 활성화하면 MZ세대의 부산 이탈을 막을 수 있다는 분석도 나온다. 2000년부터 지난해까지 근 20년 동안 부산의 전체 순유출(전입자 수보다 전출자 수가 더 많은 현상) 인구 63만5395명 가운데 20~39세 인구(37만4366명)가 차지한 비중은 무려 58.9%나 됐다.

부산엑스포의 주제와 부제가 기후변화 등 MZ세대가 직면할 인류의 공통 문제에 초점이 맞춰진 만큼, 이에 대한 설명과 홍보를 충분히 한 뒤 공감을 이끌어내면 자연스럽게 유치 활동에 동참하도록 유도할 수 있다는 조언도 나온다.

부산시 조유장 엑스포추진본부장은 "SNS 활용에 익숙한 MZ세대는

바이럴 홍보에도 강점을 갖고 있어 이들이 부산엑스포 유치를 지지하고 홍보에 나서준다면 전 세계에 미치는 효과가 클 것으로 기대된다"며 "MZ세대의 특성을 활용한 전략을 수립해 집중 홍보 활동을 펼치겠다"고 강조했다.

2. 2030 참여 유도

2030세계박람회 유치전과 관련해 사우디아라비아 리야드가 부산보다 다소 앞서 있다는 분석이 지금으로서는 우세하다. 정확한 통계가 집계되지는 않았으나 현재까지 유치 지지를 이끌어 낸 나라는 사우디가 50~60개국에 달하는 반면 우리나라는 10개국 안팎인 것으로 알려졌다. 하지만 '역전'의 기회는 충분이 남아 있다는 게 전문가들의 공통된 분석이다. 특히 해외 교섭 활동은 물론 내년 상반기 현지실사 때 MZ세대를 포함한 국민적 유치 열기를 해외에 효과적으로 알리면 유치 성공의 지름길이 될 수 있다는 주장이 적지 않다.

▸ 엑스포의 가치

국내 엑스포·마이스(MICE) 전문가들은 MZ세대의 엑스포 관심을 높이거나 참여를 늘리려면 ▷부산엑스포의 가치와 유치 필요성 등을 청년 인구에 전파 ▷MZ세대가 최첨단 정보통신기술(ICT)을 활용해 스스로 유치 활동에 나설 수 있는 환경 조성 ▷기성세대와 청년세대 간 지속적이고 장기적인 소통 ▷부산을 넘어 전국 MZ세대의 엑스포 관심을 높일 수 있는 정책 마련 등이 필요하다고 입을 모았다.

동의대 윤태환(스마트관광마이스연구소장) 교수는 "MZ세대는 이전 세대의 집단주의적 사고와 달리 개인주의적 성향을 보이고 있다. 개인에게 미치는 영향과 혜택을 중요하게 생각하고 자신이 좋아하는 셀러브리티(셀럽·유명인)나 채널 구독에 열성을 보인다"며 "따라서 MZ세대가 '부산엑스포의 실제 주인공은 우리며 개최에 따른 혜택을 받는 핵심 세대'라는 인식을 갖도록 하는 것이 중요하다. 부산엑스포 유치가 자신들에게 중요한 일이라고 생각한다면 MZ세대가 스스로 부산 세일즈에 나서는 등 매우 효과적인 홍보 효과를 만들어 낼 수 있다"고 진단했다.

또 "MZ세대는 짧게 편집된 유튜브 동영상 등으로 대부분의 정보를 습득한다"며 "MZ세대가 좋아하는 셀럽을 부산엑스포 유치 활동에 활용하거나 짧은 영상 위주로 엑스포 관련 정보를 MZ세대에 전달하는 등 커뮤니케이션 수단을 다양하게 활용할 필요가 있다"고 조언했다.

사진부터 부산 출신 댄스그룹 '팀에이치'가 부산엑스포 유치 응원 이벤트에 참가한 모습왼쪽과
부산시설공단이 유치 홍보를 위해 공개한 메타버스 영상,
'2020두바이엑스포'에서 열린 K-POP 콘서트 모습(출처:부산시설공단 제공)

정부와 부산시가 BTS와 배우 이정재 등 부산엑스포 홍보대사를 통해 MZ세대의 관심을 유도하고 있지만, 이들을 활용한 유치 활동이 '단순한 시선 끌기'에 머물러서는 안 된다는 지적도 나왔다.

부산대 김이태 관광컨벤션학과 교수는 "부산엑스포가 갖는 사회적인 가치와 의의, 전 세계에 던지고자 하는 메시지를 MZ세대에 집중적으로 알릴 필요가 있다. 이 과정에서 MZ세대에 친숙한 부산엑스포 홍보대사를 활용하는 것도 좋은 방법"이라며 "부산엑스포의 의미와 가치를 MZ세대로 하여금 직접 느끼게 하는 것이 중요하다"고 강조했다.

이와 함께 김 교수는 "아직도 세계박람회가 무엇인지 이해하지 못 하거나 관련 경험이 없어 부산엑스포 유치가 와 닿지 않는다는 MZ세대가 많다"며 "엑스포 개최로 MZ세대가 실질적으로 얻게 될 이득은 무엇인지 등 실질적인 내용을 그들에게 전달하는 것도 효과적인 참여 유도 방안이 될 수 있다"고 짚었다.

▸ 기성·MZ세대 간 대화

부산의 MZ세대뿐 아니라 인근 지역인 경남·울산, 나아가 전국의 MZ세대를 유도하기 위한 정책적인 노력이 필요하다는 조언도 나왔다.

2021년 6월 부산 동구 부산항국제전시컨벤션센터에서 열린 '2030부산월드엑스포 대학생 서포터즈 발대식'(출처:국제신문DB)

오성근 2030부산월드엑스포범시민유치위원회 전 집행위원장은 "부산 혼자만의 노력으로는 전국을 대상으로 MZ세대의 관심과 열기를 모으기에 분명히 한계가 있다"며 "정부를 비롯한 공공기관과 민간이 힘을 합치는 것이 중요하다. 정부는 메시지 개발에 집중하고 기업은 메시지를 다양한 콘텐츠로 개발해 MZ세대에게 전달해야 한다. 이렇게 '역할 분담'을 하면 짧은 시간 내에 의미 있는 성과를 거둘 수 있을 것"이라고 말했다.

이와 관련해 오 위원장은 부산시와 함께 ▷전국 MZ세대 대상 엑스포 유치기원 온라인 댄스 챌린지 ▷엑스포 보물찾기 이벤트 ▷엑스포 사생대회 및 온라인 콘텐츠 공모전 ▷영어 스피치 대회 등 해당 세대가 선호하는 온·오프라인 이벤트를 시행했거나 진행 중이라고 밝혔다.

김 교수도 "전국 MZ세대의 공통된 관심사 중 하나는 취업이다. 특히 부산 울산 경남 청년들은 고향에 살고 싶어도 일자리가 없어 수도권 등지로 이탈하는 상황"이라며 "부산엑스포 유치를 통해 이들을 지역에 정착하도록 만드는 방안을 마련하는 것에 주안점을 두면 좋겠다"고 강조했다.

MZ세대에 대한 부산엑스포 홍보가 단발성 이벤트에 그쳐서는 안 되며 기성세대와 MZ세대 간 지속적인 '소통'이 필요하다는 조언도 나왔다.

오 전 위원장은 "MZ세대는 부산엑스포 유치 홍보 과정에서 상당한 역할을 할 수 있는 중요한 세대"라며 "이들을 겨냥한 엑스포 홍보는 개최지가 선정되는 2023년 말까지 지속적으로 진행돼야 한다. MZ세대는 일상생활 속에서 SNS 활동을 통해 자발적 홍보대사 역할을 충분히 할 수 있기 때문에 이들 세대와 소통하는 것이 절대적으로 필요하다"고 강조했다.

엑스포 유치 MZ세대 참여 유도 방안
- 부산엑스포의 가치와 유치 필요성을 청년 세대에 전파
- 유튜브 등 다양한 커뮤니케이션 수단 활용해 엑스포 정보 전달
- MZ세대에 친숙한 셀럽을 통해 부산엑스포의 가치 및 의의 홍보
- 부산을 넘어 전국 MZ세대의 관심 제고를 위한 정책적인노력
- 정부와 기업이 공동으로 MZ세대를 겨냥한 엑스포 콘텐츠 개발
- 엑스포 이슈와 관련해 기성세대와 MZ세대 간 지속적인 소통

4장
중동에서 엑스포 희망 보다

1. 두바이엑스포 한국관

2020두바이엑스포.
한국우수상품전이 열리고 있는 엑스포 남측 전시관 한복체험 부스에서 UAE 현지인이 한복을 입어보고 있다

안내데스크 운영팀에 근무하는 칼리파 알랄리(27)씨는 "한국관을 가 봤느냐"는 기자의 질문에 "여기 업무가 바빠서 아직 가보진 못했다"면서도 "한국관은 이곳에서 가장 인기 있는 곳 중 하나"라고 말했다. 그는 '핫

(HOT)한 국가관'으로 UAE관 사우디관 한국관 등을 꼽으면서 "K팝 등 한류의 인기가 한국관에 대한 관심으로 이어졌다"고 설명했다.

2020두바이엑스포 한국관

한국우수상품전이 열린 두바이엑스포 전시장 내 부산엑스포 홍보부스에서 만난 현지 서포터즈들도 대부분 한류를 접하면서 한국에 관심을 가지게 되었다고 했다. 아메나 아바시 양은 "우리와는 많이 다른 한국의 문화를 직접 체험해 보고 싶다"면서 "엑스포 서포터즈 활동을 통해 부산과 부산의 미래에 더 알고 싶고 주변에도 널리 알리고 싶다"고 말했다.

중동아프리카 지역에서 최초로 열린 2020두바이엑스포에는 1000만 명 이상이 방문했다. 코로나19의 영향으로 2022년 3월 말까지 애초 목표였던 3000만 명에는 못 미칠 수 있다는 관측이지만 팬데믹 상황에도 선방했다는 평가가 나온다. 그중에서도 모빌리티 구역에 있는 한국관은

1597개의 스핀큐브와 내외부를 나선형으로 관통하는 램프로 구성돼 한국과 모빌리티의 역동성을 표현하고 있다. 특히 가상과 현실이 공존하는 스마트한 경험을 제공하고, 한국 고유의 문화를 체험할 수 있어 인기가 많다.

2020두바이엑스포. 사우디아라비아관 내부에서 관람객들이 사우디의 주요 도시의 모습을 담은 미디어아트를 관람하고 있다(출처:부산시 제공)

유치 경쟁국인 사우디아라비아관은 엄청난 물량 공세를 통해 화려한 건축물을 선보였다. 축적된 오일머니로 첨단기술의 도전과 발전을 구현했다는 평가다. 세계 최대 LED 미러스크린(1302㎡)으로 영상을 실제처럼 구현했고 디지털 워터커튼, 인터랙티브 디스플레이 등 첨단 기술을 전시했다. 현장에서 만난 박형준 부산시장은 "큰 비용을 들여 가장 잘하는 에이전시에 맡기고, 영상에 (할리우드 배우인) 존 트라볼타까지 투입했다"면서 "건축도 좋았고, 콘셉트도 좋았다"고 평가했다.

2020두바이엑스포 러시아관

러시아관은 창의성을 주제로 거대한 인간 두뇌를 활용한 멀티미디어 쇼를 선보이고 있다. 이를 통해 기초과학의 힘을 강조하는 한편 미래 비전과 국가 방향성을 구현했다는 평가다. 2030모스크바엑스포 유치를 위해 춥고 불편한 도시라는 부정적 선입견을 타파하는 데 주력한 모습이었다.

두바이는 이번 엑스포를 통해 제2의 도약을 준비하고 있다. 중동 최초로 엑스포를 유치해 성공적으로 치러내고 있다는 자부심은 도시의 큰 자산이다. 팬데믹으로 어려워졌던 경제가 엑스포를 계기로 반등하고 있고, 집값도 다시 오르는 등 활기가 돈다고 했다.

두바이는 UAE의 수도가 아닌 제2의 도시면서 개방적인 항구도시라는 점에서 부산과 많이 닮았다. 2030엑스포 경쟁도시 중 우크라이나 오데사를 제외한 모스크바, 로마, 리야드가 각 국의 수도라는 점에서 부산은 인지도 등에서 불리한 측면이 있다. 이 때문에 두바이나 일본 오사카 등 제2 도시의 엑스포 유치성공에서 벤치마킹할 부분이 많다.

두바이 엑스포에 참석한 문재인 대통령의 적극적인 부산 세일즈로 부산 엑스포 홍보는 새로운 장을 열었다. 다만 UAE는 엑스포 성공 경험을 공유해달라는 문 대통령의 요청에 즉답을 하지 않았다. 앞서 UAE 총리는 트위터를 통해 사우디아라비아의 지지 의사를 밝힌 바 있다. 아직 최종 결정까지는 시간이 남아 있는 만큼 막판까지 UAE를 비롯한 중동 지역의 지지를 얻기 위한 외교적 노력과 경제적 협력을 통한 교섭이 필요하다는 주문이다.

딸린 이야기 주최국의 배려

권용우 BIE 협력대사

최근 국제박람회기구(BIE) 협력대사에 임명된 권용우 대사는 지난해 말까지 UAE 대사를 지내며 두바이 엑스포 준비 과정을 지켜봤다. 권 대사는 "개도국 지원 등 두바이 엑스포유치 경험에서 부산이 배울 점이 많다"면서 "부산이 2030 엑스포 유치에 성공한다면 한 단계 도약의 계기가 될 것"이라고 봤다.

권 대사는 두바이 엑스포를 성공적이라고 평가했다. 그는 "코로나로 1년 늦춰 개최됐지만, 코로나 변수를 감안하면 1000만 명 넘게 방문한 것은 성공한 것으로 본다"고 말했다. 그러면서 "'마음의 연결 미래의 창조'라는 테마를 잡을 때는 코로나를 예상 못했지만 시대에 맞게 잘 선정한 것 같다"고 덧붙였다.

특히 권 대사는 "개발도상국들에 대한 주최국의 배려는 부산도 참고할 부분"이라고 말했다. 엑스포에 참여한 190개 국가 중에서 70~80개 국가만이 독립된 국가관을 갖고 있는 상황이다. 두바이는 종합관을 지어줘 재정 여력이 부족한 나라들도 전시를 할 수 있도록 지원했다.

문재인 대통령의 방문에 대해서는 "월드 엑스포는 국가적 차원의 지지가 없으면 성공할 수 없고, 그런 의지를 나타내는 가장 좋은 방법이 최고 책임자가 직접 나서서 유치 의사 밝히고 강력한 지원 의지를 밝힌 것"이라며 "큰 힘이 될 것"으로 평가했다. UAE가 문대통령의 부산 엑스포 지지 요청에 확답을 하지 않은 것에 대해서는 "아직 캠페인 초창기라 대부분의 나라가 입장을 밝히지 않고 어느 나라를 지지하는 것이 자국 이익에 도움이 될지를 살펴볼 것"이라고 진단했다.

권 대사는 "두바이는 관광 물류 금융 호텔 숙박 등이 주된 산업이기 때문에 경기 변동의 영향을 많이 받는데 이번에 코로나 상황에서도 엑스포를 잘 치러냈고, 결과적으로 경기 회복에 큰 도움이 됐다"면서 "부산도 두바이와 공통점이 많다. 국제적으로도 알려진 물류 허브이고, 문화적으로도 매력적인 도시이기 때문에 캠페인에 잘 활용할 필요가 있다. 부산도 도약의 계기가 필요한데 엑스포 유치를 통해 발전의 큰 동력을 얻지 않겠나"고 말했다. 앞으로의 활동 계획에 대해선 "170개 회원국을 최대한 접촉하면서 왜 부산이어야 하는지를 설득해낼 것"이라면서 "부산에 가서 북항 부지도 보고, 부산시와 협의도 하면서 전략을 짜겠다"고 밝혔다.

2. 경쟁도시 리야드

2022년 1월 18일 사우디아라비아의 수도 리야드. 중동의 맏형, 중동의 유일한 G20 국가인 사우디의 수도지만 대도시의 화려함보다는 사막 도시의 황량함이 느껴졌다.

리야드 시내 풍경. 인구 750만 명의 대도시지만 다소 적막한 느낌이다

리야드를 조금만 벗어나도 시내 외곽은 두드러진 빌딩을 찾아보기 어려웠고, 먼지로 뒤덮인 차들과 곳곳에 공사 중인 건물과 도로들만 눈에 띄었다. 화려한 빌딩숲을 이뤘던 아랍에미리트(UAE) 두바이와 확연히 비교가 됐다. 2030월드엑스포 유치를 위해 부산과 경쟁하는 도시지만 대중교통이나 상업시설, 편의시설 등 인프라는 턱없이 부족해 보였다. 사우디 최초의 광역 대중교통 시스템인 리야드 메트로는 지금 한창 건설 중이다. 총연장 176㎞, 6개 노선으로 건설 중인 리야드 메트로에는 삼성물산 등 한국 기업들도 참여하고 있다.

엑스포에 대한 시민의 관심과 열의도 아직은 낮아 보였다. 리야드 한인회 관계자들은 "두바이엑스포는 봤는데 리야드가 유치 신청을 했는지는 잘 모른다"고 말했다. 리야드 한인교회에서 10여 년간 목회를 하고 있는 조진웅 목사는 "2030엑스포에 대해서는 들어본 바가 없다"면서 "주민 사이에서는 잘 알려지지 않은 것 같다"고 말했다.

그렇지만 한편으론 곳곳에서 변화의 기운이 느껴졌다. 사우디 정부는 '포스트 오일' 시대를 준비하면서 '사우디 비전 2030'을 통해 정치·경제·사회·문화 전반을 개혁하고 혁신하면서 아라비아의 새로운 번영을 준비하고 있다. 특히 국제대회 유치를 통해 관광대국으로 거듭나려는 의지가 강하다. 김효석 리야드 한인회장은 "사우디가 최근 석유에서 관광으로 눈을 돌리고 있다. 지난해에 세계여성태권도 오픈선수권 대회도 치렀고, 2034년 아시안게임도 유치하는 등 국제대회에 많은 관심을 보이고 있다"고 말했다.

사우디 모하메드 빈 살만 왕세자는 미래형 첨단 스마트 도시인 네옴시티 건설을 주도하고 있다. 네옴시티 건설은 탄소제로 환경도시이자 새로운 스마트시티를 조성하는 메가 프로젝트다. 5000억 달러의 자금을 투자해 서울의 44배 넓이인 2만6500㎢에 친환경에너지 첨단기술 융합 메가시티를 건설한다는 계획이다.

리야드 인근 홍해 쪽에는 대규모 관광 위락도시인 키디야 도시가 건설된다. 홍해 해상에 90개 이상의 섬, 총면적 2만8000㎢를 활용해 고급 휴양레저도시를 개발하는 것이다. 2031년까지 테마파크, 스포츠시설, 자동차 경주장 등을 건설해 세계에서 가장 큰 관광·레저 도시를 개발하는 것을 목표로 한다. 사우디 정부는 네옴시티 키디야 같은 신도시 개발 프로젝트에 우리 기업의 참여를 요청하기도 했다.

세계 10대 도시로의 도약을 위한 리야드의 모든 사업은 2030년을 향하고 있는데 2030월드엑스포 유치는 이런 비전과 일치한다. 사우디는 2030엑스포 유치를 관광대국으로 가는 기폭제로 삼으려는 의지가 강했다. 모하메드 빈 살만 왕세자는 지난달 18일 문재인 대통령과 회담에서 2030엑스포와 관련해 "사우디는 관광 분야 개발에 힘쓰고 있으며, 특히 홍해 일대는 관광 자원이 풍부한데 관광은 일자리 창출 효과가 크므로 2030년까지 경제 규모의 상당 부분을 관광에 의존하는 관광대국이 되고자 한다"고 강한 의지를 보였다. 지난해 엑스포 유치 신청 당시 리야드 시티 왕립위원회의 파드 알 라시드 CEO가 "2030 엑스포는 '사우디 비전 2030' 대관식의 해와 일치하며, 비전의 업적을 보여줄 특별한 기회가 될 것"이라고 말한 것도 같은 맥락이다.

광활한 부지, 왕실의 전폭적 지원에 더해 이슬람 교역과 문화의 중심이라는 자부심은 무시 못할 강점이다. 역사적으로 수천 년간 아프리카 아시아 및 유럽 사이의 교차로에서 무역과 문화 교류의 중심에 있었다. 또 메카와 메디나는 세계 20억 명의 무슬림을 위한 영적 중심지이기도 하다.

사우디는 이번에 '변화의 시대, 예측할 수 있는 미래로 이끄는 지구'라는 주제를 내놨다. 사우디 왕실이 축적된 오일머니를 집중 투자해 대규모 프로젝트 개발에 성공하고 에너지 전환의 비전을 보여줄지, 그것으로 인프라 미흡이라는 약점을 메울 수 있을지 주목된다.

딸린 이야기 주제와 비즈니스 플랜의 연계

최재철 국제박람회기구 총회 의장

최재철 국제박람회기구(BIE) 총회 의장은 "대륙별 안배는 BIE의 엑스포 개최지 선정의 기준이 아니다"면서 "엑스포 주제를 어떻게 전개하느냐가 포인트"라고 말했다. 또 2030엑스포 개최지 선정은 2023년 11월 총회에서 이뤄질 가능성이 크다고 밝혔다. 최근 BIE 총회 의장 연임에 성공한 최 의장은 2030엑스포 개최지 선정 평가 시 가장 중요한 요소는 "시대에 맞는 주제 선정"이라고 밝혔다.

최 의장은 "모든 국가가 '저런 주제 하에서는 우리가 참여해 보고 싶다'는 그런 동기를 부여하고 세계인의 공감을 사는 게 포인트"라면서 "유치 신청국이 많아질수록 주제 개발의 중요성이 더 높아진다"고 말했다.

그는 "시대정신을 반영해서 과연 2030년에 우리가 내세운 주제로 어떤 전환을 보여 줄거냐는 차원에서 봐야 한다"고 설명했다. '인프라는 후순위인가'는 질문엔 "인프라도 물론 중요하다. 주제 다음으로 중요한 게 비즈니스 플랜을 어떻게 잘 만드느냐"이라면서 "아무리 주제가 좋아도 현장에 가보니까 참여국 입장에서 실리가 될 만한 게 없다면 곤란하다. 그래서 주제와 비즈니스 플랜을 연계해서 같이 가야 하는데 동전의 양면과 같다"고 설명했다.

최 의장은 2020두바이엑스포에 대해서는 "코로나 팬데믹 상황으로 1년 연기됐지만 어려운 상황에서도 잘 진행되고 있다. 많은 국가가 두바이엑스포를 통해 새로운 기회를 본 것 같다"고 평가했다. 그는 "2027년 인정 박람회를 유치하려는 국가도 5개국이나 나왔다. 이런 국가들에 엑스포는 단순한 소모성 파티가 아니다. 3대 글로벌 축제 중 올림픽 월드컵 등과 차별화된다고 판단한 것"이라면서 "그런 차원에서 두바이가 어려운 환경에서도 상당히 모범적인 등대 역할을 해주고 있다고 생각한다"고 말했다. 특히 2025오사카엑스포 개최 결정이 연이은 2030부산엑스포 개최에 불리한 조건이 되는 것 아니냐는 우려가 컸지만 최 대사는 "대륙별 안배는 개최지 선정의 기준이 아니다"고 했다.

최근 러시아의 우크라이나 침공 우려 등 국제 정세가 미칠 영향에 대해서는 "노코멘트하겠다"고 답했다. 우크라이나 사태를 놓고 러시아가 내놓은 '인류의 진보'라는 주제에 역행하는 것 아니냐는 지적이 나오는 상황이다. 로마가 도전장을 낸 것이 동일 국가 15년 내 주최 금지 원칙에 어긋나는 것 아니냐는 지적에 대해선 "권유 규정이지 강행 규정은 아니다. 당사국들이 판단하는 것"이라고 말했다.

인정엑스포 유치 신청국이 5개국에 달하면서 2030엑스포 선정 일정이 순연될 수 있다는 관측에 대해서는 "이미 복수 국가 신청에 대비해 안이 짜여 있고, 이에 따라 2030 개최지 선정은 2023년 11, 12월 총회에서 이뤄질 전망"이라면서 "조만간 BIE 사무국에서 유치 후보국들을 모아 일정 협의를 한 뒤 최종 확정할 것"이라고 말했다. 현지 실사도 2023년 연말께 이뤄질 것으로 내다봤다.

2030엑스포 유치 신청국 현황

신청국(도시)	주제	기간
대한민국(부산)	세계의 대전환, 더 나은 미래를 향한 항해	2030.5.1~10.31
러시아(모스크바)	인류의 진보, 조화로운 세계를 위한 공유	2030.4.27~10.27
이탈리아(로마)	수평의 도시, 도시 재생과 시민사회	2030.4.25~10.25
우크라이나(오데사)	르네상스, 기술, 미래	2030.5.1~10.31
사우디아라비아(리야드)	변화의 시대, 예측할 수 있는 미래로 이끄는 지구	2030.10.1~2031.4.1

※자료: 2030부산세계박람회 유치위

3. 부산엑스포 성공 전략

세계 대전환의 해 2030년 월드엑스포는 왜 대한민국 부산에서 개최돼야 하는가? 2023년 개최지 선정에 앞서 부산 유치 키워드는 바로 세계인들이 이 질문에 얼마나 명확히 답하느냐에 달렸다.

▸ 대전환기 미래 비전으로 승부

문재인 대통령은 두바이엑스포 한국의 날 연설을 통해 한국이 식민지와 전쟁의 폐허를 딛고 일어서 처음 참가한 1962년 시애틀박람회로 운을 뗐다. 개발도상국으로 세계박람회에 첫발을 내디딘 한국이 60년이 지나 선진국으로 도약한 모습으로 두바이엑스포에 참여한 스토리를 강조한 것이다. 경제 원조를 받던 최빈국에서 공여국으로 탈바꿈한 대한민국의 성과와 경험을 2030부산엑스포에서 공유하길 바란다고 밝힌 것이다. 한국을 롤모델로 삼고 있는 많은 개도국에게 어필하는 부분이다.

2022년 1월 17일 두바이엑스포 전시장에 마련된 부산엑스포 홍보부스에서 박형준앞줄 왼쪽 부산시장이 문재인 대통령에게 홍보영상을 설명하고 있다(출처:부산시 제공)

특히 대한민국 제1의 항구도시이자 역동적인 변화의 상징인 부산은 유라시아와 태평양을 연결하는 관문 도시다. 2030세계박람회를 통해 구현될 새로운 인류의 미래를 설계할 최적의 장소다. 2030년은 유엔 SDGs(지속가능개발목표) 성과 결과가 나오는 해이며 기후변화 등 전 인류의 어젠다를 엑스포를 통해 제시하는 의미 있는 해다. 부산은 '세계의 대전환, 더 나은 미래를 향한 항해'를 내걸고 인류가 공동으로 나가야 할 방향을 제시할 방침이다.

엑스포 유치를 위해선 국가적 자원과 열망을 하나로 모으는 게 필요하다. 일각에선 부산 엑스포 유치를 메가 이벤트에 의존한 구시대적 발전 전략으로 비판하는 시각도 없지 않지만, 엑스포는 소모성 파티에 그치지 않는 인류 공동의 비전과 미래산업을 모색하는 자리라는 게 전문가들의 지적이다.

K-컬처를 내세운 소프트파워는 우리의 최대 무기다. 부산은 부산국제영화제(BIFF), 부산원아시아페스티벌(BOF), 지스타(G-star) 등이 개최되는 K-컬처의 중심 도시다. 부산이 한류 확산의 최전방에 있음을 내세워 세계와 소통하는 전략이 필요하다.

▸ ODA 외교

국제사회를 대상으로 맞춤형 교섭 활동을 펼치는 것은 2030부산엑스포 유치를 위한 핵심 열쇠다. 공적개발원조(ODA)에 속도를 내는 것은 물론 국제사회로부터 부산 유치 지지를 끌어내기 위해 정책 역량을 총동원해야 할 것으로 보인다.

BIE 170개 회원국은 대륙별로 ▷아프리카 55개국 ▷유럽 42개국 ▷중남미 29개국 ▷중동 16개국 ▷아시아 15개국 ▷대양주 11개국 ▷북미 2개국으로 구성됐다. 모든 회원국에는 세계박람회 개최지 선정과 관련한 투표권(1표)이 동일하게 있고, 170개 회원국 중 3분의 2는 개발도상국이다. 개도국의 표심을 얻지 않고서는 엑스포 개최권을 확보할 수 없는 구조다. 앞서 일본이 2018년 11월 BIE 총회에서 2025오사카 엑스포 유치에 성공한 것도 개도국을 대상으로 ODA 등 맞춤형 지원에 나선 결과였다.

BIE의 현지 실사가 비교적 짧은 기간 내 모든 역량을 집중해야 하는 사안이라면, 해외 교섭 활동은 2023년 말 BIE 회원국이 개최지를 선정할 때까지 우리 정부와 부산시가 장기적으로 총력전에 나서야 하는 과제다.

문재인 대통령은 10개국 주한대사 신임장 제정 때 부산 엑스포 유치 지원을 당부했고, 2022년 여야 대선후보들도 집권하면 직접 홍보대사가 되겠다고 공약했다.

2022년 ODA 예산이 증액된 것도 해외 교섭 활동의 동력이 될 수 있다. 국회 의안정보시스템에 공시된 '2022년도 예산안'을 보면 ODA 예산(외교부 사업 기준)은 총 1조1093억 원으로 지난해(9505억원)보다 16.7%(1588억원) 늘었다.

주요국들의 표심을 잡기 위해선 적극적인 '주고받기' 전략도 필요하다. 2027 인정 엑스포에 도전장을 낸 미국 미네소타를 지지하고, 미국에 2030 부산 엑스포 지지를 당부하는 전략도 가능하다. 앞서 정부는 UAE에 2023년에 예정된 제28차 유엔기후변화협약 당사국총회(COP28) 유치를 양보한 바 있다.

부산대 관광컨벤션학과 김이태 교수는 "대한민국 부산의 엑스포 개최의지와 도시 경쟁력 등을 전 세계에 충분히 알리고 각국 주요 인사와 긴밀히 접촉해 신뢰를 형성하고 유대 관계를 구축해야 한다"며 "특히 BIE 회원국이 가장 많이 분포된 아프리카와 개도국에 ODA를 확대 지원해 '부산 지지'를 유도해야 한다"고 조언했다.

5장
엑스포 유치 성공, 이래서 가능했다

부산이 2030 엑스포를 유치하기 위해 글로벌 주요 도시와 명운을 건 경쟁을 펼쳐야 하는 만큼 실사 직전까지의 준비 과정은 사실상 부산의 운명을 결정지을 것으로 보인다. 그런 부산에 기존 개최국의 유치 성공 요인은 '훌륭한 교본'이 될 수 있다.

2000년대 들어 엑스포 개최지가 선정되는 과정에서 개최 장소의 면적이나 예상 방문자 수 등 주로 계량화가 가능한 '외형적' 항목은 BIE 평가에 큰 영향을 미치지 않은 것으로 나타났다. 대신 ▷주제의 적합성·매력성·차별성 ▷국민의 엑스포 개최 열망 ▷교통 접근성 ▷민·관·정 협력체계 구축 ▷글로벌 유치교섭 활동 등 '가치'에 중점을 둔 비계량화 항목이 유치 성공에 결정적 요인으로 작용했다.

실제로 2020년 10월 개최됐던 2020두바이엑스포(2013년 11월 선정)는 '항만-철도-공항'이 개최지까지 완벽하게 연결된 교통 체계가, 2025오사카엑스포(2018년 11월 선정)는 개발도상국 대상 '맞춤형' 유치 전략이, 2015밀라노엑스포(2008년 3월 선정)와 2010상하이엑스포(2002년 12월 선정)는 주제의 차별성과 기업 지원 등이 유치 성공을 이끈 것으로 분석됐다.

부산이 엑스포 개최 도시의 성공 요인을 토대로 차별화된 콘텐츠를 개발하고, 효율적인 전략을 구사해야 하는 이유가 바로 여기에 있다. 부산연구원 김경수 선임연구위원은 "부산의 경쟁 도시는 이미 유치신청서를 제출한 모스크바(러시아)뿐만 아니라 리야드(사우디아라비아)와 로마(이탈리아) 등이 될 것으로 보인다"며 "새로운 도약을 이뤄내는 부산의 '리딩 도시' 역할을 (BIE 회원국에) 보여줘야 한다"고 강조했다.

1. 두바이의 승부수

"두바이(Dubai)!"

2013년 11월 27일 아랍에미리트(UAE)의 대표적 쇼핑 센터 '두바이몰'. 이곳에 모인 UAE 국민은 대형 스크린 앞에서 손뼉을 치며 환호성을 질렀다. 국제박람회기구(BIE) 사무총장이 제154차 BIE 총회를 마친 뒤 두바이를 2020 세계박람회 개최지로 호명하는 순간이었다. UAE는 '그날'을 국가 재도약의 발판을 마련한 역사적인 날로 인식한다. 두바이 국왕인 셰이크 모하메드 빈 라시드 알 막툼은 2021년 10월 "모든 준비는 끝났다"며 강한 자신감을 내비쳤다.

▸ 역대 최대 격차로 개최지 선정

BIE와 두바이엑스포 조직위원회에 따르면 두바이는 154차 총회 당일 상파울루(브라질), 예카테린부르크(러시아), 이즈미르(터키)와 표 대결을 펼쳤다. 총 3번의 투표가 진행되는 과정에서 상파울루(1차 탈락)와 이즈미르(2차 탈락)를 차례로 꺾은 뒤 최종 투표에서 116표를 얻으며 예카테린부르크(47표)를 배 이상의 격차로 따돌렸다. 당시 투표 결과는 BIE가 주관한 역대 등록엑스포 투표에서 1위와 2위 간 표차가 가장 많았던 사례로 기록됐다. 두바이의 경쟁력이 다른 도시를 압도했다는 의미다.

2020두바이엑스포 전시 공간 중 하나인 '이동성 파빌리온(Mobility Pavilion)'. 오른쪽은 3단계 확장공사가 진행 중인 알막툼 국제공항 예상도(출처:국제박람회기구·두바이관광청 블로그)

주목할 대목이 있다. 최대 격차로 유치에 성공한 두바이가 정작 엑스포 개최지 면적과 예상 방문자 수 등에서는 4개국 중 최하위권에 머물렀다는 점이다. 두바이엑스포는 UAE 수도 아부다비와 두바이 중간 지점에 있는 제벨알리(Jebel Ali) 지역 내 4.38㎢(약 132만 평) 규모 부지에서 열린다. BIE에 제출된 국가별 유치신청 현황을 보면 두바이의 개최지 면적은 438ha(헥타르·4.38㎢)로 가장 작았다. 나머지 3개국은 모두 500ha 이상이었다. UAE 당국이 추정한 두바이엑스포 예상 방문자 수도 2500만 명으로 3위에 머물렀다. 1위 이즈미르(3900만 명)와 비교하면 1400만 명이나 적었다.

▸ **교통 접근성과 매력적인 주제**

BIE가 개최지 선정 사유를 공식 문서나 보고서 형태로 발표하지는 않았지만, 154차 총회를 전후해 BIE 홈페이지에 게재된 각종 평가 자료를 보면 두바이의 교통 접근성과 '매력적인' 주제가 가장 큰 영향을 미친 것으로 보인다.

BIE는 2013년 11월 초 이들 4개국의 경쟁력을 소개하면서 두바이를

'세계에서 가장 현대적이고 혁신적인 도시'로 평가했다. 특히 BIE는 "두바이엑스포 부지는 연간 1억6000만 명의 승객을 태울 수 있는 '알막툼 신공항' 바로 옆에 위치하게 된다"고 강조했다. 해외 관람객이 엑스포를 보기 위해 두바이로 입국했을 때 해당 부지로 이동하는 방법이나 속도가 매우 뛰어나다는 점을 강조한 것이다.

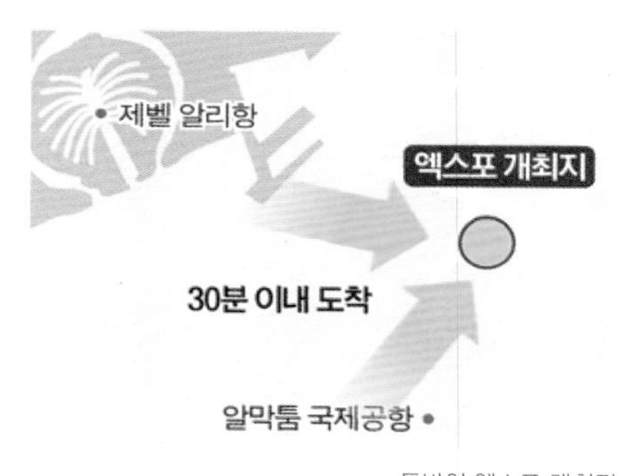

두바이 엑스포 개최지

실제로 두바이엑스포 개최지는 ▷제벨알리항(Port) ▷알막툼 국제공항 ▷에티하드 철도와 촘촘하게 연결돼 있다. 조직위에 따르면 '제벨알리항→개최지' '알막툼 공항→개최지'까지의 이동 시간은 모두 30분 이내인 것으로 알려졌다. 제벨알리항과 알막툼 공항 간 거리는 24㎞(30분 이내)이다. 조직위는 홈페이지를 통해 "전철을 이용하든 버스·택시를 타든 제벨알리항에서 개최지까지 가는 데 소요되는 시간은 20분 정도"라고 안내했다.

동의대 윤태환 교수(스마트관광마이스연구소장)는 "두바이의 인프라는 부산에 시사하는 바가 크다"며 "가덕신공항 건설 등 도시 접근성을 획기적으로 바꾸는 사업은 2030 세계박람회 유치에 긍정적인 요인으로 작용할 것"이라고 진단했다.

알막툼 국제공항은 2010년 6월 활주로 1본으로 개항한 뒤 3년 동안 화물 노선만 운항했다. 당시에는 중동의 대표적 허브 공항인 두바이 국제공항의 '보조' 공항 성격이 짙었다. 하지만 두바이가 엑스포 유치전에 뛰어든 2011년 추가 공사에 들어갔고, 여객기 운항이 가능해진 2013년 10월부터는 공항의 가치가 천정부지로 치솟았다. 제벨알리항은 사막의 모래를 파내고 만든 세계 최대 규모의 인공 항만이다. 결국 두바이에는 철도를 포함해 물류·교통의 트라이포트(Tri-port) 체계가 갖춰졌고 이런 요인이 엑스포 유치 성공이라는 결과로 이어졌다.

▸ 미래 전략과 압축된 주제 제시

교통 인프라만 성공 배경이 된 것은 아니다. 주제가 그다음 요인으로 꼽힌다. 두바이는 비교적 늦게 엑스포 유치전에 뛰어들었다. 2011년 5월 초 이즈미르가 유치신청서를 제출했고 두바이는 유치 마감 직전이었던 그해 11월이 돼서야 신청서를 냈다. 당시 두바이가 제시한 주제는 '마음의 연결, 미래 창조(Connecting Minds, Creating the Future)'였다. 그 주제를 구체화할 소주제로는 기회(Opportunity) 이동성(Mobility) 지속가능성(Sustainability)이 제시됐다. 이들 소주제는 두바이의 미래 발전 전략과 밀접하게 연결돼 있다는 평가를 받았다.

2030부산세계박람회 오성근 전 범시민유치위원장은 "두바이엑스포의 주제는 미래 전략을 압축적으로 표현한 것은 물론, 매력적인 스토리텔링을 통해 차별성을 확보했다"며 "UAE 총리가 모든 유치 과정에서 리더십을 발휘하는 등 정부 핵심 인사들이 전면에 나선 것도 유치 성공의 한 요인"이라고 평가했다.

2020 두바이엑스포 개요	
선정일	2013년 11월 27일
개최 기간	2021년 10월 1일~2022년 3월 31일(*코로나19로 1년 지연 개최)
장소	제벨알리 지역 내 4.38㎢(약 132만 평) 부지
예상 방문자	2500만 명 (누계 기준)
주제	'마음의 연결, 미래 창조'
의의	중동지역 최초의 등록엑스포
경제적 기대효과	335억 달러 (약 40조 원)
일자리 창출(예상)	30만 개

※ 자료:국제박람회기구·부산시

두바이 유치 성공 요인	
구분	내용
항만 인프라	세계 최대의 인공 항만인 '제벨알리항'
공항 인프라	사실상 엑스포 유치를 위해 재건축한 '알막툼 국제공항'
주제의 차별성	두바이의 특성과 미래 전략을 압축적으로 표현
UAE 정부 강력한 추진체계	총리 등 핵심 인사들이 전면에서 유치전 주도

※ 자료:국제박람회기구·2030부산세계박람회 범시민유치위원회

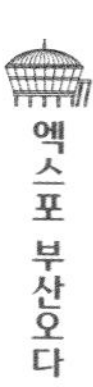

딸린 이야기 가덕신공항 조기 건설

두바이의 엑스포 유치 배경과 준비 과정 등은 2030세계박람회(월드엑스포)를 유치하려는 부산의 현 상황과 매우 유사하다. 가덕신공항 건설의 정상 추진과 부산항 북항(개최 예정 장소) 2단계 재개발 사업의 신속 진행은 물론, 부산만의 스토리텔링이 담긴 소주제 개발 등이 유치 성공의 핵심 열쇠임을 시사하는 대목이다.

정부와 부산시에 따르면 국제박람회기구(BIE)는 현지 실사 때 총 61개 항목(14개 분야)을 평가한다. 여기에는 국내외 관람객의 접근성을 알아보기 위한 '국제교통 시스템 확보' 항목이 비중 있게 들어가 있는 것으로 알려졌다. 이에 따라 부산은 가덕신공항 등 핵심 인프라의 경쟁력을 높여야 하는 숙제를 안게 됐다.

현재 가덕신공항 건설 사업은 사전타당성(사타) 조사가 진행 중이다. 내년 상반기 완료를 목표로 한다. 최근 국토교통부가 제6차 공항개발 종합계획에 이 사업을 포함시켰다. 부산시가 계획한 완공 시점은 엑스포 개최 1년 전인 2029년이다.

부산시 조유장 엑스포추진본부장은 "가덕신공항 조기 건설은 엑스포 유치 성공을 위해 가장 중요한 전제 조건"이라며 "사타가 마무리되는 대로 예비타당성(예타) 조사 면제를 거쳐 설계와 시공을 병행하는 패스트트랙 방식으로 속도감 있게 추진할 것"이라고 설명했다.

시의 계획이 차질 없이 추진되면 부산항 신항과 철도·고속도로 교통망을 연계한 트라이포트가 두바이처럼 완성된다. 하지만 가덕신공항 건설에 여전히 반대하는 수도권 여론은 변수로 꼽힌다.

북항 2단계 사업의 신속·정상 추진도 담보돼야 한다. 이 사업의 예타는 9월부터 본격화된다. BIE 부산 실사 이전에 예타를 마치는 것이 가장 좋은 시나리오다. 예타가 1년 넘게 이어지면 개최지 경쟁력을 높이려는 계획은 불확실성에 휩싸일 수밖에 없다.

2. 오사카의 ODA 카드

일본은 세계박람회와 인연이 깊다. 1970년 아시아 국가 중 처음으로 오사카에서 엑스포를 열었고 2005년에는 아이치현에서 같은 행사를 개최했다.

2025오사카엑스포 개최지 조감도(출처:국제박람회기구 제공)

그리고 2025년 4월 또 엑스포를 개최한다. 개최 지역은 이번에도 오사카다. 한 번도 힘든 월드엑스포를 3번이나 열게 된 것이다. 거듭된 유치 성공은 행사 준비에 대한 자신감으로 이어졌다. 이노우에 신지 일본 엑스포담당상은 2021년 7월 20일 프랑스 파리 국제박람회기구(BIE) 사무국을 방문해 "2025 오사카엑스포를 전 세계 인류가 참여하는 '리빙랩(Living Lab)'의 장으로 만들겠다"고 선언했다. 리빙랩은 정보통신기술(ICT) 등을 활용해 사회 문제를 해결하는 방식 또는 실험실을 의미한다.

▸ 영리한 전략

BIE와 국내 엑스포·마이스(MICE) 전문가, NHK 등 현지 언론의 분석을 종합하면 일본은 2025 세계박람회를 유치하는 과정에서 자칫 약점이 될 수 있었던 '단골 개최' 이력을 '영리한 전략'으로 극복했다. 바로 ▷공적개발원조(ODA) 등 개발도상국 대상 맞춤형 지원 ▷국제연합(UN)의 '지속가능발전목표(SDGs)'와 연계한 엑스포 주제 설정 ▷중앙·지방정부와 기업 간 유기적인 협력체계 구축이 그것이다. SDGs는 환경 보존 등 인류가 나아가야 할 방향성을 17개 목표(169개 세부 과제)로 제시하고 이를 2030년까지 달성하기로 결의한 UN의 아젠다(의제)다.

오사카는 개최지로 선정된 2018년 11월 23일 제164차 BIE 총회에서 에카테린부르크(러시아), 바쿠(아제르바이잔)와 표 대결을 펼쳤다. 2020 세계박람회 개최지 선정(2013년 11월) 때 두바이에 밀려 고배를 마신 에카테린부르크가 555ha(헥타르)에 달하는 광활한 개최지 면적 등을 앞세워 총력전을 펼친 데다, 일본 역시 월드엑스포를 과거에 두 번 개최한 상황이어서 오사카가 선정될 가능성은 비교적 낮게 점쳐졌다. 하지만 오사카는 ODA 전략 등에 힘입어 이런 예측을 보기 좋게 뒤집었다. 바쿠의 개최지 면적은 295ha였다.

2018년 3월 국제박람회기구(BIE) 관계자들이 '오사카 실사'를 위해 일본을 방문했을 때
시민이 대형 현수막을 펼치고 환영하는 모습

▸ 개도국 마음 움직인 '꾸준한 ODA'

실제로 일본 정부는 2025 세계박람회 유치 활동 과정에서 "개도국을 중심으로 한 100여 개 국가에 총 1억9000만 유로의 엑스포 참가 지원액을 제공하겠다"고 약속했다. 당시 한화 기준 2400억 원에 달하는 액수다. 러시아(1억7000만 유로)와 아제르바이잔(1억3600만 유로)도 지원액 제공을 약속했지만 BIE 회원국의 지지를 일본만큼 얻지는 못했다.

물론 엄청난 자금력을 앞세운 일회성 지원책만이 오사카 유치 성공에 영향을 미친 것은 아니다. 당시 일본은 "개도국이 엑스포 콘텐츠를 개발할 수 있도록 (일본 내) 전문가를 (개도국에) 파견하겠다"는 공약도 내걸었다. 아울러 일본은 엑스포 유치와 별개로 일정 수준의 ODA 자금을 개도국에 매년 투자해 온 상황이었다. 2017년 말 기준 일본의 연간 ODA 규모는 93억 달러(약 10조 원·전 세계 4위)에 달했다.

2030부산세계박람회 오성근 전 범시민유치위원장은 "일각에서는 '2025 엑스포가 일본에서 열리기 때문에 (같은 아시아 국가인) 한국이 2030 엑스포 개최지로 선정되는 게 힘들지 않겠느냐'는 분석이 나온다"며 "하지만 부산도 약점을 극복한 오사카처럼 ODA 등의 전략을 활용하면 유치 성공 가능성을 키울 수 있다"고 진단했다.

최첨단 ICT(정보통신기술)를 강조한 오사카엑스포의 행사장 예상도

UN의 SDGs를 엑스포 주제와 연관시킨 것은 오사카가 엑스포 개최 의의를 '인류의 보편적 가치'에 두고 있다는 점을 보여준다. 오사카엑스포의 주제는 '인류의 삶을 위한 미래 사회 설계(Designing Future Society for Our Lives)'다. 이 주제를 뒷받침할 3대 핵심 가치로는 ▷생명 구원(Saving Lives) ▷생명 연결(Connecting Lives) ▷권한 강화(Empowering)가 제시됐다. 이들 가치는 SDGs 17개 목표에 담긴 가장 큰 가치, 즉 '선진국·개도국·저개발국을 포함한 모든 국가가 인류 번영을 위해 힘쓰고 환경을 보호해야 한다'는 내용과 연계해서 풀어낸 것이다.

▸ 기업의 비용 분담

민관이 협력체계를 구축해 일사불란하게 준비한 것도 유치 성공의 핵심 요인으로 꼽힌다. 전문가들은 흔히 일본의 오사카엑스포 유치를 '전국가적 동력을 활용한 성공 사례'로 평가한다.

일본 정부는 2016년 11월 오사카로부터 엑스포 유치 기본계획안을 받고 한 달 뒤 타당성 검토에 들어갔다. 일본 통산성(한국의 산업통상자원부에 해당)도 2016년 12월 심의위원회를 구성해 엑스포 기본계획을 준비하기 시작했다. 2017년 2월 통산성 내에 정부추진본부가 설치됐고, 그해 4월에는 외무성 내에 장관급 전담반이 구성됐다.

지방정부(오사카)와 재계를 중심으로 구성된 엑스포 유치조직위원회는 2017년 3월 발족했다. 특히 오사카엑스포 부지 조성과 건축공사 소요 비용의 3분의 1 정도는 기업이 분담한 것으로 알려졌다.

2025 오사카엑스포 개요	
선정일	2018년 11월 23일
개최기간	2025년 4월 13일~10월 13일
개최지	오사카 인공섬 '유메시마'
개최지 면적	155ha
예상 방문자	2800만 명(국내외 합계)
주제	'인류의 삶을 위한 미래 사회 설계'
의의	일본 내 3번째, 오사카 2번째 개최
경제적 기대효과	전국 기준 2조 엔(약 21조 원)
일자리 창출(예상)	30만 개

※ 자료 : 대한무역투자진흥공사

오사카 유치 성공 요인	
구분	내용
ODA 전략	100여 개 국가에 총 1억9000만 유로 지원. 개도국에 엑스포 전문가 파견
주제의 가치	'인류의 보편적 가치'에 초점. UN의 SDGs와 연계해 주제 개발
정부의 체계적 준비	타당성 검토→심의위 구성→추진본부 설치→장관급 전담반 구성
기업의 전폭 지원	엑스포 부지 조성과 건축공사 비용의 3분의 1 분담

※ 자료 : 국제박람회기구·2030부산세계박람회 범시민유치위원회

오사카의 세계박람회 유치 성공은 '공적개발원조(ODA) 카드'를 꺼내 든 부산에 벤치마킹 대상이 될 수 있다.

국제박람회기구(BIE)에 따르면 BIE 169개 회원국은 대륙별로 ▷아프리카 54개국 ▷유럽 42개국 ▷중남미 29개국 ▷중동 16개국 ▷아시아 15개국 ▷대양주 11개국 ▷북미 2개국으로 구성됐다. 169개국 중 3분의 2는 개도국인 것으로 알려졌다. 개도국의 마음을 잡지 못한다면 유치 성공은 공염불에 불과하다는 의미다. 박형준 부산시장이 지난 6월 엑스포 유치 전략을 소개하면서 "국내외 외교·문화 행사와 연계해 부산형 ODA 사업을 적극 펼치겠다"고 밝힌 것은 이런 상황을 염두에 둔 결정이다.

부산연구원 김경수 선임연구위원은 "부산이 많은 개도국에 '더 나은 미래로 나아가기 위한 희망'을 심어줘야 한다"고 강조했다.

민·관·정 협력체계 완성과 국민적 관심 제고도 시급히 추진해야 할 과제다. 부산시 자체 조사 결과 부산엑스포 인지도(2021년 10월 기준)는 전국 기준 32.3%에 머물렀다. 정부유치지원위원회도 마찬가지다. 그동안 김부겸 국무총리가 "8월 중 출범시키겠다"고 공언한 것과 달리 아직 구성 완료 소식은 들리지 않고 있다. 부산대 김이태 관광컨벤션학과 교수는 "정부와 기업이 하나가 돼 국제사회에 신뢰를 준 일본(오사카)처럼 부산도 정부의 공식·비공식 외교 채널과 기업의 글로벌 네트워크를 활용해 유치교섭 활동을 서둘러야 한다"고 촉구했다.

3. 밀라노의 지속 가능성

국제박람회기구(BIE)가 주관하는 세계박람회는 원칙적으로 '상업성'을 지양한다. 지구가 당면한 공통 과제를 논의하거나 인류 발전과 미래의 대안을 제시하는 성격이 짙다. 이런 기류는 170년에 달하는 엑스포 전체 역사 중 비교적 최근인 1990년대 중반부터 나타나기 시작했다. 그 전까지는 개최국이나 글로벌 기업의 경제·문화·사업 등을 홍보하는 성격이 강했다. 이러한 '가치' 중심의 기류 변화를 주제에 명확히 담아 엑스포 유치에 성공한 사례가 있다. 2015년 이탈리아에서 열린 밀라노엑스포다.

▸ 지속 가능성

BIE에 따르면 밀라노는 2008년 3월 31일 제143차 BIE 총회에서 86표를 얻어 터키의 이즈미르(65표)를 불과 21표 차로 제치고 2015 월드엑스포 개최지로 선정됐다. 여기에는 이전 엑스포에서 볼 수 없었던 '선입견을 깬' 주제가 큰 요인이었다.

당시 밀라노엑스포의 주제는 '지구 식량 공급, 생명의 에너지(Feeding the planet, Energy for Life)'였다. 이를 뒷받침할 소주제 역시 ▷식품 안전 및 품질에 관한 과학과 기술 ▷농업과 생물 다양성을 위한 과학과 기술 ▷농·식품 유통 혁신 ▷식생활 교육 ▷더 나은 라이프 스타일을 위한 식품 등 모두 '식품'과 연관된 것이었다. 공식 마스코트도 11개의 채소·과일로 표현된 '푸디(Foody)'였다.

2015밀라노엑스포. 한국을 비롯한 각국 관계자들이 자국의 전통음식을 소개하고 있다
(출처:밀라노엑스포 한국관 공식 블로그)

당시 메인 테마와 소주제는 국제사회가 당면한 식량 문제를 직접적이고 구체적으로 거론해 BIE 회원국으로부터 호평을 받았다. BIE 사무국은 밀라노 선정 직후 "식량 생산과 건강한 식습관, 천연자원의 효율적 이용 등에 대한 문제의식이 주제에 반영됐다"고 호평했다.

특히 밀라노엑스포는 주제와 세계 상황(기아)을 가장 잘 매칭시킨 사례로 평가받는다. 실제로 국제연합식량농업기구(FAO) 로하스 브리아레스 대표는 2014년 10월 BIE와의 인터뷰에서 "2012년부터 2014년까지 2년간 전 세계에서 8억500만 명의 사람이 영양부족 상태에 빠졌다"며 "2015 밀라노엑스포는 인류에게 '좋고 건강하고 지속 가능한 음식'의 중요성을 일깨워주는 중요한 행사가 될 것"이라고 평가했다.

이처럼 지속 가능성에 초점을 맞춘 밀라노엑스포의 주제는 기후변화 등을 중심으로 미래 지향적 성격의 소주제를 개발 중인 부산에 시사하는 바가 크다. 부산연구원 김경수 선임연구위원은 "밀라노엑스포의 주제에는 '배고픔과 비만으로 고통 받는 인류의 양극화 현상을 해결한다'는 의미가 담겼다"며 "이는 보편타당한 주제를 발굴해 미래의 방향성을 제시해야 BIE 회원국으로부터 높은 점수를 받을 수 있다는 점을 시사한다"고 분석했다.

밀라노엑스포의 또 다른 특징은 친환경 행사였다는 점이다. 단적인 예가 전시회장이다. 호수나 수로 주변에 전시회장을 구축해 지열에 따른 온도 상승을 막고 '자연과 함께 엑스포를 진행한다'는 인식을 전 세계에 심어줬다. 밀라노의 이런 노력 덕분에 참가국과 기업들도 친환경·음식 등에 초점을 맞춰 전시관을 꾸몄다. 당시 코카콜라는 1000㎡ 면적에 12m 높이로 자사 파빌리온(대형 전시관)을 구축했는데, 여기에는 친환경 마감재가 사용됐다. 친환경 용기인 '플랜트 보틀(Plant Bottle)'도 세계 최초로 선보였다. 한국 역시 밀라노엑스포 당시 3990㎡ 부지에 '한국관'을 조성했다. 참가국 중 9번째로 큰 규모였다. 한식이 미래 음식의 대안이라는 점과 우리나라의 고유한 음식 문화를 전 세계에 홍보했다.

▸ **초대형 전시관**

밀라노의 엑스포 유치 성공 배경은 이뿐만이 아니다. 민관이 힘을 합쳐 엑스포 행사장 등 사회간접자본(SOC) 구축에 총력을 쏟았고, 엑스포 종료 이후 시설 활용 계획 등이 BIE 회원국으로부터 호평을 받았다.

밀라노는 '피에라 밀라노(Fiera Milano)' 전시관을 엑스포 메인 행사장으로 사용했다. 면적은 34만5000㎡ 규모다. 국내 최대 규모의 마이스(MICE) 전시관인 경기 일산 킨텍스(KINTEX·10만8483㎡)의 3배를 넘는다.

피에라 밀라노는 이탈리아 정부가 밀라노엑스포 유치에 나서기 전인 2000년 10월 1일 준공됐다. 이후 이탈리아는 2015 엑스포를 밀라노로 유치하기 위해 대규모 확장 계획을 세웠고, 2008년 유치 성공 직후 실제로 확장 공사를 시작해 34만5000㎡ 규모의 초대형 전시관으로 만들었다. BIE 자료를 보면 밀라노엑스포가 열리기 100일 전이었던 2015년 2월 3일 행사장 티켓은 이미 800만 장 넘게 팔린 것으로 집계됐다. 밀라노엑스포의 최종 관람객은(누계 기준) 2150만 명이었다.

2015밀라노엑스포 '이탈리아관'(출처:국제박람회기구 제공)

엑스포 종료 이후 부지 및 건물 활용 계획도 '지속 가능성'이라는 세계박람회 가치와 연계돼 높은 점수를 받았다. 밀라노는 엑스포 폐막 이후 행사 부지를 재개발해 과학기술 전용 혁신공원 건립에 나섰다. 개장 예정 시기는 2024년이다. 이 공원에는 밀라노 소재 대학교의 과학 전용 시설, 무인 자동차 전용 도로, 사무실과 문화 행사장 등이 설치된다.

밀라노엑스포 개요	
선정일	2008년 3월 31일
개최기간	2015년 5월 1일~10월 31일
주제	'지구 식량 공급, 생명의 에너지'
참가국	145개국
방문 인원	2150만 명(누계)
투자액	4조3000억 원

※ 자료 : 부산연구원

밀라노엑스포 유치 성공 요인	
주제의 참신성 및 영향력	식량 문제에 초점. 참가국과 글로벌 기업의 동참 유도
주제와 부합한 콘텐츠	친환경 전시장 구축. 각국의 음식문화 체험 프로그램 제공 등
경쟁력 있는 전시장	34만5000㎡ 규모로 확장
사후 부지 활용 계획	재개발 통해 과학기술 전용 혁신공원 건립. 2024년 개장 예정

※ 자료 : 국제박람회기구

딸린 이야기 역발상 스토리텔링 전략

2030 세계박람회(월드엑스포) 유치에 총력을 쏟는 부산은 밀라노처럼 메인 테마(주제)를 뒷받침할 소주제와 전시장 인프라 강화 방안 등을 조속히 마련해야 할 것으로 보인다.

부산엑스포의 주제인 '세계의 대전환, 더 나은 미래를 향한 항해'와 이를 구체화할 소주제가 마스터플랜 안에 담긴다. 소주제는 부산 관련 스토리텔링을 중심으로 개발되거나, '기후변화'에 초점을 맞춰 더욱 현실화된 내용이 될 것으로 보인다.

특히 부산엑스포의 주제가 국제박람회기구(BIE) 사무총장으로부터 호평을 받았다는 점에서 향후 소주제를 얼마나 획기적으로 차별성 있게 개발하느냐가 부산엑스포 전체 콘셉트의 경쟁력을 높이는 핵심 열쇠가 될 것으로 보인다.

부산연구원 김경수 선임연구위원은 "부산이라는 도시가 태동한 것을 오롯이 보여주는 것이 엑스포 유치의 중요한 요소로 보인다"며 "냉정하게 판단할 때 부산의 도시 브랜드가 모스크바 등 경쟁국에 비해 낮은 만큼 이를 극복하기 위해서는 '역발상을 통한 부산의 스토리텔링'이 중요할 것으로 보인다"고 진단했다.

다만, 동의대 윤태환(스마트관광마이스연구소장) 교수는 "지역적인 특성에 너무 매몰되면 안 된다"며 "해양이나 바다를 주제에 반영하되 인류 전체의 지속 가능성과 이를 구현하기 위한 방안이 담겨야 한다"고 조언했다.

부산엑스포 개최지인 부산항 북항의 경쟁력 제고도 시급한 과제다. 부산시 역시 그 중요성을 잘 알고 있다. 조유장 부산시 2030엑스포추진본부장은 "엑스포 입지인 북항은 대한민국의 근대사를 바탕으로 회복·발전 가능성이 모두 녹아 있는 역사의 현장"이라며 "부산만의 지역성을 연계해 전 세계인이 공감하는 주제와 콘텐츠 개발로 우위를 선점할 것"이라고 강조했다.

4. 중국의 사전 전략

'1810만 명(하노버) vs 7300만 명(상하이)'.

2000년 독일에서 열린 하노버엑스포와 2010년 중국에서 개최된 상하이엑스포의 최종 관람객(누계 기준) 수다. 불과 10년 사이에 무려 4배의 차이가 난 관람객 수는 두 엑스포의 흥행 여부를 갈라놓은 핵심 요인이 존재하고 있음을 시사한다. 더욱이 상하이엑스포는 지금까지 국제박람회기구(BIE)가 주관한 세계박람회 가운데 가장 성공한 행사로 평가받는다. 두 엑스포의 가장 큰 차이는 무엇일까. 결론부터 말하면 ▷정부의 엑스포 유치 의지와 전폭적인 지원 ▷범국민적 공감대 형성이다.

▸ 개최지 선정 전 SOC 구축 완료

상하이엑스포는 우리나라 입장에서 매우 아쉽고 뼈아픈 행사로 기억되지만, 세계박람회 역사에서는 많은 기록과 의미를 남긴 행사로 평가받는다. 앞서 전남 여수는 2010 세계박람회 개최지 선정일인 2002년 12월 4일 BIE 총회에서 결선(4차) 투표까지 올라 상하이와 맞붙었으나 34 대 54로 분패했다.

2010상하이엑스포 중국관.
황푸강黃浦江 주변에 건설됐다(출처:국제박람회기구)

상하이엑스포는 개발도상국에서 열린 첫 세계박람회다. 특히 ▷관람객 수 ▷참가국 수(192개국) ▷총투자액(인프라 포함 50조 원 추정) ▷전시장 면적(5.28㎢) 등의 기록은 지금까지 깨지지 않고 있다.

이처럼 역대급 성공을 거둔 상하이가 2002년 12월 4일 개최지로 선정된 배경에는 엑스포를 반드시 유치하겠다는 중국 정부의 전폭적이고 체계적인 지원이 있었다. 2030부산월드엑스포범시민유치위원회 오성근 전 집행위원장은 "엑스포는 막대한 비용과 인적·물적 자원이 투입되는 대형 프로젝트다. 정부의 유치 의지나 지원, 범국민적 공감대가 없으면 결코 엑스포 유치에 성공할 수 없다"며 "우리 정부와 부산시도 효과적인 준비와 전략적인 유치교섭 활동을 통해 2030 세계박람회 유치를 반드시 성사시켜야 한다"고 조언했다.

실제로 중국 정부와 상하이시는 개최지로 선정되기 위해 사회간접자본(SOC) 강화 등에 상당한 공을 들였다. 개최지 선정 1년 전인 2001년에 이미 엑스포 전시장과 교통 인프라(상하이 지하철 7호선 등) 구축을 사실상 완료했다. 탄탄한 SOC 인프라가 초대형 국제 행사 유치 성공 여부를 좌우할 것으로 보고 사전 작업에 나선 것이다. 상하이와 맞붙었던 여수가 유치에 실패한 요인 역시 상대적으로 부족했던 전시장 인프라 등과 무관치 않다.

엑스포 전시장을 상하이시 중심에 있는 황푸강(黃浦江) 주변에 지은 것도 중국 정부의 유치 의지가 얼마나 강했는지를 단적으로 보여준다. 당시 상하이엑스포는 세계박람회 역사상 처음으로 시 중심지를 행사 부지로 활용한 사례였다.

중국 정부는 엑스포를 유치하기 위해 빈민 지역이었던 황푸강 주변을 완전히 새롭게 단장했다. 황푸장 주변 중공업 단지를 교외 지역으로 이전시켰고, 인근 주민 1만8000여 명도 다른 곳으로 옮기도록 했다. 이 과정에서 반대 여론이 생길 수도 있었지만, 중국 정부는 신규 아파트를 무료로 제공하는 등 '당근'을 제시했다. 이는 주민의 호응을 이끄는 결과로 이어졌다.

▸ 주제 선정 연구팀 결성

상하이엑스포의 주제(메인 테마)는 '보다 나은 도시, 보다 나은 생활(Better City, Better Life)'이다. 소주제는 ▷도시에서 다양한 문화 혼합 ▷도시의 경제성장 ▷도시의 과학과 기술혁신 등이다. 메인 테마와 소주제는 BIE 회원국으로부터 '세계 도시화의 문제점을 정확히 지적하고 발전 방향을 제시했다'는 평가를 받았다. BIE 사무국도 상하이 선정 직후 "과밀화 등으로 도시의 지속 가능성이 위협받는 상황에서 적절한 솔루션을 제시했다"고 평가했다.

이처럼 BIE로부터 호평을 받은 상하이엑스포의 주제는 상당히 일찍 정해졌다는 특징을 갖고 있다. 상하이시는 1995년 5월 주제연구팀을 결성해 테마 선정 작업에 착수했다. 2002년 12월 4일 BIE 총회가 열리기 무려 7년 전이다. 부산연구원 김경수 선임연구위원은 "중국은 역대 박람회의 주제를 분석, 연구하고 이를 토대로 중국의 발전과 실천에 적합한 키워드를 찾았다"며 "그 결과 '도시'와 '문명·문화' 등의 주제 유형을 도출할 수 있었다"고 설명했다.

상하이 시민을 비롯한 중국 국민의 단합된 유치 열기도 당국의 전폭 지원과 맞물려 엑스포 유치 성공을 뒷받침했다. 오성근 전 집행위원장은 "하노버엑스포와 상하이엑스포는 세계박람회의 성공 요인을 따질 때 굉장히 중요한 사례로 거론된다"며 "결국 지역 과 국가의 호응도가 엑스포 유치나 행사 진행의 성공을 좌우하는 잣대라는 점을 보여준다"고 강조했다.

하노버엑스포가 열리기 전 독일 정부는 4000만 명의 관람객을 예상했다. 하지만 1800만 명대에 그쳤다. 이는 독일 정부가 하노버 시민과 자국민의 적극적인 지지 열기를 끌어올리지 못했기 때문이라는 게 전문가들의 공통된 분석이다.

2010 상하이엑스포 개요	
선정일	2002년 12월 4일
개최기간	2010년 5월 1일~10월 31일
주제	'보다 나은 도시, 보다 나은 생활'
의의	개도국에서 열린 첫 세계박람회
전시장 면적	5.28㎢
참가국	192개국
관람객(누계)	7300만 명
총투자액	약 50조 원(추정치)

※자료 : 국제박람회기구, IBK투자증권 등

상하이엑스포 유치 성공 요인	
SOC 인프라	개최지 선정 1년 전 전시장 및 교통 인프라 구축
시 중심지 개발	황푸강 빈민 지역 개조. 주민 이사 지원
체계적인 주제 설정	1995년 주제 연구팀 결성. 역대 엑스포 주제 연구
범국민적 열기	이사 등 정부의 전폭 지원으로 국민·시민 지지도 제고

※자료 : 국제박람회기구·부산연구원

5. 부산의 핵심 열쇠

국제박람회기구 회원국 국기(출처:국제박람회기구 제공)

국제박람회기구(BIE)가 주관하는 세계박람회는 유치 활동부터 정상적인 행사 진행까지 국가의 모든 역량이 집중돼야 '성공'으로 귀결되는 장기 프로젝트다. 이는 2000년대 이후 엑스포를 개최한 주요 국가의 성공 사례를 통해 명확히 확인됐다. 주제를 비롯한 콘텐츠 차별화와 체계적인 인프라 구축, 교통 접근성과 범국민적 유치 열기 등이 유기적으로 결합된다면 '2030 세계박람회 개최'라는 부산의 염원은 현실화될 수 있다는 의미다.

▸ 국민적 유치 열기

국내 엑스포·마이스(MICE) 전문가들은 부산엑스포 유치 성공의 핵심 요소이자 정부와 부산시가 역점을 두고 준비해야 할 사항으로 ▷부산 인지도 제고 ▷소주제 등 차별화된 콘텐츠 개발 ▷교통·숙박 등 인프라 구축 ▷박람회장(부산항 북항) 경쟁력 제고 ▷민관 협력체계 유지와 강화 ▷중앙정부와 재계의 지속적이고 체계적인 지원 ▷부산시민을 비롯한 범국민적 유치 열기 등을 꼽았다. 2030부산월드엑스포범시민유치위원회 오성근 전 집행위원장은 "엑스포와 관련된 모든 유치 계획이 논리적인 정합성을 갖고 있어야 (개최지를 선정하는) 170개 BIE 회원국으로부터 높은 점수를 받을 수 있다"고 조언했다.

국제박람회기구 총회에 참석한 회원국 관계자들(출처:국제박람회기구 제공)

실제로 BIE가 홈페이지에 공시한 엑스포 유치 신청국 평가 항목은 국내 전문가들이 꼽은 준비 사항과 대부분 일치한다. 특히 BIE는 10개가 넘는 평가 항목 중 '엑스포 주제'와 '시민·단체·기업·정부 등의 지원 수준 및 유치 열기'를 최상단에 올려놓았다. BIE가 엑스포의 가치와 의미를 가장 중요하게 판단하는 것으로 유추할 수 있다. 이 외의 항목으로는 ▷개발도상국 지원 방안 ▷홍보 전략 ▷엑스포 부지 사후 활용 방안 등이 제시됐다.

따라서 정부와 시는 인프라 구축과 같은 외형적인 준비 사항 외에도 범국민적 유치 열기를 최대치로 끌어올리거나 엑스포 유치가 부산만의 사업이 아니라는 점을 알리는 데 정책적인 역량을 총동원해야 할 것으로 보인다. 동의대 윤태환(스마트관광마이스연구소장) 교수는 "부산처럼 글로벌 인지도가 상대적으로 낮은 도시일수록 정부의 노력과 함께 개최지 시민과 국민의 지지가 매우 중요하다"며 "기성세대를 홍보 활동의 타깃으로 삼기보다 2030년 우리 사회의 주역이 되는 젊은 세대를 중심으로 유치 열기를 끌어올리는 것이 중요하다"고 조언했다.

▸ BIE 실사

2021년 12월 BIE 총회에서 진행된 프레젠테이션(PT)의 내용과 '부산 엑스포 마스터플랜'의 완성도를 높이는 것도 중요한 과제다. 마스터플랜에는 ▷엑스포 주제(메인 테마 및 소주제) ▷박람회장 조성 계획 ▷교통·숙박 대책 ▷박람회 후 활용 계획 등 BIE 규정에 명시된 61개 항목(14개 챕터)에 대한 내용이 담긴다.

결국 부산항 북항 재개발 2단계 사업과 가덕신공항 건설 사업은 물론, 메인 테마('세계의 대전환, 더 나은 미래를 향한 항해')를 뒷받침할 스토리텔링(소주제) 개발 등 정부와 시가 물밑에서 추진 중인 각종 프로젝트의 성공 여부가 마스터플랜과 유치계획서의 완성도를 높이는 핵심 열쇠가 될 것으로 보인다.

BIE가 진행하는 현지 실사에도 사활을 걸어야 한다. BIE 실사단은 부산을 비롯한 유치 신청 국가를 방문해 도시별 준비 상황을 들여다본다. 따라서 정부와 시는 BIE 실사에서 국제교통 시스템 확보 여부와 수준, 그에 따른 국내외 관람객의 접근성, 박람회장 경쟁력 등 주로 '눈에 보이는' 인프라의 우수성을 알리는 데 초점을 맞춰야 할 것으로 보인다.

부산대 김이태 관광컨벤션학과 교수는 "부산의 도시 발전 계획을 BIE 실사단에 제시하면 매우 유리한 위치를 선점할 수 있다"고 진단했다. 부산연구원 김경수 선임연구위원도 "가덕신공항과 북항 재개발 사업은 엑스포 유치의 선결 조건이자 부산의 글로벌 도시 위상을 제고하는 핵심 트리거(기폭제)"라고 짚었다.

▸ **국가 차원의 엑스포 ODA 전략**

공적개발원조(ODA)도 엑스포 유치 성공의 핵심 요소로 작용할 전망이다. 도시 인프라가 아무리 잘 갖춰지고 실사에서 높은 점수를 받는다 해도 BIE 회원국의 마음을 얻지 못하면 개최지 선정 투표 때 승리를 장담할 수 없기 때문이다. 엑스포 유치에 초점을 맞춘 국가 차원의 ODA 전략과 해외 교섭 활동이 무엇보다 중요하다는 의미다. 이에 따라 정부와 시는 아프리카와 아시아 등 개도국에 대한 개별 전략을 수립해 유치 활동을 펼치기로 했다. 재계의 글로벌 네트워크를 최대한 활용하는 방안도 추진한다. 김영주 위원장이 이끄는 2030 부산세계박람회 유치위원회가 지금보다 더 강력하고 실효성이 있는 조직으로 거듭나려면 정부와 기업의 지원이 더 확대돼야 한다.

6장
엑스포 ODA역사관

1. 부산ODA관(공적개발원조 역사전시관)

2030 부산세계박람회 유치 추진방안으로 부산항에 국내 최초의 '원조역사전시관'(가칭)을 조성해야 한다는 지적이 있다. 엑스포 유치전에서 핵심 타깃인 개발도상국을 겨냥한 ODA(공적개발원조) 사업의 중요성이 부각되고, 원조물자 수송기지로서 부산항의 역사성과 상징성이 크다는 점에서다. 이는 부산 월드엑스포 유치 추진과 관련해 국제신문이 국제교류·협력 분야 전문가들과 가진 대담 인터뷰에서 제기됐다. 이번 대담에는 부산국제교류재단 정종필 사무총장, 우리나라 ODA를 총괄하는 한국국제협력단(KOICA·코이카) 홍순범 부산사무소 소장이 참석했다.

홍 소장은 이 자리에서 "한국 ODA 역사가 시작된 곳이 부산항이다. 부산을 빼고 원조의 역사를 말할 수 없다. 게다가 2011년에는 제4차 세계개발원조총회(전 세계 개발원조 분야 최고위급 회의)가 부산에서 열렸다"며 "이처럼 ODA와 관련된 부산의 태생적 특징을 잘 활용해야 한다. 이를 위해서는 부산에 원조역사전시관이 필요하다"고 제안했다. 1950년 한국전쟁 전후의 원조 관련 기록·영상·사진·용품에 관한 자료를 모아 역사전시관을 부산항에 만들자는 구상이다. 이는 국내 다른 도시가 하기 힘들고, 대내외 홍보 효과가 기대된다는 얘기다. 역사관 조성 입지는 그런 역사성과 상징성이 있고 2030 월드엑스포 유치 추진 장소인 부산항 북항 일원이 적합할 것으로 보인다. 과거 한국이 원조 수혜국일 때 물자가 부산항에 들어왔고, 공여국이 된 지금도 부산항에서 원조물자를 실어 보낸다.

정 사무총장은 "2011년 원조총회 때 '부산선언'이 채택됐는데, 지금 이를 아는 사람이 별로 없다"면서 "부산에 원조역사관을 만들면 개도국 등에 상당히 어필할 것 같다"고 말했다. 입지 또한 부산항 북항이 바람직하다는 의견이다. 2011년 부산선언은 국제 원조정책의 패러다임을 원조 효과성에서 개발 효과성으로 전환하고, 선진국과 신흥국 등 다양한 공여 주체를 아우르는 새로운 포괄적 파트너십 구축에 합의를 이뤄낸 데 의미가 있다는 평가다.

홍 소장은 보통 때 같으면 자치단체가 이런 부분을 코이카나 정부 기관에 요구하기 힘들지만, 엑스포 유치가 국가사업으로 추진되는 상황에서는 설득력이 있다고 생각된다고 말했다. 앞서 박형준 부산시장은 지난달 월드엑스포 유치 신청 대시민 보고회에서 유치전략·과제에 대해 세계인이 공감할 수 있고 경쟁국과 차별화된 콘텐츠 개발, 국내외 외교·문화행사 연계, 부산형 ODA 사업 적극 활용 등을 제시한 바 있다.

167곳 방대한 한국 공관

일시 : 2021년 7월

- 대담 참석자 : 부산국제교류재단 **정종필** 사무총장(이하 정)
  한국국제협력단 **홍순범** 부산사무소장(이하 홍)
- 사회 : 국제신문 **구시영** 선임기자(이하 사회)

부산시국제교류재단 정종필왼쪽 사무총장과 한국국제협력단코이카부산사무소 홍순범 소장이 2030 부산 월드엑스포 유치 추진과 관련한 대담에서 의견을 이야기하고 있다

2030 부산세계박람회 유치전에서 핵심 분야로 꼽히는 것이 공적개발원조(ODA)를 포함한 국제교류·협력이다. 엑스포 개최지를 투표로 결정하는 국제박람회기구(BIE) 회원국들(169개국)과의 관계, 즉 네트워크가 긴요하다는 얘기다. 특히 회원국 중 3분의 2

인 개발도상국들의 표심을 얻는 것이 유치전의 관건으로 지적된다. 이와 관련해 부산국제교류재단의 실무사령탑인 정종필 사무총장, 우리나라 ODA를 총괄하는 한국국제협력단(코이카·준정부기관)의 국내 유일 지역사무소인 부산사무소 홍순범 소장과 대담 인터뷰를 가졌다.

사 부산의 세계화뿐만 아니라 당면한 엑스포 유치를 위해서도 국제교류·협력이 더욱 중요해진 상황이다.

정 정종필=과거에는 '아웃바운드' 쪽으로만 치중하는 분위기였는데, 요즘은 그렇지 않다. 국내 체류 외국인과 주재 공관들이 많은 만큼 이들에게도 관심을 가져야 한다. 더욱이 부산에 살고 있는, 부산을 잘 아는 외국인을 대상으로 엑스포 개최에 대해 홍보하는 것이 해외에서 하는 것보다 효과적일 수 있다.

삼성 출신인 그는 삼성그룹에서 세계전략 수립 업무를 맡았고, 이후 오랜 기간 주미대사관 등 해외 여러 공관에서 외교관으로 활약했다.

정 제가 처음 외교관을 할 때보다 한국의 브랜드 이미지는 크게 높아졌는데 부산은 아직도 인지도가 낮은 것 같다. 서울에 비하면 덜 알려졌다. 따라서 이번이 굉장히 좋은 기회다. 하지만 유치를 위한 대외교섭은 쉬운 게 아니다.

홍 홍순범=핵심 포인트는 (최근 출범한) 범국가 유치위원회의 소속 기관·단체 및 전문가들에게 각자 성격에 맞는 역할을 명확하게 부여하는 일이다.

사 그에 대해 좀 더 설명해 달라.

홍 유치위가 (단순히)정례회의나 간담회 등을 열어서 의견을 수렴하는 정도로는 큰 효과가 없다는 뜻이다. 즉, 유치위에 포함된 각 영역의 기관·단체와 전문가들이 유치에 실질적인 도움을 줄 수 있도록 각자에게 적절한 역할이 주어져야 한다. 더 적극적이고 공격적인 행동이 필요하다는 의미다.

정 유치위 각 구성원들이 얼마나 헌신적으로 나서느냐가 중요하다. 민관이 다 들어 있으니, 그것을 잘 코디네이트 해서 임무를 부여해야 하겠다.

정 사무총장은 유치 활동을 크게 두 가지로 꼽는다. 해외 공관에서 그 나라 정부와 교섭하는 것, 그리고 기업의 현지 네트워크 활용이 그것이다. 두 축이 원활하게 돌아가도록 거버넌스를 운영해야 한다. 민간 기업은 업종마다 네트워크가 다른 만큼, 그에 맞는 전략이 필요하다. 문제는 지지 여부에 대한 의사 표명을 잘 하지 않는다는 점이다. 다른 경쟁지를 의식하는 데다 비밀투표로 이뤄지니, 개표 때까지 불확실성이 상존한다. 그 점에서 "엄청난 불확실성과 싸워야 한다. 개표 때까지 피 말리는 작업이다. 이 정도 하면 되겠지 하면 안 된다. 그야말로 총력을 다해야 한다"고 그는 강조했다.

홍 외교적인 것을 바탕으로 하되, 인간적인 친밀도를 높이는 것도 상당히 중요하다. 유치 활동을 맡은 공무원이나 관계자들은 자신의 조그만 행동 하나하나가 기여할 수 있다는 마음가짐으로 움직여야 하겠다.

사 우리의 경쟁상대는 러시아의 모스크바, 사우디아라비아의 리야드 등이다.

정 두 곳 모두 자체 세력권을 가지고 있어 만만한 상대가 아니다. 국제적 인지도 면에서도 부산이 낮다. 하지만 우리의 해외 공관은 다른 나라보다도 많다. 대사관 영사관 등을 합쳐서 167개에 이른다. 이를 적극 활용해야 한다. 또한 부산 울산 경남 3개 시·도가 엑스포 유치에 힘을 모아야 하는데, 그런 맥락에서 부울경 공동 외교센터를 갖춰서 대응하는 것도 필요해 보인다.

사 이른바 부산형 ODA 사업 추진과 관련한 의견이 있다면?

홍 우리의 엑스포 유치와 어떻게 잘 연결시킬 것인지가 관건이다. ODA를 (개발도상국에) 무조건 많이 준다고 해서 능사가 아니다. 그간 우리가 ODA를 많이 진행해 왔는데, 그 금액을 더 늘린다고 그들이 엑스포에 대해 얼마나 잘 인식할지도 의문스럽다. 그래서 ODA를 할 때, 누가 적당한 타깃인지 잘 정해서 대처하는 전략도 필요하다. 비유하자면, 헛다리를 짚어서는 안 된다는 얘기다.

정 부산형 ODA는 기본적으로 상대방이 필요로 하고 우리도 비교우위를 가진 분야에서 해야 한다. 일본의 상업성 ODA방식과 다르게, 우리가 당신들의 자생력 향상과 전 세계 이슈 해결에 도움을 준다는 식의 '공생 공유 공존' 3공 개념으로 접근하는 것이 바람직하다. 전통적인 수산 분야의 ODA도 있지만, 추세는 바뀌고 있다. 정보통신기술(ICT) 영화영상 스마트시티 환경 교통 오폐수처리 등의 분야에서 수요가 훨씬 많은 것 같다. 그들이 원하는 것을 얼마나 잘 결합하고 활용하느냐가 중요하다.

홍 한 가지 지적하고 싶은 것은 그간 부산국제교류재단 등 국내 여러 기관·단체에서 ODA 사업을 진행해 왔음에도 그것이 포장이 잘 안 돼 어필을 못한다는 점이다. 지역 NGO(비정부기구) 및 대학도 마찬가지다. 여기저기 흩어진 ODA 관련 사업과 성과를 종합적으로 알려야 엑스포 유치에 도움이 될 것이다. 이번 기회에 부산시가 ODA

관련 자체 예산을 확보할 필요도 있다. 그러면 부산국제교류재단이 컨트롤타워로서의 기능을 더 잘 할 것이다.

홍 소장은 또 최근 정부의 국제개별협력위원회에서 지방자치단체 ODA 추진체계 지원방안이 가결됐다며 부산시의 선제적인 대처를 제안했다. 이 방안은 중앙정부-지자체의 ODA 협력 강화 및 연계 활성화에 목적을 둔 것으로, 부산시가 여기에 적극 나서면 정부 지원을 효과적으로 따낼 수 있을 거라는 얘기다. 아울러 부산시의 국제교류·협력 활성화와 역량 강화를 위해서는 담당 공무원이 바뀌는 것보다 전문관 도입의 필요성을 크다고 했다.

정 사무총장은 정부의 엑스포 유치 추진 외 지역 차원에서의 활동 노력도 빼놓지 않았다. 부산국제교류재단의 경우 모든 사업을 엑스포 유치와 연관시켜 추진하고 있다. 예컨대 부산의 국제협력 이미지 동영상을 만들어 해외에 배포하고, 2030 엑스포 유치 주제인 '대전환'을 뒷받침하는 일이다. 그는 "재단의 각종 사업과 행사의 주제를 기후변화 등 글로벌 어젠다 쪽으로 맞추고, 부산이 대전환의 선도적 역할을 한다는 이미지를 부각하는 사업에 집중해 나가겠다"고 말했다.

딸린 이야기 부산의 자매·우호도시

부산시의 해외 자매도시는 23개국 26개에 이른다. 그 외 우호협력도시 관계를 맺고 있는 곳은 6개국 11개 도시다. 이들을 모두 합치면 37개 도시(27개국)다. 국제교류·협력 분야에서 적지 않은 규모다. 하지만 아쉬운 것은 아시아권에 편중됐다는 점이다. 37개 도시 중 아시아권이 22곳으로 전체의 59.4%를 차지한다. 그 가운데 중국과 일본이 10곳으로 절반에 가

깝다. 뒤이어 아메리카 7곳, 유럽 4곳, 아프리카·오세아니아 각각 2곳 순이다.

엑스포 개최지 결정권을 쥐고 있는 국제박람회기구(BIE) 169개 회원국의 분포를 보면, 아프리카권이 54개국으로 가장 많다. 유럽이 42개국으로 두 번째다. 유럽·아프리카 국가가 전체의 56.8%를 차지하고 있는 구도다. 그 다음으로 중남미 29개국, 중동 16개국, 아시아 15개국, 대양주 11개국, 북미 2개국이다.

그런 점에서 부산의 도시외교가 월드 엑스포 유치 추진을 계기로 좀 더 다변화해야 한다는 지적이 나온다. 아시아권과의 관계 유지·증진도 무시할 수 없고 중요하지만, 유럽·아프리카권 지역과의 교류를 점차적으로 확대하고 권역별 안배 전략 등이 필요해 보인다. 서울시와 맞비교하기에는 다소 무리가 있으나 참고할 만하다. 서울시의 해외 친선·우호도시는 모두 49개국 71개 도시(친선 23개, 우호 48개)다. 이들 중 아시아권이 27개로 가장 많지만 유럽 지역도 23개다. 부산시의 유럽 자매도시가 4개인 것과는 큰 차이다.

2. 피란수도 유산과 연계

부산항 북항 '원조역사전시관'(가칭) 조성과 '피란수도 부산의 유산'을 연계해 추진하는 것이 바람직하다는 지적이 나왔다. 두 아이템의 연관성이 깊고 '윈윈'할 수 있다는 점에서다. 원조역사관은 2030 부산월드엑스포 유치전에 따른 개발도상국 공적개발원조(ODA) 사업과 관련해 필요성이 제기된 것으로, 범정부 유치기획단이 긍정 검토 입장을 밝힌 상태다. 피란수도 유산은 유네스코 세계문화유산 등재가 추진되고 있다.

이 같은 지적은 전문가들과의 좌담 인터뷰에서 제기됐다. 좌담에는 경성대 강동진(도시공학과) 교수, 부산연구원 오재환 부산학연구센터장 겸

사회문화연구실장(현 부원장)이 참석했다.

강 교수는 "원조역사관은 피란수도 시절의 역할을 보여주고 연계할 수 있는 좋은 아이템이다. 피란수도 유산의 가치에는 당시(1950년 한국전쟁 시기) 국제사회의 구호·원조를 통한 인류애 구현의 표상이 부산이라고 명시돼 있다"고 말했다. 오 실장은 "피란수도의 핵심 가치가 포용, 인류애, 평화인데, 이는 원조의 함의와 월드엑스포의 지향 가치와도 같다"면서 "그 역사적 현장인 부산항 북항 1부두에 원조역사관이 꾸며지면 세계 인류애와 원조의 상징적 공간이 될 것이다"고 강조했다.

강 교수 또한 원조역사관의 적지로 1부두 일원을 꼽았다. 다만, 1부두의 원형 파괴 없이 최소한의 정비로 그 가치를 드러내야 한다는 조건을 달았다. 그 방안에 대해 두 사람은 첨단 IT기술과 기존 시설을 활용하면 충분히 가능하다고 입을 모았다. 즉, 1부두 내 옛 창고 등을 없애거나 다른 시설을 신축하지 않고도 '메타버스'(현실 세계와 같은 3차원 가상세계)처럼 최신 기법을 이용해 전시·체험 공간으로 만들 수 있다는 얘기다.

이는 피란수도 부산 유산의 핵심 격인 1부두에 대한 원형 보존과도 맞물려 있다. 부산시는 이와 관련, 1부두를 '시 등록문화재'로 지정하는 방안을 추진 중인 것으로 전해졌다. 관계 법률 개정으로 각 지역의 특색 있는 근현대문화유산을 '시·도 등록문화재'로 지정할 수 있는 길이 열린 데 따른 것이다. 하지만 등록문화재는 '지정문화재'에 비해 보호 강도가 낮다는 분석이다. 또한 북항 재개발 사업자인 부산항만공사(BPA)가 등록문화재에 난색을 보여 실현 여부도 미지수라는 지적이 나온다.

북항 1부두 위기

일시 : 2021년 9월

- 대담 참석자 : 경성대학교 도시공학과 **강동진** 교수(이하 **강**)
  부산연구원 사회문화연구실장 **오재환** (현.부원장, 이하 **오**)
- 사회 : 국제신문 **구시영** 선임기자(이하 **사**)

경성대 강동진왼쪽 교수, 부산연구원 오재환 사회문화연구실장 부산연구원에서 대화를 나누고 있다

부산의 2030 월드엑스포 유치 추진 장소인 부산항 북항 일원에 원조역사관을 조성하는 방안과 '피란수도 부산 유산'(유네스코 세계문화유산 등재 추진)은 연관성이 매우 깊다. 그 중심은 부산항 1부두다. 이곳은 1950년 6·25 전쟁 피란수도 시절과 전후 재건 시기에 국제사회의 구호·원조 물자가 들어온 역사적 현장이다. 그러니 부산항을 빼고서는 우리의 원조역사를 말할 수 없고, 피란수도 유산도 마찬가지다.

부산항 1부두의 원형 보존 과제도 그와 맞물려 있다. 피란수도 유산의 유네스코 등재를 위해서는 1부두 원형 보존이 필수적 요소로 꼽힌다. 하지만 북항 재개발사업에 포함된 1부두는 원형 보존이 위태로운 지경이다. 이런 상황에서 원조역사관-피란수도 유산의 연계 방안을 모색하기 위해 경성대 강동진(도시공학과) 교수, 부산연구원 오재환 사회문화연구실장(현 부원장)과의 좌담 자리를 마련했다.

부산항 1부두 전경

사 1부두의 원형 보존과 관련한 상황은?

오 애초에는 도로 선형을 변경하면서 부두 자체의 원형 보존이 결정되었지만, 상부 시설(옛 창고 등)을 어떻게 할 건지는 논의가 없었다. 그런데 근래 해수부가 상부에 아스팔트를 올리고 기존 시설을 철거해 (복합문화공간 등의) 건물을 신축하는 것으로 개발계획을 고시한 상태다.

강 결국 상부에 이러저런 시설을 넣겠다는 얘기인데, 그것은 1부두 원형 보존의 목적성을 잃어버린 것이다. 시민을 위한 활용이라니 꼭 나쁜 것은 아니겠지만, 그 내용이 부두 원래의 본질을 훼손한다는 점이 문제다. 1부두 공간에 함상공원이나 클래식전시장, 문화복합공간 같은 시설을 넣을 필요가 있는지 납득이 되지 않는다. 애매한 개발이 이뤄지면 1부두가 지닌 진정성 자체가 파괴될 수밖에 없다.

사 지정문화재와 등록문화재 대한 논란이 있지 않은가?

강 '지정문화재'에 비해 '등록문화재'는 매우 약하다. 지정문화재는 해당 보호구역을 두도록 돼 있지만 등록문화재는 그렇지 않다. 보호구역이 되면 높이 제한 등 개발에 제약 요소가 많으니 BPA(부산항만공사) 측은 이를 수용하지 않는 것 같다.

오 그래서 부산시가 등록문화재 쪽으로 추진하는 상황이다. 등록문화재는 50%까지 내부 활용이 가능하다는 점에서다.

강 어쩔 수 없는 면도 있지만 자꾸 후퇴하는 모양새다. 그런데 BPA 측은 '등록문화재'마저도 난색을 보인다니 참 힘들다. 소유주인 BPA가 동의하지 않으면 등록문화재로 지정하기도 어렵다.

피란수도 유산에 대한 문화재청의 조치도 진전이 없다고 두 사람은 지적했다. 피란수도 유산이 세계유산 잠정목록에 조건부로 등재됐지만, 조건부라는 꼬리표를 떼지 못하고 있다. 종합보존을 위한 조건이 충족되지 않은 까닭이다.

강 이런 식으로 가면, 1부두를 제외하고 피란수도 부산의 유산을 재구성해야 하는 상황이 될지도 모른다.

오 알맹이 격인 1부두가 빠지면 피란수도 유산을 전체적으로 설명하기 힘들고, 자칫 전체가 무산될 수도 있다.

두 사람은 유네스코 세계유산으로 최종 등재된 '한국의 갯벌' 사례를 들었다. 탈락할 뻔 했다가 선정된 것은 우리 갯벌이 멸종 위기인 철새 도래지라는 요소가 컸다는 설명이다. 그만큼 유산의 핵심 가치가 중요하다는 것을 의미한다.

사 엑스포 유치 추진 장소인 북항 내 원조역사관 조성에 대한 의견은?

강 그것은 피란수도 시절 부산항과 북항 1부두의 역할을 보여줄 수 있는 중요한 주제다. 원조는 1부두의 가치, 진정성을 나타내는 아이템이라는 점에서 (일반 개발계획과는) 개념이 다르다. 요즘 '다크 투어리즘'과도 맥이 닿는다. 어두웠던 지난 역사가 이제는 새 관광산업의 핵심이 되었다. 더구나 원조 수혜국에서 공여국이 된 나라는 우리가 유일하다. 다크 투어리즘이 추구하는 것은 그 현장의 진정성이다. 그런데 원형이 파괴된 상태에서는 의미가 없다. 따라서 1부두의 원형을 그대로 지키면서 첨단 IT기술을 접목해 원조역사관이 꾸며진다면 너무 바람직한 일이다.

오 피란수도 유산과 원조역사관은 서로 연계하고 '윈윈'할 수 있는 좋은 테마다. 월드엑스포가 추구하는 가치와도 같다고 본다. 북항 안에서도 1부두의 역사·상징성이 가장 크다. 원조역사관을 조성한다면 이곳이 적합하다.

사 1부두의 원형 보존이 과제인데, 어디까지를 원형 보존으로 봐야 하는가?

강 북항 1부두는 근대유산이고 인프라 시설이다. 그에 대한 원형 보존은 고대유산처럼 손도 못 대도록 하는 차원이 아니다. 그 유산이 가진 본연의 모습과 가치를 손상하는 개발·리모델링을 하지 말자는 뜻이다. 최소한의 변화는 인정할 수 있다.

오 1부두의 기존 구조물을 허물거나 새 시설을 짓지 않아도 원조역사관을 조성할 수 있다. 예컨대 첨단 IT 기술이나 홀로그램, VR 등을 이용해 관련 자료와 유물을 전시하고 체험공간도 꾸밀 수 있을 것이다. 근래 '메타버스' 얘기가 많은데, 과거 부산항에 들어왔던 원조선박의 모형을 보여주는 것도 가능하다.

강 이런 방법도 있지 싶다. 1부두 내 옛 창고를 그대로 두면서 역사전시관으로 활용하는 것이다. 아니면 그 앞의 국제여객터미널을 역사관으로 사용하고 창고는 비워서 체험공간으로 꾸미는 방안도 있다. 그렇게 가면 피란수도 유산의 성격이 분명해지고 오히려 더 좋다는 생각이다.

강 교수는 그와 관련해 일본 요코하마의 사례를 소개했다. 항만 재개발구역에 있는 유서 깊은 옛 창고(아카렌카)의 원형을 유지하면서 활용하고, 그 뒤쪽에 과거 화물열차가 들어왔던 철도라인의 흔적과 포장재료까지도 남겨서 기억의 공간으로 만들었다는 얘기다.

오 원조역사를 엑스포 유치의 주요 테마로 잡으면, 그 역사·상징성이 깃든 북항의 재개발 지구에 관련 국제기구를 유치하는 것도 필요하다. 공적개발원조(ODA) 전담기관인 코이카(한국국제협력단) 본부 또한 수도권에 있을 게 아니라 균형발전 차원에서 부산 이전이 바람직하다고 본다. 그렇게 되면 원조역사의 출발점인 부산과 들어맞고, 지역경제에 미치는 파급효과도 상당할 것이다.

강 이런 측면도 강조하고 싶다. 북항 1부두에 원조역사관이 조성되면, 그 배후 원도심의 근대역사관, 임시수도 기념관 등의 근대유산들과 맞물려 큰 힘을 발휘할 수 있다. 그 일대가 새로운 문화벨트를 형성하는 계기가 되고 원도심에도 활력을 줄 것으로 기대된다.

두 전문가는 엑스포 유치와 세계문화 유산 등재를 위한 것뿐 아니라 역사 보존 측면에서 되짚어 봐야 한다고 지적했다. 부산이란 도시가 지닌 원조, 구호, 평화, 인류애, 피란수도 등의 본질적 가치와 속성을 확대 재정립하고, 시민이 공유하는 차원에서 생각의 대전환이 있으면 좋겠다는 말로 대화를 마무리 지었다.

피란수도 부산의 유산 목록

순번	유산
1	경무대(임시수도 대통령 관저)
2	임시중앙청(부산 임시수도 정부청사)
3	아미동 비석 피란주거지
4	국립중앙관상대(부산기상관측소)
5	미국대사관 겸 미국공보원(부산근대역사관)
6	부산항 제1부두
7	유엔묘지(부산 재한유엔기념공원)
8	우암동 소막 피란주거지
9	하야리아기지(부산시민공원)

3. 한국 경제발전 노하우 공유

월드 엑스포 유치의 기본 요건이자 핵심 요소는 '주제'다. 즉, 세계인에게 엑스포의 장을 펼치는 비전과 그 내용물을 정교하게 잘 갖춰야 국제박람회기구(BIE) 실사단 및 회원국들로부터 좋은 평가와 지지를 받을 수 있다. 우리 정부와 부산시가 설정한 '2030 부산 월드엑스포' 주제는 '세계의 대전환, 더 나은 미래를 향한 항해'(Transforming our world, Navigating toward a better future)이다. 그뿐 아니라 유치 전략도 관건이다. 다른 경쟁 후보지와의 표결에서 이기려면 치밀한 접근으로 회원국들(169개국)의 마음을 끌어야 한다. 이와 관련해 범시민유치위원회 오성근 집행위원장, 집행위원인 강경태 신라대(국제관계학과) 교수와 대담 인터뷰를 가졌다.

- 일시 :2021년 7월
- 대담 참석자 : 엑스포 범시민유치위 **오성근** 집행위원장(이하 **오**)
  강경태 집행위원(이하 **강**)
- 사회 : 국제신문 **구시영** 선임기자(이하 사)

2030부산월드엑스포 범시민유치위원회 오성근 왼쪽 집행위원장과 강경태신라대 교수 집행위원이 대담 인터뷰를 하고 있다

사 엑스포 주제에 대해 간략히 얘기한다면?

오 주제는 엑스포의 명패고, 전체를 끌고 가는 핵심 가치다. 주제를 구체적으로 설정하고 뒷받침하는 것이 부주제가 된다. 그런 틀 안에서 엑스포에 참가하는 국가와 국제기구, 기업, NGO 등이 전시·연출로 보여주는 것이다. 주제 외 세부적인 것은 공식 유치계획서에 담아서 발표하기 전까지는 내놓지 않는다. 전략차원이다. 그간 조금씩 언급했던 것들은 큰 방향성을 제시한 정도다.

강 과거 엑스포는 개최 국가의 경제력이나 과학·문화 같은 것을 과시하는 장이었으나, 현대 엑스포는 전 지구 및 인류가 당면한 공통과제를 논의하고 미래 대안을 제시하는 장으로 바뀌었다.

사 우리의 주제는 기후변화·환경위기와 탈탄소 경제, 사회 양극화 등의 문제 해결에 초점을 맞춘 것으로 알려졌다.

오 양대 키워드는 대전환과 항해다. 사실 트랜스포메이션(대전환)이 화두를 이룬 것은 20세기 중후반이다. 물질·성장일변도 방식과 자연파괴, 자원의 무분별한 남용 문제 등이 로마클럽을 비롯한 서구사회에서 지속적으로 논의됐다. 이에 따라 기후변화와 지구환경에 관심이 모아졌고, 그것이 국제적 공감대를 형성하면서 2015년 유엔의 '지속 가능한 발전목표'(17개 과제)로 제시되었다. 그 종료시점이 2030년이다. 이런 상황에서 코로나 팬데믹 사태가 터지면서, 엑스포의 주제로 다뤄지게 되었다. 항해라는 개념은 대전환에 공감한다는 전제 아래 모두가 동등한 입장에서 열린 마음으로 논의하자, 부산이 그 장을 마련하겠다는 의미가 담겨 있다.

강 종전까지 인류는 무한히 발전하는 줄로만 알았다. 대전환은 그게 아니라는 뜻이다. 영국 과학자 홉킨스가 말했듯이, 인류의 생존 여부는 향후 100년 안에 결정될 것이라고 한다. 생존하려면 대전환을 해야 한다. 인류가 새로운 비전으로 미래를 향해 나아가야 하는 것이다. 일론 머스크가 왜 화성까지 가려고 하겠느냐. 지구는 한계가 왔다는 얘기다. 그런 점에서 대전환과 항해는 아주 좋은 테마라고 생각한다.

사 기후변화와 관련해 부산이 가진 장점을 어필하는 것도 필요하다. 예컨대, 부산에는 APEC(아시아·태평양경제협력체) 기후센터와 한국해양과학기술원을 비롯한 해양·기후 관련 연구기관들이 집적해 있다. 이들을 잘 엮어내는 것도 한 방안이지 싶다.

오 좋은 지적이다. 엑스포 주제에 대한 평가에서 중요 잣대 중 하나가 주제와 개최도시 사이의 관계성이다. 즉 주제가 도시의 여건, 정책 비전 등과 잘 연결되어 있느냐하는 적합성 평가는 심사에 반드시 포함된다. 따라서 부산에 있는 국제기구와 여러 연구기관 및 기업들의 관련 R&D와 혁신활동 등 엑스포 주제를 뒷받침하는 데 필요한 것들이 제대로 포함되어야 한다.

강 2005년 부산 APEC정상회의 결과물로 기후센터가 만들어졌다. 이 센터가 동남아 등 아·태 지역 국가를 대상으로 진행하는 기상·기후 관련 지원프로그램과 네트워크를 활용하면 우호세력을 늘리는데 도움이 될 것이다.

특히 오 위원장은 인류의 최대 위협인 기후변화(지구온난화) 문제가 엑스포에서 어떤 형태로든 다뤄질 것이라고 내다봤다. 기후변화의 사례와 비전이 엑스포 유치기획에 담겨야 한다는 의견이다.

사 BIE 회원국 중 3분의 2가 개발도상국이고, 그 중 3분의 1은 아프리카 국가다. 엑스포 유치에 성공하려면 결국 이들의 지지 획득을 위한 전략과 공적개발원조(ODA) 등이 중요할 것으로 보인다.

강 우리 ODA를 총괄하는 곳은 코이카(KOICA·한국국제협력단)다. 연간 예산이 1조 원을 넘는데, 이를 연계 활용해야 하겠다.

오 공적인 외교채널과 민간의 직간접 네트워크가 복합적으로 이뤄져야 한다. 사실 우리 ODA는 중국 일본 등에 비해 절대금액에서 차이가 있다. 그렇기에 우리는 '성공모델'을 제공한다는 쪽으로 접근할 필요가 있다. 단순히 고기를 주는 게 아니라 '고기 잡는 법'을 제공하는 식이다. 다시 말하면, 수혜를 받던 나라에서 세계 최초로 주는 나라가 된 경험을 공유하는 것이다. 그런 스토리와 맞물려야 효과가 있다.

강 과거 가난한 나라에서 성공한 국가는 대한민국밖에 없으니까, 우리가 당신들의 모델이 되겠다는 점을 어필해야 하겠다.

오 아무래도 국가 간 관계와 경제협력 관계가 상당한 영향을 미칠 것이다. 일본은 2025년 오사카·간사이 엑스포를 유치할 때, 연간 93억 달러(약 10조 원)의 ODA와 국제 다자개발금융기구에 대한 기여, 개도국과의 협력관계 등을 내세웠다. 그것처럼 우리도 ODA뿐 아니라 주요 기업들이 개도국 등 해외 각국에서 벌이고 있는 사회기여활동 등을 적극적이고 유효적절하게 활용하는 것이 중요하다.

이 대목에서 강 교수는 반기문 전 유엔 사무총장의 역할론을 제기했다.

강 우리나라가 배출한 최고 외교관이 반 전 총장이다. 특히 2015년 파리기후협정이 최종 타결된 데는 그의 힘이 컸다(이 협정은 선진국에만 온실가스 감축 의무가 부과됐던 1997년 '교토 의정서'와 달리 195개 당사국 모두에게 구속력 있는 국제사회의 첫 합의로, 반 전 총장의 지속적인 중재 노력이 결실을 봤다는 평가다). 따라서 그의 오랜 경험을 활용해야 한다. 엑스포 유치 고문으로 모시는 것도 좋을 듯하다.

오 반 전 총장은 부산의 엑스포 유치 국제콘퍼런스에서 기조연설을 한적이 있다. 그는 국가적인 자산으로, (부산 엑스포 유치와 관련해) 필요한 부분에서 어떤 형태로든 도와줄 것으로 기대한다. 중앙정부에서도 그런 부분을 염두에 두고 있지 싶다.

오사카의 사례는 여러 시사점을 준다. 중앙정부는 물론 간사이 권역의 지자체와 경제계 등이 하나로 뭉쳐서 55년 만에 엑스포를 다시 유치했다.

강 가덕신공항 건설에 경남 울산이 한목소리를 냈듯이 엑스포도 부산만 할 게 아니다. 파급효과의 면에서 부울경 메가시티 개념으로 가야 한다. 개최장소인 북항과 관련해서도 재개발의 좁은 의미보다 부산항의 세계 4대 미항이라는 개념을 내세워야 국내외에서 더 설득력을 가진다.

오 부울경이 엑스포 유치에 함께 나서고, 유치 결정이 되면 행사 준비·개최에도 힘을 모아야 한다. 다만, 일본과는 행정체계가 다르기 때문에 우리에게 적합한 협력모델을 찾아야 하겠다. 부울경 메가시티 추진전략 안에서 엑스포 공동 유치방안을 담아낼 필요가 있다.

대담 끝 무렵 오 위원장은 이렇게 말했다. “구슬이 서 말이라도 꿰어야 보배이듯이 부산의 엑스포 유치가 반드시 성사되어야 합니다.” 이를 위해서는 범국가적 추진체계 구축은 물론 경제계와 지역사회·기업 등의 적극적인 참여가 중요하다는 얘기다. “그래야 국제사회에 신뢰감을 주고 지지를 받을 수 있습니다. 아울러 가덕신공항도 2030 엑스포 개최 전에 개항되도록 해야 합니다.”

시청사의 부산 모형도 앞에서 엑스포 유치장소인 북항 일대를 가리키고 있는 모습

월드 엑스포 주제와 참가국·관람객 수		
2000년 독일 하노버	인간, 자연, 기술	174개국 1810만 명
2005년 일본 아이치	자연의 예지	121개국 2204만 명
2010년 중국 상하이	더 나은 도시, 더 나은 삶	192개국 7540만 명
2015년 이탈리아 밀라노	지구 식량 공급, 생명의 에너지	139개국 2150만 명
2021년 UAE 두바이	마음의 연결, 미래 창조	134개국 2500만 명 목표
2025년 오사카	생명이 빛나는 미래사회의 디자인	2800만 명 목표
2030년 부산 유치 신청	세계의 대전환, 더 나은 미래를 향한 항해	3218만 명 예상

7장
빅데이터로 본 부산엑스포

1. 언론보도와 여론 분석

2030 부산세계박람회(월드엑스포) 유치는 2019년 5월 국가사업으로 확정됐다. 하지만 이 사업이 주로 부산 울산 경남 지역의 현안 수준에 머물러 있고 관심도도 미흡하다는 분석이 나왔다. 이에 따라 유치 열기(월드엑스포 개최 후보지 평가의 중요 잣대 중 하나)를 높이려면 이 사업을 국민적 관심사로 확장하고 민간의 적극적 참여와 홍보 강화가 필요하다는 지적이다.

이는 국제신문이 부경대 지방분권발전연구소에 의뢰해 최근 한 달간 진행한 빅데이터 조사 분석에서 나타났다. 2020년 9월 1일부터 2021년 9월 말까지 국내 각 지역 언론매체의 '2030 부산엑스포' 관련 보도와 온라인 여론 추세를 파악한 것으로 지난 18일 완료되었다. 분석대상은 네이버 포털에서 자동 수집한 언론 기사와 댓글로 잡았다.

분석 결과, 2030 부산 엑스포 관련 기사의 총량은 227개 언론사 5830개에 이른다. 하지만 댓글 작성이 가능한 형태로 서비스된 것은 58개 언론사 3306개로 집계됐다. 하루 평균 17건에 불과한 수준이다. 게다가 일정한 흐름 없이 3차례의 특정 이벤트(김해신공항 백지화, 문재인 대통령 부산 방문, 2030 부산엑스포 유치위원회 구성)에 맞춰 기사량이 급증했다가 대폭 줄어든 양상을 보였다.

국제신문

6 기획 2021년 10월 20일 수요일 국제신문

엑스포 관련 댓글 호남·충청 '0'… 전국 파급효과 홍보 시급

■ 빅데이터로 본 보도·여론 흐름

1년간 엑스포 기사 5830개 불과
정치 관련 이벤트성 보도 상당수
수도권 언론 여론 호도할 우려도

여당 관련 기사 많고 국힘은 적어
댓글은 긍정적 여론 많아 희망적
대구·경북선 부정적 단어 언급도

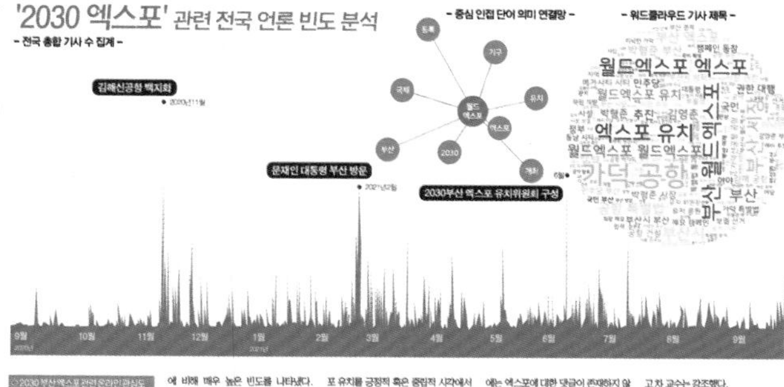

국제신문의 이번 빅데이터 조사(부경대 지방분권발전연구소 의뢰) 분석은 2030 부산 월드엑스포 유치와 관련한 국내 언론 보도 및 온라인 여론 추이를 빅데이터 기법으로 처음 도출했다는 점에서 의미가 있다. 이는 국가 사업인 2030 엑스포 유치에 대한 전국 각 지역의 관심도와 여론 흐름을 객관적으로 파악함으로써 국민적 유치 열기 향상에 도움을 주려는 취지다.

분석에서 나타난 전반적인 특징은 2030 엑스포 유치가 국가 프로젝트라는 위상과 달리 전국적인 호응도가 매우 낮게 나왔다는 점이다. 국민적 관심사로 부상하지 못하고 부산 울산 경남 지역의 이슈(현안) 정도에만 머물러 있다는 의미다. 전체 댓글에 나타난 온라인 반응도 2030 엑스포에 대한 직접적인 언급이 매우 적은 걸로 파악되었다. 다만, 댓글에서 부정 여론보다 긍정 여론이 높게 나온 점은 희망적 요소로 읽힌다.

■보도 양상

부경대의 분석 보고서에 따르면 2030 부산 엑스포 관련 기사량은 총 5830개로 대상 기간이나 다른 이슈에 비해 적은 수준이다. 게다가 엑스포가 중심인 기사는 더 부족하다. 대신 정치인과 지역 현안, 선거 같은 정치이벤트에 덧붙여 보도된 모양새다.

분석 기간 전체의 시계열로 살펴봐도 기사 빈도에서 일정 추세 없이 특정 이벤트 시점에 급증했다가 빠르게 하락하는 패턴이 반복적으로 나타났다. 이는 앞서 메가시티에 대한 빅데이터 분석 결과(국제신문 지난 9월 6일 자 1·3면 보도)와 거의 같다. 또 지난 4월 부산시장 보궐선거 전까지는 선거 현안에 따른 보도로 엑스포에 대한 언론의 관심이 일시 높아졌지만 선거 이후로는 급격히 떨어졌다.

지역별로는 역시 매체 수가 압도적인 수도권 언론사의 보도 기사량이 절대 다수를 차지하고, 그 다음으로 부울경 지역에서 많다. 이는 부산 엑스포 유치 이슈가 자칫 서울 수도권 언론의 보도 및 여론 향배에 휘둘릴 수도 있다는 점을 내포한다.

◇2030 부산엑스포 관련 온라인 관심도

지역	댓글 수	기사 수	기사당 댓글 수
수도권	48,325	1418	34.0
부산·경남	6951	349	19.9
대구·경북	323	19	17.0
강원·제주	1	1	1

■다빈도 출현 '단어 구름'

2030 부산 엑스포와 관련한 다빈도 출현 어휘를 추출해 '단어 구름'(워드 클라우드·Word Cloud) 형태로 표현한 결과도 나왔다.

우선 전체 기사 제목에서는 가덕신공항, 월드엑스포, 부산이 가장 두드러진다. 이는 가덕신공항 특별법 추진과정에서 엑스포 유치를 위한 기본 인프라로 가덕신공항 건설을 내세웠기 때문으로 해석된다. 개별 정치인으로는 부산시장 선거에서 엑스포 유치를 주요 정책공약으로 내세운 박형준 김영춘 두 사람이 비교적 높은 빈도로 언급되었다. 정당의 경우에는 여당인 더불어민주당이 '국민의힘'에 비해 매우 높은 빈도를 나타냈다. 2030 엑스포는 여당이 주도하는 이슈로 부각된 영향으로 보인다. 반면 국민의힘과 관련해 언급된 기사는 거의 찾아보기 어렵다는 분석이다.

부산 경남 지역 기사제목의 '단어 구름'에서도 가덕신공항 비중이 가장 높다. 또 수도권과 달리 '캠페인 동참'이나 '유치했음 캠페인', '메가시티' 등 공공·민간에서의 유치 노력이나 다른 지역현안과의 연계성이 강하게 드러났다. 반면 대구·경북권은 엑스포에 대한 직접적인 언급이 보이지 않는다. 그만큼 관심도가 없다는 얘기다. 다만 균형발전, 성장 등 지역발전과 관련된 단어의 빈도가 아주 높다. 여기에다 '계량', '억지', '속셈', '유감' 등의 부정적 단어와 동시 언급되는 현상이 주요 특징으로 꼽힌다.

광주·전라권에서도 엑스포 관련 단어가 기사 제목에 직접 언급된 사례는 찾기 어렵지만, 부정적 단어는 거의 언급되어 있지 않다. 대전·충청 지역은 부산 엑스포와 관련된 키워드가 강조돼 있고, 대구·경북에 비해서는 언급되는 단어의 양과 종류가 훨씬 많다. 특히 대구·경북과 달리 2030 부산 엑스포와 관련해 부정적 단어가 나타나지 않는다. 이는 과거 엑스포를 치렀던 대전과 충청 지역이 부산 엑스포 유치를 긍정적 혹은 중립적 시각에서 바라보는 것으로 여겨진다.

전체 기사 본문에서도 제목과 유사하게 가덕신공항 및 부산시장 보궐선거와 연관되어 엑스포가 나타나 있다. 전체 기사 댓글의 '단어 구름' 또한 가덕신공항이 중요 이슈로 파악되는데, 엑스포에 대한 직접적인 언급은 극히 드물다는 분석이다.

■온라인 여론 및 관심도

분석 기간 댓글 수가 높은 날을 중심으로 보면, 2030 부산 엑스포에 대한 부정 여론보다 긍정 여론이 상승하는 패턴이 관찰되었다. 이는 2030 엑스포에 대한 온라인 여론은 대체로 긍정적이라는 평가다. 특히 부산시장 보궐선거(올해 4월 7일) 이후 부정 여론은 크게 줄어든 반면 긍정 댓글은 상승하면서 꾸준히 등장한 것으로 파악됐다.

그럼에도 2030 부산 엑스포와 관련한 전체 댓글 수는 다른 이슈에 비해 아주 빈약한 수준이다. 댓글 작성이 가능한 기사 3306개 중 실제 댓글이 존재하지 않는 등의 기사를 제외하고 분석에 활용된 기사는 1787개(54%)에 불과하다. 그 중 수도권이 1418개로 가장 많고, 부산 경남 지역이 349개로 큰 차이를 보인다. 특히 광주·전라권, 대전·충청권 언론사의 기사에는 엑스포에 대한 댓글이 존재하지 않았다는 것이다. 이런 양상을 볼 때 전체적으로 엑스포에 대한 온라인 사용자의 직접적인 관심도는 매우 낮은 수준이라고 연구팀은 분석했다.

■주요 시사점과 과제

부경대 연구소는 이번 분석을 토대로 여러 시사점을 내놨다. 우선, 2030 부산 엑스포 유치가 가덕신공항 추진과 밀접하게 맞물려 돌아간다는 점이다. 이는 엑스포 이슈가 갖는 본연의 의미보다 가덕신공항과 연관돼 보도가 이뤄진 영향으로 분석된다. 특히 부울경 지역에서 그런 경향이 뚜렷하다.

분석을 수행한 차재권 교수는 이와 관련, "신공항 건설 추진 상황에 부산 엑스포 유치의 성공 여부가 거의 좌우되는 모양새인데, 이는 결코 바람직하다고 볼 수 없다. 2030 부산 엑스포 유치 이슈가 '주'를 이루고 가덕신공항은 '종'이 되는 형태로 이슈 위계의 재구조화가 필요하다"고 말했다. 그에 비해 2030 부산 엑스포 유치 장소인 북항 일대의 재개발 사업은 그 중요성에도 불구하고 엑스포 유치와 연계돼 다뤄지는 것이 극히 미약한 실정이다. 이에 따라 "북항 재개발 1, 2단계 사업이나 제5보급창 활용 등의 지역 현안과 연계하는 노력이 병행되어야 한다"고 차 교수는 강조했다.

기업체의 지원 활동과 그에 대한 기사가 엑스포 흥행에 큰 영향을 미치는데 비해 일반 시민사회의 조직된 관심은 미약하게 나타난 점도 큰 시사점을 준다. 민간 차원의 적극적인 참여가 이뤄져야 한다는 뜻이다. 보고서는 엑스포 유치와 관련해 국민의힘이나 지역 국회의원들의 역할이 미미한 점도 꼬집었다. 부산 엑스포 유치에 여야가 초당적으로 나서고 국가적임을 각인시키는 구체적인 방안을 모색해야 할 것으로 지적되었다.

보고서는 그런 맥락에서 2030 부산 엑스포 유치 이슈가 부울경 지역을 넘어 국민적 관심사로 확장되는 것이 중요하다고 분석했다. 이를 위해서는 유치 활동과 관련한 언론 보도가 꾸준히 이어져야 하고, 민간 주도의 각종 캠페인과 아울러 국민적 관심·흥미를 자아낼 수 있는 다양한 이벤트를 마련해 나가야 한다는 얘기다. 여기에다 대구·경북과 같이 특정 지역에서의 부정적 시각을 완화·해소하기 위한 노력이 병행되어야 한다. 즉, 2030 월드엑스포 개최가 부산만이 아니라 다른 지역에 어떤 파급 효과를 주는지에 대해 구체적인 데이터를 생산하며 적극 홍보할 필요가 있다는 얘기다.

구시영 선임기자 ksyoung@kookje.co.kr

국제신문 2021년 10월 20일 8면

부경대 연구소는 이에 대해 "국가 전체로 볼 때 2030 부산 엑스포가 언론매체의 관심을 제대로 못 받고 있다는 사실을 방증하는 것"이라고 지적했다. 다시 말해 2030 엑스포가 부울경의 이슈로 다뤄지고 있지만, 수도권 외 다른 지역에서는 관심이 없다는 얘기다.

빅데이터 분석을 수행한 부경대 차재권 교수는 "2030부산월드엑스포 유치 이슈가 특정 지역을 넘어 전 국민적 관심사로 확장하는 것이 필요하다. 이를 위해서는 민간 주도의 다양한 캠페인과 국민적 흥미와 관심을 자아내는 이벤트, 기업의 지원활동 장려 등의 노력이 활발하게 이뤄져야 한다"고 강조했다.

2. 빅데이터로 본 지역별 언론보도와 여론 흐름

국제신문의 이번 빅데이터 조사(부경대 지방분권발전연구소 의뢰) 분석은 2030 부산 월드엑스포 유치와 관련한 국내 언론 보도 및 온라인 여론 추이를 빅데이터 기법으로 처음 도출했다는 점에서 의미가 있다. 이는 국가 사업인 2030 엑스포 유치에 대한 전국 각 지역의 관심도와 여론 흐름을 객관적으로 파악함으로써 국민적 유치 열기 제고에 도움을 주려는 취지다.

분석에서 나타난 전반적인 특징은 2030 엑스포 유치가 국가 프로젝트라는 위상과 달리 전국적인 호응도가 매우 낮게 나왔다는 점이다. 국민적 관심사로 부상하지 못하고 부산 울산 경남 지역의 이슈(현안) 정도에만 머물러 있다는 의미다. 전체 댓글에 나타난 온라인 반응도 2030 엑스포에 대한 직접적인 언급이 매우 적은 걸로 파악되었다. 다만, 댓글에서 부정 여론보다 긍정 여론이 높게 나온 점은 희망적 요소로 읽힌다.

▸ 보도 양상

부경대의 분석 보고서에 따르면 2030 부산 엑스포 관련 기사량은 총 5830개로 대상 기간이나 다른 이슈에 비해 적은 수준이다. 게다가 엑스포가 중심인 기사는 더 부족하다. 대신 정치인과 지역 현안, 선거 같은 정치이벤트에 덧붙여 보도된 모양새다.

분석 기간 전체의 시계열로 살펴봐도 기사 빈도에서 일정 추세 없이 특정 이벤트 시점에 급증했다가 빠르게 하락하는 패턴이 반복적으로 나타났다. 부산시장 보궐선거 전까지는 선거 현안에 따른 보도로 엑스포에 대한 언론의 관심이 일시 높아졌지만 선거 이후로는 급격히 떨어졌다.

지역별로는 역시 매체 수가 압도적인 수도권 언론사의 보도 기사량이 절대 다수를 차지하고, 그 다음으로 부울경 지역에서 많다. 이는 부산 엑스포 유치 이슈가 자칫 서울 수도권 언론의 보도 및 여론 향배에 휘둘릴 수도 있다는 점을 내포한다.

▸ **다빈도 출현 '단어 구름'**

2030 부산엑스포와 관련한 다빈도 출현 어휘를 추출해 '단어 구름'(워드 클라우드·Word Cloud) 형태로 표현한 결과도 나왔다.

우선 전체 기사 제목에서는 가덕신공항, 월드엑스포, 부산이 가장 두드러진다. 이는 가덕신공항 특별법 추진과정에서 엑스포 유치를 위한 기본 인프라로 가덕신공항 건설을 내세웠기 때문으로 해석된다. 개별 정치인으로는 부산시장 선거에서 엑스포 유치를 주요 정책공약으로 내세운 박형준, 김영춘 두 사람이 비교적 높은 빈도로 언급되었다. 정당의 경우에는 더불어민주당이 국민의힘에 비해 매우 높은 빈도를 나타냈다.

부산 경남 지역 기사제목의 '단어 구름'에서도 가덕신공항 비중이 가장 높다. 또 수도권과 달리 '캠페인 동참'이나 '유치해요 캠페인', '메가시티' 등 공공·민간에서의 유치 노력이나 다른 지역 현안과의 연계성이 강하게 드러났다. 반면 대구·경북권은 엑스포에 대한 직접적인 언급이 보이지 않는다. 그만큼 관심도가 없다는 얘기다. 다만 균형발전, 성장 등 지역발전과 관련된 단어의 빈도가 아주 높다. 여기에다 '저항', '억지', '속셈', '유감' 등의 부정적 단어와 동시 언급되는 현상이 주요 특징으로 꼽힌다.

광주·전라권에서도 엑스포 관련 단어가 기사 제목에 직접 언급된 사례는 찾기 어렵지만, 부정적 단어는 거의 언급되어 있지 않다. 대전·충청 지역은 부산 엑스포와 관련된 키워드가 강조돼 있고, 대구·경북에 비해서는 언급되는 단어의 양과 종류가 훨씬 많다. 특히 대구·경북과 달리 2030 부산 엑스포와 관련해 부정적 단어가 나타나지 않는다. 이는 과거 엑스포를 치렀던 대전과 충청 지역이 부산엑스포 유치를 긍정적 혹은 중립적 시각에서 바라보는 것으로 여겨진다.

전체 기사 본문에서도 제목과 유사하게 가덕신공항 및 부산시장 보궐선거와 연관되어 엑스포가 나타나 있다. 전체 기사 댓글의 '단어 구름' 또한 가덕신공항이 중요 이슈로 파악되는데, 엑스포에 대한 직접적인 언급은 극히 드물다는 분석이다.

▸ **온라인 여론과 관심도**

분석 기간 댓글 수가 높은 날을 중심으로 보면, 2030부산엑스포에 대한 부정 여론보다 긍정 여론이 상승하는 패턴이 관찰되었다. 이는 2030엑스포에 대한 온라인 여론은 대체로 긍정적이라는 평가다. 특히 부산시장 보궐선거 이후 부정 여론은 크게 줄어든 반면 긍정 댓글은 상승하면서 꾸준히 등장한 것으로 파악됐다.

그럼에도 2030부산엑스포와 관련한 전체 댓글 수는 다른 이슈에 비해 아주 빈약한 수준이다. 댓글 작성이 가능한 기사 3306개 중 실제 댓글이 존재하지 않는 등의 기사를 제외하고 분석에 활용된 기사는 1787개(54%)에 불과하다. 그 중 수도권이 1418개로 가장 많고, 부산 경남 지역이 349개로 큰 차이를 보인다. 특히 광주·전라권, 대전·충청권 언론사의 기사에는 엑스포에 대한 댓글이 존재하지 않았다. 이런 양상을 볼 때 전체적으로 엑스포에 대한 온라인 사용자의 직접적인 관심도는 매우 낮은 수준이라고 연구팀은 분석했다.

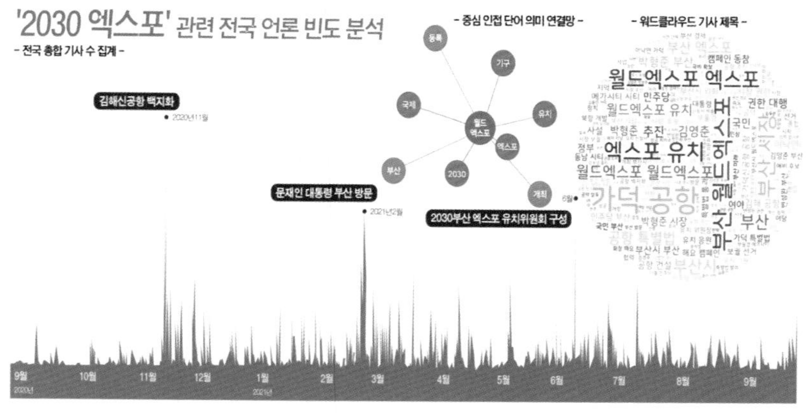

2030부산엑스포 관련 전국 언론빈도 분석

▸ 주요 시사점과 과제

부경대 연구소는 이번 분석을 토대로 여러 시사점을 내놨다. 우선, 2030부산엑스포 유치가 가덕신공항 추진과 밀접하게 맞물려 돌아간다는 점이다. 이는 엑스포 이슈가 갖는 본연의 의미보다 가덕신공항과 연관돼 보도가 이뤄진 영향으로 분석된다. 특히 부울경 지역에서 그런 경향이 뚜렷하다.

분석을 수행한 차재권 교수는 이와 관련, "신공항 건설 추진 상황에 부산엑스포 유치의 성공 여부가 거의 좌우되는 모양새인데, 이는 결코 바람직하다고 볼 수 없다. 2030부산엑스포 유치 이슈가 '주'를 이루고 가덕신공항은 '종'이 되는 형태로 이슈 위계의 재구조화가 필요하다"고 말했다. 그에 비해 2030부산엑스포 유치 장소인 북항 일대의 재개발 사업은 그 중요성에도 불구하고 엑스포 유치와 연계돼 다뤄지는 것이 극히 미약한 실정이다. 이에 따라 "북항 재개발 1, 2단계 사업이나 55보급창 활용 등의 지역 현안과 연계하는 노력이 병행되어야 한다"고 차 교수는 강조했다.

기업체의 지원 활동과 그에 대한 기사가 엑스포 흥행에 큰 영향을 미치는데 비해 일반 시민사회의 조직된 관심은 미약하게 나타난 점도 큰 시사점을 준다. 민간 차원의 적극적인 참여가 이뤄져야 한다는 뜻이다. 보고서는 엑스포 유치와 관련해 지역 국회의원들의 역할이 미미한 점도 꼬집었다. 부산엑스포 유치에 여야가 초당적으로 나서고 국가사업임을 각인시키는 구체적인 방안을 모색해야 할 것으로 지적되었다.

보고서는 그런 맥락에서 2030부산엑스포 유치 이슈가 부울경 지역을 넘어 국민적 관심사로 확장되는 것이 중요하다고 분석했다. 이를 위해서는 유치 활동과 관련한 언론 보도가 꾸준히 이어져야 하고, 민간 주도의 각종 캠페인과 아울러 국민적 관심·흥미를 자아낼 수 있는 다양한 이벤트를 마련해 나가야 한다는 얘기다. 여기에다 대구·경북과 같이 특정 지역에서의 부정적 시각을 완화·해소하기 위한 노력이 병행되어야 한다. 즉, 2030 월드엑스포 개최가 부산만이 아니라 다른 지역에 어떤 파급 효과를 주는지에 대한 구체적인 데이터와 홍보가 필요하다는 얘기다.

2030 부산 엑스포 관련 온라인 관심도			
지역	댓글 수	기사 수	기사당 댓글 수
수도권	48,325	1418	34.0
부산·경남	6951	349	19.9
대구·경북	323	19	17.0
강원·제주	1	1	1

EXPO

3부 엑스포의 미래

8장. 세대교체의 전환점 2030부산세계박람회

8장
세대교체의 전환점 2030부산세계박람회

1. 디지털플랫폼 기업의 외면

세계박람회의 세대교체가 절실하다. 'GAFA(구글 애플 페이스북 아마존)'로 대표되는 디지털플랫폼 거대 IT기업은 엑스포에 관심을 보이지 않기 때문이다. 21세기의 혁신적 전시기술 개발과 함께 GAFA가 세계박람회에 참가할 수 있는 여건을 조성해 3세대 세계박람회로 도약할 필요가 있다. 2030년 부산세계박람회가 제3세대 엑스포로 가는 전환점이 돼야 한다.

1939뉴욕세계박람회 GM관 퓨처라마. 관람객이 노먼 벨 게데스가 설계한 1960년대 미국의 도시 풍경을 묘사한 디오라마를 보고 있다

1964뉴욕세계박람회 펩시콜라관. 월트디즈니가 기획한 '잇츠 스몰 월드
(It's a Small World)'

1964뉴욕세계박람회 포드관의 월트디즈니가 기획한 매직 스카이웨이
(Magic Skyway)

엑스포는 과거 전례 없는 공간과 체험 같은 비일상적인 것을 제공해 인기를 누렸다.

▸ 구글 애플 페이스북 아마존(GAFA)와 엑스포

세계박람회에서 주연이 되고 싶다면 볼 만한 전시를 해야 하며, 막대한 참가비용을 각오해야 한다. 세계박람회의 위상은 전시 참가 예산에 비례하기 때문에 경제대국과 대기업이 인기를 독차지해 왔다. 20세기에 접어들면서 세계박람회의 중심이 유럽에서 미국으로 이동해 엔터테인먼트의 비중이 커지면서 예산을 아끼지 않는 거대 기업이 인기를 누렸다. 예를 들면 1939년 뉴욕세계박람회에서 인기를 끈 기업관은 GM, 포드, 크라이슬러, 웨스팅하우스 등이었다. 또한 비공식 세계박람회였던 1964년 뉴욕세계박람회에서 가장 인기를 끌었던 GM관의 전시참가 예산은 당시 금액으로 1960억 원이었다. 현재 가치로 따지면 9800억 원이라는 엄청난 금액이다. 관람객 수는 1330만 명에 달했다.

1970년 오사카세계박람회를 계기로 세계박람회의 중심이 미국에서 아시아로 이동했다. 이후 일본은 1975년 오키나와세계박람회, 1985년 쓰쿠바세계박람회, 2005년 아이치세계박람회까지 연이은 성공적인 개최로 아시아에 세계박람회 붐을 일으키는 선구자 역할을 했다. 한국은 1993년 대전세계박람회와 2012년 여수세계박람회를 개최했고, 중국은 2010년 상하이세계박람회를 열었다.

1970년 오사카세계박람회는 도시바 히타치 마쓰시타 산요 리코 등의 전자회사, 미쓰비시 스미토모 같은 재벌그룹, 후지은행 등 은행계열이 대형 기업관을 건설해 흥미를 더했다. 1985년 쓰쿠바세계박람회는 소니, 후지쓰 등 새로운 기업이 참가했다. 세계박람회의 위상을 보면 그 업종의 상황을 알 수 있다. 1992년 세비야세계박람회에는 소니 필립스 파나소닉 등의 가전회사, 알카텔 지멘스 등 통신회사, 제록스 올리베티 IBM 등 사무기기 및 컴퓨터회사 등이 참가했다.

1970오사카세계박람회. 6420만 명을 유치해 두 번째 정점에 도달했다

최근에는 세계박람회 전체 관람객을 2000만 명 유치했다고 하면 그저 그렇다는 분위기지만 과거에는 단 하나의 전시관에 1000억 원의 예산을 투입해 1000만 명이 넘는 관람객을 유치했다. 물론 영고성쇠가 있고 시대에 따라 챔피언이 되는 업종은 달라졌다. 20세기 후반까지의 주역은 자동차산업 전자 화학 통신 컴퓨터 등이었다. 21세기에는 항공 금융 에너지 식품 등의 업종이 새롭게 등장했다.

2000하노버세계박람회 전경

2000년 하노버세계박람회는 다임러크라이슬러 폭스바겐 같은 자동차 회사, 지멘스 소니 등 전자회사, 코카콜라 맥도날드 등 식품회사 등이 참가했다. 2010년 상하이세계박람회는 제너럴모터스 지멘스 반케 등 다양한 기업이 참가했다. 한국과 일본은 각각 기업연합관 방식으로 참가했다.

2012여수세계박람회 전경

2012년 여수세계박람회는 삼성 LG 롯데 현대자동차 등 재벌그룹과 포스코 등의 기업이 참가했다. 2015년 밀라노세계박람회는 삼성 피아트 크라이슬러 인테사산파올로(은행) 알리탈리아항공 MSC 크루즈 페로비에 델로 스타토 이탈리아노 등 항공 및 운송회사, 알기다, 페레로(식품) 등이 참가했다. 2020년 두바이세계박람회는 닛산 지멘스 마스터카드 에미레이트항공 펩시코(식음료) 로레알(화장품) UPS(물류) 등의 기업이 참가했다.

현재까지 21세기의 챔피언은 'GAFA(구글 애플 페이스북 아마존)'로 대표되는 글로벌 디지털 플랫폼 기업일 것이다. 그러나 인터넷 혁명을 선도하는 이들 거대 IT기업은 세계박람회에 관심이 없다. 기업관 출전 참가는 물론 모든 후원과 협력에도 거리를 두고 있다. 확실하게 표현하면 쳐다보지도 않는다. 인터넷을 통한 정보혁명의 추진자여서 사실적인 이벤트, 사실적인 공간에는 관심을 두지 않는 편이다.

▸ GAFA의 세계박람회 무시 이유

복합적이라고 생각하지만, 그중 하나는 속도감의 차이일 것이다. IT업계는 확산 속도가 생명이며, 개발부터 보급의 주기는 갈수록 짧아지고 있다. 하지만 세계박람회는 그런 가혹한 속도 경쟁을 따라갈 수 없다. 예를 들어 전시관을 설치하려면 우리들이 생각하는 것보다 훨씬 긴 준비 기간이 필요하다. 독립관을 건설할 경우 참가 결정은 개최 2~3년 전, 전시내용 확정은 1~2년 전, 착공은 6개월~1년 전에 해야 한다. 개최 후 전시 내용을 변경하는 것은 허락되지 않는다. 즉 전시콘텐츠는 1~2년 전에 기획된 것으로 정보의 변경도 여의찮아, 디지털 플랫폼의 비즈니스 감각으로 보면 있을 수 없는 환경이다.

무엇보다 제2세대 세계박람회의 경우 기업관의 전시 목적은 제품 그 자체의 프로모션이 아니라 기업 이념과 미래 비전의 소구였다. 그렇다면 디지털 플랫폼 기업도 세계박람회에서 이미지 향상을 도모하면 좋지 않을까? 그렇게 생각할지도 모른다. 세계박람회는 세계박람회에서만 할 수 있는 기능과 역할이 있으며, 그렇기 때문에 오늘날까지 살아남은 것이다.

세계박람회가 특별한 위상을 유지하기 위해서는 일정한 조건을 확실하게 해야 한다. 그것은 세계박람회가 제공하는 관람과 체험이 '비일상적'인 것이라야 한다. 일상생활에서 체험할 수 없는 특별한 공간 체험은 세계박람회에서만 할 수 있는 단 하나의 매력이다. '전례가 없던 공간과 체험'을 만들 수 있을까? 비일상의 수준이 세계박람회의 매력을 결정할 것이다. 실제로 과거의 세계박람회는 비일상으로 가득했다. '퓨처라마' '매직 스카이웨이' '잇츠 스몰 월드'…. 20세기까지는 세계박람회에 강점이 남아 있었다.

1985쓰쿠바박람회 IBM관

그러나 현재는 비일상적 체험의 창출은 절망적일 정도로 어려워지고 있다. 박물관과 백화점, 미디어아트 체험관 등 생활권 내 시설이 전시관형 공간 연출을 적극적으로 도입하고 있는 데다 신종 체험 공간이 속속 생겨나고 있기 때문이다. 지난 수십 년간 과거 디즈니가 이룬 것과 같은 기술 혁신은 일어나지 않았으며, 공간 연출의 구상과 기술은 동시에 1985년 쓰쿠바세계박람회 이후 답보 상태다.

2015밀라노세계박람회 멀티미디어쇼

최근의 대형 세계박람회인 2015년 밀라노세계박람회의 기술 수준도 대체로 쓰쿠바 수준이었다. 세계박람회 전시관의 표현 기술은 37년 전부터 발전이 거의 없다. 거대 IT기업이 세계박람회를 거들떠보지 않는 또 다른 이유를 파악할 수 있을 것이다.

세계박람회에서 혁신적인 기업 이미지를 어필하려고 해도 여건이 노후해서 그런 것이 아니겠느냐고 추측한다. 더욱이 세계박람회는 다양한 주체에 의한 잡다한 발표가 혼재하는 장소다. 자사의 세계관을 순수하게 주장하기에는 잡음이 너무 많아 적합하지 않다고 판단하고 있을 것이다. 거대 IT기업은 신제품을 독자적인 프로모션 전략을 구사해 사회에 직접 투입해왔다. 세계박람회를 좋아하는 사람으로서는 억울하지만 그것이 현실이라고 인정할 수밖에 없다. 그러나 가장 큰 문제는 '정보관의 차이'와 '대중의 욕망과의 차이'에 있다.

2. 정보 감각

▸ 정보관의 차이

일부 반대론자가 주장하는 '세계박람회 불필요론'의 대부분은 "정보는 인터넷에서 수집하는 시대"라는 것이다. "포털 사이트에서 검색하면 순식간에 세계정보에 접근할 수 있으니 굳이 세계박람회를 관람할 필요가 없다"는 얘기다. 세계박람회 쇠락의 본질은 아니다. 그런 논리라면, 인터넷과 세계박람회는 먹느냐 먹히느냐의 '약육강식의 상대'이지만, 결코 그렇지 않기 때문이다. 음악 CD가 잘 팔리지 않는 시대가 된 지금, 음악 전문 사이트에서 저렴한 사용료로 팬들을 늘리고 라이브 공연과 캐릭터 상품 판매로 수익을 창출하는 비즈니스 모델도 있기 때문이다.

온라인 미디어와 집객형 미디어·체험형 미디어는 오히려 보완관계라고 할 수 있다. 디지털 혁명이 진행될수록 라이브 미디어의 의미와 역할은 증가한다. 그렇다고 세계박람회가 지금 이대로 세 번째 상승기류를 탈 수는 없다. 오히려 구조를 혁신하지 않고 방치한다면, 머지않아 몰락할 가능성이 높다. 171년의 역사를 자랑하는 메가 이벤트가 그렇게 쉽게 없어지지 않을 것이라고 생각하는 것은 순진하다. 인류 역사상 유례가 없는 메가 이벤트인 세계박람회가 쇠락한 가장 큰 원인은 대중의 욕망과의 차이가 날로 벌어지고 있고, 그 차이를 세계박람회 관련 기관과 관계자가 깨닫지 못하는 데 있다.

2015밀라노세계박람회. 주제관의 프로젝트 영상

일상에서 할 수 없는 특별한 체험을 기대하며 비싼 입장권을 구매해 세계박람회를 보러 갔는데, 프로젝터 영상을 통한 '설명'뿐이었다. 흥미진진한 체험을 하고 싶었는데, '유빙 위에 남겨진 북극곰'을 소재로 한 설교만 들었다. 모처럼 세계박람회를 관람하기 위해 4인 가족이 1박 2일 동안 1000유로나 들였는데, 아프리카 기아 문제를 도우려면 음식물을 낭비하면 안 된다와 같은 어두운 이야기뿐이었다. 2015년 이탈리아 밀라노세계박람회를 현장 조사할 때 만났던 이탈리아 관람객에게서 직접 들었던 얘기다. 시대가 바뀌었고 '미래'가 바로 오락이 되는 시대가 지났음에도 세계박람회는 아직도 탄생 이래의 사명을 고수하며 '국제사회에 도움이 되는 세계박람회' '지구적인 과제'를 논의하고 있다. 그 결과 관람객이 요구하는 수준 높은 오락에서 멀어지고 있다.

문제의 핵심은 정보를 만드는 발신자의 정보관이 여전히 20세기에 머물러 있다는 점이다. 세계박람회는 주최자인 발신자가 관람객인 수신자에게 전시와 문화행사를 통해 정보를 전달하는 메가 이벤트다. 수신자의 정보 감성은 급격하게 변하고 있는데, 발신자의 의식은 20세기 그대로다. 차이가 점점 벌어지고 있다. 지금도 세계박람회를 지배하는 것은 중심에서 말단으로 '지식의 전달'을 전제로 하는 매스미디어의 메커니즘이고, "중앙의 엘리트가 말단의 대중을 계몽한다"는 중앙집권적 정보관이다. 인터넷에 의한 정보혁명은 단지 정보환경을 격변시켰을 뿐만 아니라 우리의 정보 감각을 크게 바꿨다. 그것은 암세포처럼 천천히 잠식해 우리들 안에 돌이킬 수 없는 변화를 일으켰다.

그러나 세계박람회 주최자 측의 감각은, 20세기 그대로다. 어쩌면 이 차이가 치명적인 것이 아닐까? 이것이야말로 디지털 플랫폼(GAFA) 기업이 외면하는 진정한 이유가 아닐까?

▸ 최근 20년 동안의 정보관 변화

크게 세 가지다. 첫째, "정보란 주어지는 것이 아니라 수집하는 것"이라는 감각이다. 매스미디어 시대의 말단에 있는 우리는 중심에서 보내는 완전히 포장된 정보를 받는 존재였다. 할 수 있는 것은 어떤 정보를 받을지의 선택뿐이었다. 포장해서 전달되는 정보를 "포장된 그대로" 받는 데 저항은 없었고, 중앙에서 정보를 만드는 엘리트에 대한 신뢰도 지금과는 비교할 수 없을 정도로 컸다. 지금은 달라졌다. 중앙에서 보내는 완전히 포장된 정보를 순진하게 받아들일 만큼 순수하지도 않고, 때로는 메시지 뒤에 숨겨진 사연을 파악하는 시도를 할 수 있게 됐다. 게다가 한 번 생산된 디지털화 된 정보는 사라지지 않고 기록·보관된다. 정보는 인터넷에 있으므로 필요한 정보를 찾아서 건지면 된다. 이렇게 정보는 '선택'하는 대상에서 '수집'하는 대상이 됐다. 정보는 하늘에서 떨어지는 것이 아니라 주체적으로 탐색하거나 수집하는 것이다. 해답은 중앙에서 보내주는 것이 아니라 스스로 찾아내거나 모두 함께 찾아내는 것이다.

둘째, "정보란 딱딱한 것이 아니라 변형이 가능한 부드러운 것"이라는 감각이다. 매스미디어에서 보낸 정보는 견고하며, 열쇠가 잠겨 있다. 신문이든 TV든, 독자와 시청자가 콘텐츠에 손을 댈 수도 없었고, 그런 것은 상상조차 할 수 없었다. 그러나 디지털 정보의 유통은 이 감각을 근본적으로 뒤집었다. 이제 우리들은 수집한 정보를 '소재'나 '부품'으로 인식하고 있다. 그것을 도마 위에 올려놓고, 스스로 요리해서 다시 사회로 돌려보낸다. 위키피디아(Wikipedia)와 나무위키에는 정보의 발신자라는 개념 자체가 없다. 정보에는 '소유자'도 없고 '생산자'도 없는 것이다. 정보의 '발신자'와 '수신자'라는 지금까지 정보 유통의 근간을 지탱하던 구조는 의미가 없고, "정보는 끝이 없다"는 이미지가 일반화된다. 20세기까지 정보란 딱딱한 경질체(Solid)였다. 지금은 변형이 자유로운 유동체(Liquid)다.

셋째, "정보란 전달하는 것이 아니라 교환하는 것"이라는 감각이다. 배달되는 포장 상자를 받기만 했던 시대와 달리 정보에 관한 현대의 기본 태도는 "받으면 돌려준다"는 것이다. 즉 연쇄와 교환이다. 저변에 깔린 것은 '지식의 공유' '체험의 공유' '집단지성의 기대'일 것이다. 어딘가 여행을 갈 때, 무언가를 살 때, 레스토랑을 고를 때, 우리가 참고하는 것은 고객의 리뷰나 소비자의 평가지, 여행작가나 음식 칼럼니스트의 추천문이 아니다. 소수의 전문가 판단보다 일반 이용자의 체험 정보가 더 솔직하고 도움이 된다. 배후에 있는 것은 "권력을 가진 엘리트만이 정보 발신을 허락 받아 특권적인 입장에서 대중을 이끄는" 시대는 끝났다는 인식이다. "대중의 체험 정보를 공유하고 연결하는 것이야말로 공동체의 이익이고, 정의롭다"는 감각이다.

▸ 21세기 세계박람회 역할

세계박람회 주최자가 고려해야 하는 것은 정보를 관람객에게 '주입'하는 것이 아니라 '공유'하는 것이다. 공유란 상대방도 자신의 문제로 그 정보를 인식하는 것이다. 그러려면 전달하는 것이 아니라 공감해달라고 설득해야 하며 기억할 것이 아니라 "아, 알았어!"라고 이해해주지 않으면 안 된다. 만약 메시지라면 "우리의 주장을 기억하고 돌아가라"가 아니라 "지금 얘기하는 것은 우리 생각인데, 당신과 관련된 것일지도 모르니까, 괜찮다면 같이 생각해보지 않을래요?"라고 권유해야 한다.

2005아이치세계박람회. 환경시민단체가 운영한 지구스퀘어 행사

필요한 것은 '공지'나 '전달'이 아니라 '공유'와 '대화'다. 물론 제품 설명이나 기업의 정보 수집처럼 사실을 정확하게 전달하는 것이 목적인 경우도 있다. 혹은 영화처럼 완전 패키지화하지 않으면 의미가 부여되지 않

는 형식도 있다. 하지만 그것은 공간 미디어의 역할이 아니다. 설명을 전달하고 싶다면 관람객에게 설명서를 배포하는 것이 좋고 '두 줄의 메시지'를 시연하고 싶다면 다른 미디어를 활용해야 한다. 세계박람회를 설득 대상에게 '메시지'를 전달하는 도구라고 생각하지 않는 것이 좋다. 설득 대상이 아닌 함께 생각하는 '파트너'이며, 메시지가 아닌 함께 이야기하는 '화젯거리'이며, 전달이 아닌 '공유'다. 지향하는 "파트너와 화제를 공유하는" 상황인 것이다. 더 중요한 건 그 정보가 촉매제가 돼 계속해서 정보가 재생산되는 것이다.

'두 줄의 메시지'를 아는 것이 끝이 아니라, "그것이 자신에게 어떤 의미를 갖는지" "그것이 자신에게 가져오는 것은 무엇인지"라는 반응이 연쇄적으로, 다음의 행동에 계기가 되는 상황이다. 그렇게 생각한다면, "나는 ○○○을 알고 있으니까 가르친다"는 접근법, 즉 "아는 사람이 알지 못하는 사람에게 메시지를 전달한다"는 방식 그 자체를 재검토해야 한다. 세계박람회 주최자가 해야 할 일은 관람객을 설득하는 '강의'가 아니다. 큰 소리로 연설하고 관람객에게 전달하고 싶은 주장을 주입하는 것이 아니라 무언가를 깨닫게 해야 공감을 얻는다. '발견'에서 '공감'으로, 그리고 '감동'으로, 그것이 이상적인 프로세스다.

3. 대중이 원하는 정보 감각

▸ 감성이 변하면 '욕망'도 변한다

'인터넷 시대의 세계박람회'라면, 전시관의 전시 콘텐츠를 인터넷과 연동해서 연출한다든지, 전시와 스마트폰을 연결해서 콘텐츠 정보를 교환한다든지, 스마트폰을 사용해 모은 관람객의 반응을 실시간으로 전시에 반영하는 등의 이야기가 되기 쉽지만 일의 본질은 그런 것이 아니다. 정보의 디지털화와 인터넷의 출현은 새로운 감성을 우리에게 심어주었다. 지금 진행 중인 정보혁명이란 기술혁명이자 동시에 의식혁명이며, 양자가 자동차의 양쪽 바퀴가 되어 일상생활의 모습을 바꾸고 있다. 감성이 변하면 당연히 욕망도 변한다.

앞으로 세계박람회가 고려해야 하는 것은 대중의 새로운 욕망이 무엇인지를 파악하고 이에 부응하는 메커니즘을 구상하는 것이다. 몇 만 원의 입장료를 지불한 관람객에게 '유빙에 남겨진 북극곰' 영상을 보여주면서 환경보호를 가르치거나, 인터넷을 검색하면 나오는 수준의 해결책을 제시해봤자 아무런 보탬이 되지 않는다. 21세기에 접어들어 관람객의 표정과 태도는 크게 달라졌다. 우리나라에서 최초로 개최된 1993년 대전세계박람회장에서 본 관람객의 표정을 지금도 잊을 수 없다. 1988년 서울올림픽에 이어 최초의 세계박람회를 성공시킨 상황에서 관람객은 완전히 고조돼 있었다. "후세에 좋은 선물이 생겼다"고 말해준 할아버지의 웃는 미소가 생각난다.

2012여수세계박람회 빅오쇼

20년 후 2012년 여수세계박람회의 분위기는 전혀 달랐다. 박람회장을 돌아다니는 관람객의 표정에 비일상의 기대감은 거의 보이지 않았고, 젊은이는 전시관의 메인 영상을 보면서 휴대전화를 만지작거리며, 변함없는 과대한 연출에 실소를 하는 상황이었다. "두 번째니까"라는 핑계로 설명할 수 있는 차이가 아님은 분명했다. 현장에서 관람객의 솔직한 반응을 접하고, 필자는 새삼스럽게 세계박람회가 처한 상황을 뼈저리게 느꼈다. 3년 후에 개최된 2015년 밀라노세계박람회는 규모 등급 품질 등 어떤 것을 비교해 봐도 20세기의 전문박람회 수준으로, 2150만 명의 관람객을 유치하고 끝났다. 애초 13억 유로를 예상했던 수입이 4억5000만 유로로 끝난 것을 봐도, 대성공이 아닌 것은 확실하다.

왜 이렇게 되어버렸을까? 해답은 "세계박람회가 점점 시시해지니까." 사실 간단한 이야기다.

▸ **대중은 무엇을 원하는가?**

세계박람회는 지금까지 일관되게 '해답'을 제시해왔다. '대중의 교육'을 위해 '미래의 전망'을 제시하는 것이 세계박람회의 사명이며, 무엇보다 관람객인 대중이 매력적인 '해답'을 요구하고 있었기 때문이다. 제1세대 세계박람회는 전시물이 "꿈같은 미래의 삶"을 유사체험하게 해주었고, 제2세대 세계박람회로 전환되면서 공간을 활용해 "빛나는 미래의 비전"을 표현했다. 언제나 기대했던 '해답'을 제시했던 세계박람회는 '주최자'에게는 전달하고 싶은 메시지를 효율적으로 전달할 수 있는 획기적인 미디어였고, '관람객'에게는 최신 정보를 매력적인 오락으로 전달해주는 비교 대상이 없던 미디어였다. 19세기에 탄생한 세계박람회가 세기를 초월해 영향력을 발휘해온 것은, 위정자의 의도와 대중의 욕망이 밀월관계를 맺고 있었기 때문이다. 중심에 있는 권력층이 매력적인 '해답'을 제시하는 힘이 있었고, 그것을 말단의 민중이 쌍수를 들어 환영했다.

그러나 지금은 정보 엘리트가 대중을 열광시킬 수 있는 희망에 찬 '해답'을 제시할 수 없고, 반면에 대중은 애초에 완전히 포장된 '해답'을 요구하지 않는 상황이다. '기술이 여는 꿈의 미래'라는 콘셉트로 연결된 행복한 결혼생활이 바닥부터 흔들리고 있다. 이는 3세기에 걸친 세계박람회 역사에서 처음으로 경험하는 사태이며, 체계를 근본부터 뒤흔드는 환경 변화다. 그런데도 세계박람회는 미래를 표현하려고 한다. "꿈같은 미래가 기다리고 있다"고 말하기 어렵기 때문에 환경·식량 문제 등에 관한 '과제 해결'을 주장하지만, 과거의 원자력과 우주개발처럼 대중을 열광시킬 힘이 없다.

환경변화에 적응하는 유전자 수준의 혁신이 필수적이다. 약 92년 전, 진열과 실연만으로는 국제사회의 요청에 부응할 수 없다는 것을 알고 제2세대 세계박람회로 도약했을 때처럼 말이다. 지금처럼 순진하게 꿈의 미래를 그릴 수 없다면 거기에서 벗어나 새로운 구동원리를 찾으면 되지 않을까? 보통은 그렇게 생각할 것이다.

그러나 세계박람회는 오히려 시대에 역행하는 것처럼 보인다. 그 전형이 1994년 총회 이후, 국제박람회기구가 내세우는 "세계박람회는 단순한 산업기술의 전시장이 아닌, 지구 규모의 과제를 해결하는 장이다"는 콘셉트로, 즉 '과제해결형 세계박람회'라는 개념이다. 고작 6개월간의 이벤트로 지구 규모의 과제가 '해결'될 리가 없지 않으냐는 '원론'은 제쳐두고, 필자가 문제라고 생각하는 것은 발상의 저류에 있는 "대중에게 솔루션을 제시하고, 행동하도록 지도한다"는 태도다. 세계박람회는 지금의 메커니즘을 유효하다고 생각하고 있고 이를 강화함으로써 현재의 난국을 극복하려고 한다. 이런 구도야말로 "세계박람회와 대중사회의 차이"의 본질이다. 앞으로 세계박람회의 가치는 '해답'이 아니라 오히려 '질문' 쪽에 있다.

▸ 세계박람회 주최자가 유의해야 할 사항

우리의 정보감각에 새로운 씨앗이 뿌려져 싹 트기 시작했고, 몸속에는 종래의 감각도 남아 있고, 매스미디어의 의의나 파워가 상실된 것도 아니다. 이 변화의 파도는 돌이킬 수 없으며, 앞으로 더욱 영향력을 강화해나갈 것은 확실하다. 이런 환경변화 속에서 공간이라는 미디어를 통해 정보교류를 도모하려는 세계박람회 주최자가 유의해야 할 사항은 무엇인가? 세 가지가 있다.

첫째, "정보를 덩어리로 만들어서 전달하지 않는다"는 것이다. 요컨대 "굳이 완전 포장하지 않는다"는 발상이다. 완전 포장이란 발신자가 완성한 정보를 그대로 덩어리로 만들어 전달하는 것이다. 동일한 정보를 대량으로 동시에 안정적으로 공급하는 메커니즘이다. 매스미디어는 물론 영화 서적 등 일상에서 접하는 정보의 절반은 완전 포장으로 전달된다. 완성품을 대중에게 동시에 배급한다는 사상의 저류에 있는 것은 '중심에서 말단으로'라는 중앙집권적 방향감각이다. 신문 TV 영화 서적 등은 완전 포장으로 할 수밖에 없고, 라이브 감각을 발동시킬 가능성을 내포한 세계박람회 전시관까지 그래야 할 이유는 없다. 중요한 것은 "완성된 정보를 전달한다"는 인식의 폐기다. 정보는 소재로 취할 수 있는 것, 서로에게 반응하면서 연결해가는 것, 인식되는 것을 전제로 정보를 유연하고 느슨한 상태로 유지하고 흔들림 틈새 놀이를 허용하는 것이 다.

둘째, "전달하면 끝이라고 생각하지 않는다" 즉 "정보의 연쇄 유발을 겨냥한다"는 것으로 연결된다. 현대의 관람객은 흡음재가 아니라 반사판 같은 존재다. 결코 "정보를 흡수만 하는 스펀지"가 아니다. 개개인이 받은 정보를 증폭하거나 변형시키면서 정보와 활발하게 교류하는 일종의 미디어여서 "전달하면 끝이 아닌 어떻게 다음 행동을 유발할까"를 구상해야 한다. 그렇다면, 언제 관람객은 '수신자'에서 '미디어'로 바뀌는 것일까? 관람객이 정보를 공유하는 동기는 무엇인가? 생각해야 할 것은 대중광고와 반대다. "넓고 얕고 균일하게 누구에게나 동일한 메시지"가 아니라 관람객에게 "자신을 위해, 자신이 수집한, 자신만의 특별한 것"이라고 느끼게 하는 것이다. 핵심은 정보와 밀도 높은 접촉을 통해 자신의 감성으로 내용을 파악하고 의미를 발견했다고 관람객이 실감하게 하는 것이다.

셋째, "정보의 발신자와 수신자라는 틀에서 발상하지 않는다" "정보를 준다는 것으로 생각하지 않는다"는 태도다. 관람객이 "내가 수집했다"고 느끼는 체험공간을 만드는 데 결정적 조건은 "정보 발신자가 하는 일은 관람객에게 메시지를 주입하고, 이쪽 주장을 확실히 각인하는 것이다" 등으로 생각하지 않는 것이다.

4. 해답이 아닌 질문

▸ 왜 '해답'이 아니라 '질문'인가?

미래를 향한 가치 있는 질문을 던지고 전파할 수 있을까? 현재도 세계박람회에 의의가 있다면, 이 한 가지뿐이다. 왜 현재의 세계박람회는 재미가 없을까? 왜 과대한 연출에 관람객은 실소하는가? 왜 폐막한 후에는 아무것도 남기지 않는가?

한마디로, 현재의 세계박람회는 "왜 어려움을 겪고 있는가"와 "무엇을 알고 있는가"를 서로 이야기하는 것뿐이다. 그래서 재미도 없고 다음으로 연결이 안 되는 것이다.

AI, 로봇, 자율주행, 빅데이터, 메타버스 등 21세기의 기술은 대단하지만, 과제 해결에 대한 수단의 합리성을 말하는 데 지나지 않는다. 세계박람회가 새로운 기술을 전시하고, 논리와 사실로 '과제 해결'을 말한다면,

그것은 '수단의 변화'를 모두 보여주고, 합리성을 논리적으로 '설명'하는 것과 다름없다. '수단 전시회'가 대중을 사로잡는 매력이 있을까? 4인 가족이 세계박람회의 하루 입장료와 식음료비를 포함해 관람경비 20만~25만 원을 지출하고 싶을까에 대해 생각해야 한다. 간단한 이야기지만, 지구 규모의 과제를 AI로 해결하자는 주장에 우리는 감동할까?

부산국제영화제, 인천펜타포트락페스티벌, 자라섬재즈페스티벌 등 다른 장르로 눈을 돌리면 대중의 지지와 화제를 지속적으로 제공하는 이벤트는 수없이 많다. 모두 인터넷상의 커뮤니케이션이 활발하다. 공감하는 팬과 마니아가 많은 것에도 주목해야 한다. 이런 이벤트의 공통점은 '완전 포장'된 정보의 방류에서 탈피하려는 것이다. 관람객이 스스로 정보를 검색·수집하고 발견하는 기쁨을 극대화하는 것이다. 무엇보다 '질문의 강도'가 있는 콘텐츠를 갖추려고 한다. 제작자에게 "정보를 준다, 준비된 맥락을 이해시킨다" 등의 발상은 전무하며, 정보의 '주인'이라는 의식도 아마 없을 것이다. 현장에 가지 않으면 입수할 수 없는 자극적인 정보(체험)를 얼마나 축적할 수 있을까라고 생각한다. 물론 정보의 위상은 '완전 포장'이 아니고 '소재'이며 '부품'이다. 제작자가 의식하는 것은 촉발적인 소재의 제공이며, 그것을 제공받은 관람객이 자신만의 '이야기'를 구상하고 표현하는 구도다. 현장을 체험한 사람에게 제공되는 '압도적인 정보격차'를 통해 정보공유의 동기부여가 일어날 수 있다.

대중은 비일상의 즐거움을 제공해준 이벤트에 공감한다. 엄청난 참가자 수와 강렬한 지지의 배후에는 대중의 욕망에 영향을 미치는 메커니즘이 있다. 중요 포인트는 성공한 이벤트가 모두 '양질의 질문'으로 가득 차 있다는 점이다. 세계박람회는 지적 엔터테인먼트로서 새로운 정보 감성을 몸에 익힌 현대 대중의 공감을 불러일으키기 위해서는 '해답'보다 사정거리가 긴 양질의 '질문'이 훨씬 가치가 있다.

▸ 세계박람회 신세대를 향한 시작

단발의 시도는 여러 번 있었다. 2000년 하노버세계박람회의 스위스관에서는 박람회 전시의 핵심이라 할 수 있는 설명의 개념에서 벗어난 창의적인 체험 공간을 제안했다. 건축가 페터 춤토르가 설계한 스위스관은 목재를 교대로 쌓아 올려 벽면과 미로 같은 좁은 길이 있을 뿐이었다. 주제는 신체의 음색이었다. 미로를 걷다 보면 스위스 고전 악기를 연주하는 퍼포머들을 만나고 퍼포머들끼리 만나면 콜라보레이션이 시작된다. 그뿐이다. 전시는 전혀 없었다. 미로의 산책, 우연한 만남, 그리운 음색, 스며드는 빛, 이런 비일상적인 체험이야말로 현대적 세계박람회다.

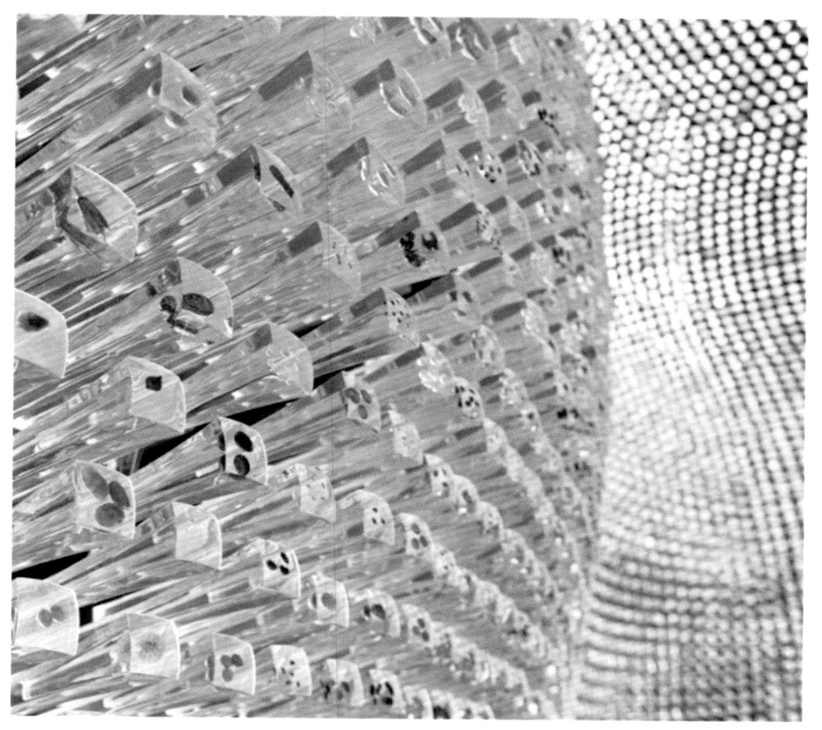

2010상하이세계박람회 영국관의아크릴 막대

2010년 상하이세계박람회의 영국관은 더 자극적이었다. 건축가 토마스 헤더윅이 설계한 영국관은 건물 내외부를 6만 개의 아크릴 봉이 관통하고 있었다. 전시관 내부와 외부에 아크릴 막대가 노출됐다. 밤송이와 같은 독특한 건축물이었다. 더욱 놀랐던 것은 아크릴 막대 끝에 1개씩 다른 식물의 종자가 봉입된 것이다. 멸종된 것을 포함해 6만 종의 '생명의 근원'이 만들어내는 흥미로운 공간이 관람객을 감싸는 전시 연출이었다. 기존 개념으로는 분류와 설명도 할 수 없는 독창적인 건축물이 '노아의 방주'를 연상시켰다. 예술적인 건축물의 이름은 '종자 대성당'이었다. 이런 시도에 중국 대중이 공감했다는 생각은 들지 않은데, 그것은 제작진도 이미 알고 있었을 거라고 생각한다. 그런데도 굳이 이러한 접근법으로 도전했다면, "세계박람회를 의미 있게 하려면 무엇을 해야 하는가"를 진지하게 고심했던 것은 틀림없다. 보수적인 영국이 돌연변이처럼 첨단의 전위적인 표현을 했다는 데 필자는 전율을 느꼈다.

2005년 아이치세계박람회의 인기를 끈 공연과 전시는 '악기를 연주하는 로봇 쇼 전시', '거울의 반사 효과를 활용한 영상', '디오라마와 3D, CG를 조합한 여행 유사체험', '영상과 불꽃을 마술과 조합'한 것이었다. 줄거리도 "지구 온난화 위기에 대응하는 인류의 예지" "생태계가 붕괴된 지구로 돌아온 인간이 다시 지구를 살린다"는 전형적인 세계박람회 전시였다. 기술, 사상, 스토리 등 어떤 것이든 37년 전 1985년 쓰쿠바세계박람회와 2010년 상하이세계박람회 영국관의 문제의식과는 비교할 수 없다. 여기에 제시한 새로운 시도는 그동안 조금씩 발견된 수준이다. 더구나 이것이 '제3세대 세계박람회'의 시작이라고 할 만한 상황도 아니다. 그러나 이러한 혁신적인 전시관은 모두 '강도 있는 질문'을 무기로, 예술적인 접근으로 제작된 것만은 확실하다. 무엇보다 중요한 것은 '계몽'이 아닌 '대화'라는 점이다.

▸ 21세기 세계박람회가 해야 할 일

관람객이 각자의 미래와 모두의 미래를 생각하는 계기를 제공하는 것이다. "무엇을 알아야 있는가"를 강의하는 대신에, 관람객이 스스로 과제를 발견하고, 생각을 시작하는 계기가 되는 양질의 강도가 있는 '질문'을 할 수 있도록 해야 한다. 미래를 그림으로 설명하는 것이 아니라, 관람객 각자가 미래에 대해 생각하도록 '촉발'해야 한다. 세계박람회의 사명은 더 이상 지식의 전달이 아니다. 기술의 진보가 행복한 미래를 연다는 이야기에 집착할 필요가 없다. 핵심 요소는 과제해결 같은 표현과 수단 같은 이야기가 아니라 개인적으로 강력한 의지가 발로하는 문제의식이다. 물론 세계박람회의 사명은 "대중의 계몽을 위해서 미래의 전망을 제시한다"는 것이다. 국제박람회기구(BIE)의 국제박람회협약에 명시된 정의여서 벗어날 수는 없다. 그렇다고 해서 해결책을 반드시 그림으로 설명 할 필요는 없다.

2000년 하노버세계박람회의 스위스관과 2010년 상하이세계박람회의 영국관은 훌륭한 '전망'이다. 공통점은 '개인적 문제의식'의 함축이었다. 토마스 헤더윅의 제안이 관료들의 방해를 받지 않고 실현된 것으로 추측된다. 스위스관과 영국관은 모두 개인적인 문제의식과 강한 의지가 높은 수준으로 반영되었기 때문에 고도의 보편성과 질문의 강도를 획득했다.

19세기 공업사회의 선도적 역할로 탄생한 세계박람회를 지탱해 온 것은 생산의 논리와 메커니즘이었다. 또한, 근대 공업사회의 3대 사상, 즉 '공업사회의 진보관', '대중계몽에 대한 열정', '주제에 의한 봉사'도 기원을 살펴보면 이런 배경에 의한 것이다. 그러나 구동 원리가 예전과 같은 추진력도 없고, 대중이 다시 '정보를 흡수하는 스펀지'로 돌아가지는 않는다. 다시 말하면, 각 전시관이 '개인적인 문제의식'과 '질문의 강도'로 승부하는 환경을 만드는 데는 세계박람회가 금과옥조로 삼는 '주제'

의 실현 가능성까지 냉철하게 분석할 수밖에 없다. 주제 또한, 예전처럼 기능하고 있지 않기 때문이다. 오히려 없는 것이 "좋은 것 아닌가"라는 상황이 발생하고 있다. 등록박람회의 경우 40~50%의 참가국이 참가에만 의의를 두고 실질적으로는 주제를 반영하지 않거나 전시 및 공연 콘텐츠가 부실해 관람객이 실망하는 경우가 많다. 이런 사태를 개선하기 위해 시간과 비용을 들여서 볼 만한 가치가 있는 세계박람회로 만드는 것이 중요하다.

그러나 근본적인 것부터 논의를 시작하지 않으면, 세계박람회가 새로운 단계, 즉 제3세대 세계박람회로 도약할 수 없고, 그렇게 되지 않으면 머지않아 '쇠락'하는 것도 확실할 것이다. 우리는 '개인적인 문제의식'과 '질문의 강도'만으로 승부해야 한다는 것을 알고 있다. 21세기 세계박람회는 '예술'의 논리와 메커니즘이 필요하다. 영국관 같은 뾰족한 전시관이 20개 늘어선 세계박람회장을 상상해보라. 가보고 싶다고 생각하지 않겠는가?

5. 국제정세와 미디어의 성능 감소

▸ 세계박람회 왜 사양길에 접어들었나?

1851년 런던에서 최초로 개최되었던 세계박람회는 대중의 욕망을 자극하면서 거대화하고, 사상 최강의 미디어로서 19세기 세계에 군림했다. 이것이 제1세대 세계박람회다. 19세기 중반에 생겨난 세계박람회는 국제상품전시회 모델을 기반으로 급속한 발전을 계속했다. 진열과 실연을 구동 원리로 "상품을 전시하는 박람회"였던 제1세대 세계박람회는 점점 규모가 커지고 성장을 계속해 "세계박람회 중의 세계박람회"로 평가받았던 1900년 파리세계박람회에서는 5000만 명이 넘는 관람객을 유치했다.

세계박람회 중의 세계박람회"로 평가받았던 1900파리세계박람회

런던세계박람회로부터 반세기 만에 유치 관람객 수는 8.4배가 되었다. 그러나 이후 에너지가 떨어져 2000만~3000만 명에 그쳤지만, 두 번의 세계대전 사이에 자기 혁신에 노력한 체질 개선이 주효해 새로운 방식의 전환에 성공했다. 그것이 "생각하는 박람회"라는 제2세대 세계박람회다. 제2세대 세계박람회로 전환하자 다시 상승세로 돌아서고 1970년 오사카세계박람회에서 6420만 명을 유치해 두 번째 정점에 도달했다. 하지만 성장은 여기까지였다. 세계박람회의 열기가 급속히 식었다. 실제로 1958년 브뤼셀, 1962년 시애틀, 1967년 몬트리올, 1970년 오사카까지 잇달아 수천만 명 규모의 대형 세계박람회는 오사카 이후 1992년 세비야까지 22년 동안 맥이 끊겼다.

국제박람회기구는 1972년에 10년마다 대규모(종합, 범주 1종) 세계박람회를 개최하고 그 사이에 소규모(전문, 범주 2종) 세계박람회를 개최하는 개최 빈도 규정을 변경했다. 세계박람회의 최소 개최 간격은 국제박람회기구 회원국 3분의 2가 찬성하면 7년으로 줄일 수 있게 했다. 박람회장 면적 규모에 제한 없이 최대 6개월까지 개최할 수 있게 했다.

그러나 국제박람회기구가 이 규정을 엄격하게 적용하지 않았다는 점에 주목해야 한다. 세계박람회의 개최 빈도 규정을 위반해도 특정 세계박람회를 개최하도록 공인했다. 예를 들면, 국제박람회기구는 과거에 1971년 부다페스트, 1974년 스포캔, 1975년 오키나와, 1981년 플로브디프, 1982년 녹스빌, 1984년 뉴올리언스, 1985년 플로브디프, 1985년 쓰쿠바, 1986년 밴쿠버, 1988년 브리즈번 등 1970년대부터 1980년대 말까지 주로 소규모 전문세계박람회를 공인했다.

1980년대에 잦은 전문세계박람회로 세계박람회의 모라토리엄(개최 준비 중단)도 발생했다. 1992년에는 스페인 세비야와 이탈리아 제노바가 동시에 개최하기도 했다.

1992세비야세계박람회장 전경

1993대전세계박람회장 전경

이듬해 1993년 대전에서 세계박람회가 개최되는 동안 1996년 부다페스트, 1998년 리스본, 2000년 하노버 등의 세계박람회 개최 계획이 추진되었다. 원래 세계박람회는 근대화와 패권 경쟁을 겨루는 열강 제국이 만든 것으로, 생겨날 때부터 국가의 위신을 건 경쟁의 무대였다. 위정자의 머릿속에 있었던 것은 "국제사회에서의 존재감과 국위선양"이었다.

세계대전 후에는 여기에 이데올로기가 추가됐다. 각 세계박람회에서 동서 진영을 주도하는 미국과 소련은 최대 규모의 국가관을 건설해 우주 개발의 성과와 삶의 질 우위를 과시했다. 양국의 존재감은 특별했다. 그러나 1970년대에 접어들면서 세계정세는 긴장이 완화되었고 1980년대 초반에 신냉전이라는 상황에 이르지만, 1980년대 말부터 냉전 종식으로 가기 시작했다. 이런 가운데 20세기 세계박람회를 주도했던 강자인 미국의 세계박람회 개최 열기가 급격히 식어갔다. 1980년대 말에는 세계박람회 참가에 연방정부가 예산을 동결하고 2001년 5월에 마침내 국제박람회기구를 탈퇴했다. 미국은 2017년 5월에야 재가입했다. 단독 우위가 확실했기 때문에 세계박람회에 굳이 큰 예산을 투입하는 것은 의미가 없다고 판단했을 것이다. 대조적으로 소련은 1991년 12월에 붕괴했다. 미국의 세계박람회 참가 경쟁 의욕 상실은 다른 선진국에도 전파되어, 크든 작든 그 심정은 공유되었을 것이라고 생각한다.

1992년 세비야에서 4180만 명, 2010년 상하이의 7300만 명을 제외하면 다시 2000만 명대에 머물고 있다. 제2세대 세계박람회가 태동한 것이 1930년대니까, 92년 전이었다. 이런 시대에 국가가 거액의 예산을 투입해 자국의 우위를 과시하는 것에 의미가 있을까? 마찬가지로 국제정세의 변화 속에서 많은 국가가 이 문제를 자문자답하지 않았을까 생각한다. 여러 가지 문제가 노출되어 권위를 떨어뜨리며 생존하고 있는 제2세대 세계박람회가 구조 개혁을 하지 않은 채 세 번째 상승기류를 탈 가능성은 없다. 세계박람회 역사의 흐름을 본다면, 이미 제3세대 세계박람회가 태동해야 하지만 그 징후는 아직 나타나지 않고 있다.

▸ **세계박람회 미디어 성능의 상대적 감소**

국제정세의 변화와 함께 이 무렵부터 현저해진 마이너스 충격이 하나 더 있다. 커뮤니케이션 환경의 진화, 엔터테인먼트의 발전, 대중의 체험 수준 향상 등에 기반한 세계박람회의 미디어 성능이 상대적으로 감소하기 시작한 것이다. 19세기 처음 등장했을 때 세계박람회는 세계의 최신 사정을 전달하는 거의 유일한 미디어였다. 매스미디어가 발달하지 않았던 시대에 새로운 발명, 선진기술, 신제품부터 지구 반대편의 일상생활까지, 대중이 처음으로 만난 것은 세계박람회장이었고, 세계박람회는 말 그대로 대중과 시대를 연결하는 유일한 '창'이었다.

더구나 '미래'와 '외국'이라는 최강의 콘텐츠였다. 세계박람회 기간은

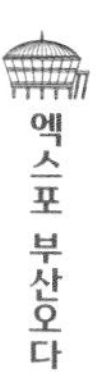

6개월로 한정되어 희소가치도 충분했다. 처음부터 관람객은 고조되어 있었고 시선은 긍정적이었다. 특단의 집객 노력을 하지 않아도, 1000만 명 단위의 관람객이 강한 동기부여 아래 자신의 의사로 입장했다. 이렇게 좋은 조건이 갖춰진 미디어는 따로 없었다. 세계박람회가 미디어의 왕자로 군림한 것은 당연하다. 그런데 시대가 갈수록 세계박람회는 특권적인 위치를 유지할 수 없게 되었다.

1993대전세계박람회 마스코트 꿈돌이와 꿈순이 조형물

20세기 중반까지는 설레며 세계의 정보와 처음 만나는 곳이었지만, 매스미디어의 발달과 상품의 접점 기회가 증가하면서 점점 하류로 떠내려갔다. 첨단 상업시설과 신세대 박물관, 특수영상 시어터 등 수준 높은 미디어 공간이 거리에 넘치고 대중의 소득 증가에 따른 체험 수준의 향상 등 다양한 사태가 복합적으로 찾아왔기 때문이다.

예를 들면 우리나라에서는 1973년 보잉 B747 점보제트기의 김포~미국 로스앤젤레스 노선 취항으로 대량 수송시대의 막을 열었다. 그 후 88 서울올림픽을 성공적으로 치른 자신감과 올림픽을 통한 국제화가 해외여행에 대한 수요를 증가시켰고, 또한 1980년대 후반 우리나라의 경제성장과 생활수준 향상, 1989년 해외여행 자유화로 121만 명이던 해외여행자 수는 2019년 2871만 명으로 30년간 23.7배로 급증했다. 가상의 존재였던 '세계'가 현실적인 '여행지'로 바뀌었다. 1989년 롯데월드 어드벤처와 1996년 에버랜드가 개장하면서, 대중은 세계박람회 전시관을 훨씬 능가하는 고도의 공간 연출에 시선을 돌렸다.

이 둘을 본 것만으로, 대전세계박람회부터 30년 후 대중의 경험치가 비약적으로 향상되었음을 알 수 있었다. 세계박람회가 10년을 하루의 걸음으로 걸어가는 사이에 주위의 상황이 크게 달라져 정신을 차려 보니 추월당했던 셈이다. 이렇게 되면 원래대로 돌아갈 수 없다. 내면에 있는 체험과 정보의 수준이 높아지면, 자연히 세계박람회에 대한 기대감도 올라간다. "놀라운 물건"과 "놀라운 체험"에 관한 기대치가 날로 높아진 결과 세계박람회가 제공하는 콘텐츠에 대한 경이로움은 줄어들었다. 과거 세계박람회만이 가진 압도적인 "비일상의 빛"이 점점 사라졌다.

6. 전시기술 답보와 대중의 의식변화

▸ 전시 기술의 답보

세계박람회도 분명 여러 가지 대응을 해왔고, 새로운 전시 기술 개발을 하지 않은 것은 아니지만, 유감스럽게도 급속히 진행되는 환경 변화를 따라잡지 못하고 있는 실정이다. 전시 구상·기술은 모두 1985년 쓰쿠바 세계박람회 때와 거의 바뀌지 않았고, 전시 수준의 발전은 37년 전에 멈췄다.

최근 대형 박람회인 2015년 밀라노세계박람회에서도 혁신적인 전시는 보이지 않았고, 연출기법과 전시 기술 수준도 1985년 쓰쿠바세계박람회와 동일했다. 지난 반세기 동안 월트 디즈니가 등장했을 때와 같은 기술혁신은 이루어지지 않고 있다. '19세기 세계박람회=제1세대 세계박람회'에서 '20세기 세계박람회=제2세대 세계박람회'로 전환한 것이 1930년대였다. 1939년 뉴욕세계박람회에서 노만 벨 게데스가 설계한 GM관의 '퓨처라마'는 "메시지의 체험화"를 가능케 한 계기였다. 이러한 "이야기를 공간 체험으로 표현하는 기술"이 새롭게 도입한 것이 비공인 세계박람회인 1964년 뉴욕세계박람회였다.

월트 디즈니사의 '오디오·애니매트로닉스'를 비롯해 멀티 영상, 라이더, 라이브 퍼포먼스 등 새로운 전시 연출기술이 세계박람회 전시관의 풍경을 완전히 변화시켰다. 15개면 멀티스크린, 360도 원형 스크린, 영상과 인간의 콜라보레이션, 관람석의 리프트 업 등 단면 스크린 영화관밖에 없던 시대에 생각할 수 있는 다양한 영상 표현에 도전했다. 현재 계속되는 제2세대 세계박람회 전시연출 기술의 기틀을 다진 것이 1964년 뉴욕세계박람회였다. 이 세계박람회부터 전시관의 스타일이 과거 '박물관형'에서 '테마파크형'으로 바뀌었다.

'영상박람회'라고 평가받았던 1985년 쓰쿠바세계박람회, 2010년 상하이세계박람회, 2015년 밀라노세계박람회 등도 원형을 거슬러 올라가면 이 뉴욕세계박람회에 도달한다. 달리 말하면, 세계박람회 전시관의 연출을 지탱하는 기술의 근간은 반세기 전 그대로이고, 본질은 변하지 않았다.

지금은 생활권내 여러 시설이 대형 영상과 공간 엔터테인먼트 등의 전시관형 연출을 도입해 노하우를 축적하고 있다. 새로운 스타일의 박물관, 전시관형 테마파크 등 고품격 미디어 공간이 대중사회에 침투하면서 세계박람회만의 독특한 기술이었던 공간 연출이 일상에 확산되는 반면, 세계박람회의 전시 표현 기술은 답보 상태다. 지금 일어나고 있는 사태는 세계박람회 전시관의 전시에서 '비일상'이 급속히 사라지고 있음을 의미한다. 세계박람회의 가치를 지탱해온 '관람 체험의 비일상성' 감소는 존립 기반과 관련되는 심각한 문제인데, 그것이 지금 돌이킬 수 없게 진행되고 있다. 하노버세계박람회까지는 세계박람회에 강점이 있었다. 그러나 그 후 세계박람회는 눈에 띄게 후퇴해 현재는 "예전에 없던 체험"의 창조는 절망적일 정도로 어려워지고 있다.

▸ **대중의 시선과 의식 변화**

어려운 상황에 직면했을 때, 가장 먼저 떠올리는 것은 '비용 대비 효과'일 것이다. 물론 세계박람회는 국제사회가 공동으로 운영하는 국가 간 프로젝트여서 이해득실만 가지고 참가하는 것은 아니다. '국제교류'도 중요한 목적이다. 엑스포 참가의 가장 큰 동기는 역시 국가 브랜딩 홍보 효과다.

2010상하이세계박람회 한국기업연합관

관람객 수라는 양도 중요하지만, 더 중요한 것은 질이다. 당연히 "개최국의 대중사회에 어느 정도의 파급효과를 거둘 수 있는가"가 중요하다. 가능하면 투하 자금에 걸맞은 파급 효과를 기대할 수 있는 세계박람회라면 좋을 것이다. 나중에 아무것도 남지 않은 세계박람회는 곤란하다. 또 하나는 개최국의 시장 가치다.

선진국이 2010년 상하이세계박람회에 비교적 큰 예산을 투입한 것은 분명히 중국이라는 거대시장을 의식했기 때문이다. 세계박람회를 둘러싼 사회 상황의 변화를 감지하고, 비용 대비 효과를 의심하는 사람은 세계박람회 관계자들뿐만이 아니었다. 그동안 세계박람회에서 제공하는 오락을 천진난만하게 즐기던 시민도 의식 변화의 조짐을 보이고 있다.

세계박람회가 개최 포기 사태는 드문 일은 아니다. 1992년 세비아세계박람회와 동시에 개최하기로 정식 공인받았던 1992년 시카고세계박람회가 개최를 포기했다. 재정문제 등을 발단으로, 반대의 여론이 높았기 때문이었다. 1992년 시카고세계박람회와 함께 가장 충격적인 취소는 1989년 파리세계박람회였다. 1989년 파리세계박람회는 혁명 200주년 기념행사였다. 국제박람회기구의 공인을 받고 실무 준비가 진행되고 있는 와중에 중지됐다. 이유는 '신도심 개발'로의 방향 전환이었다. 가설의 세계박람회에서 '미래도시'를 전시·발표하는 대신 미래지향의 현실적인 신도시를 건설하는 정책을 선택한 것이다. 그리하여 그랑다르슈(신 개선문)를 상징으로 한 신도심이 생겼다. 또한 1995년에 2개 도시 동시 개최가 결정되었던 비엔나와 부다페스트도 개최권을 반납했다. 환경 파괴, 인플레이션 우려 등으로 비엔나시가 주민투표를 했다. 결과는 찬성 35.1%, 반대 64.8%였다. 부다페스트도 뒤따를 수밖에 없었다. 2000년 하노버세계박람회도 시의회가 무시할 수 없을 만큼 시민의 반대 목소리가 커져 국제박람회기구의 개최 승인 2년 후 1992년에 주민투표를 했다. 60%가 넘는 높은 투표율로, 찬성 51.5%, 반대 48.5%라는 박빙의 승부였다. 이렇게 되면 의기소침할 수밖에 없고, 계획도 대폭 수정하게 됐다. 그 후에도, 2004년 센생드니세계박람회(파리 교외)가 개최권을 반납했다.

2020년 10월에는 아르헨티나가 코로나19 대유행과 이에 따른 금융 위기로 2023 부에노스아이레스세계박람회 개최를 철회한다고 발표했다. 이처럼 하노버세계박람회 이후 세계박람회의 열광이 크게 하락한 것은 세계박람회를 둘러싼 환경이 급격하게 악화됐기 때문이다. 이런 상황이 세계박람회의 현실에 큰 영향을 미치고 있다.

▸ 개최환경의 악화로 협약 개정

국제박람회 협약이 개정된 1988년은 세계박람회에 역풍이 불기 시작했을 때다. 1980년대 말부터 1990년대는 "세계박람회는 낭비이며 필요 없다"는 시민의식이 대두되고 개최 여부를 묻는 주민투표와 개최권 반환이 잇따른 악몽 같은 시대였다. 1980년대 말에는 미국이 연방정부 예산을 동결하고 1989년에는 소련 해체의 서곡이라 할 수 있는 베를린 장벽이 붕괴했다. 1989년 파리, 1992년 시카고 등 공인되었던 세계박람회가 차례로 취소됐다. 국제박람회기구는 세계박람회를 둘러싼 환경이 날로 악화됨에 따라 협약을 개정해 종류와 기간, 개최 간격을 변경하고 슬림화함으로써 생존을 도모했다. 결국 "가능한 싸게 하자"고 결정했다. 그 판단은 합리적이었다고 해도, 한편으로 가장 근본적인 모순이라고 생각한다.

거리 엔터테인먼트 수준이 비약적으로 향상되고, 세계박람회 전시관의 상대적 우위가 점점 하락하는 상황에서 예산을 줄이면 어떻게 될까? 거리의 '미디어 공간'은 영구시설이며 박람회는 임시 가설이다. 디즈니랜드의 경우 하나의 어트랙션에 1000억 원 규모로 투자하고 있다. 돈을

들이지 않고 '놀라운 체험'과 '체험의 비일상성'을 손에 넣으려는 생각은 역시 무리라는 것이다. 21세기 들어 세계박람회가 약화된 결정적 배경에는 이 "최대한 싸게 하자"는 인식이 영향을 미쳤다.

7. 세계박람회 메커니즘의 변화

▸ 국제사회에 도움이 되는 세계박람회

국제박람회기구는 1990년대에 이념 측면에서 새로운 방침을 제시했다. 1994년 6월 총회에서 세계박람회는 "현대사회의 요청에 부응하는 현실적인 주제라야 한다"며 '자연과 환경 존중'과 '자연 환경보호'의 관점을 반영한 결의를 채택했다. 당시에는 생태환경, 지속 가능성, 무배출 시스템이라는 새로운 개념이 보급되기 시작해 대중의 환경 의식이 확산될 무렵으로, 환경문제는 가장 뜨거운 관심사였다. 국제박람회기구는 "세계박람회의 역할은 끝났다"는 부정적인 여론에 대응하기 위해 이른바 "국제사회에 도움이 되는 세계박람회"를 선언한 것이다. "세계박람회는 낭비"라는 분위기에 민감하게 대응한 것이지만, 이 방침이 머지않아 세계박람회를 "과제해결의 장"이라고 표방하는 현재의 역할을 만들었다. "세계박람회는 단순히 산업기술의 전시·소개가 아닌 지구 규모의 과제를 해결하는 장"이라는 구상으로 "국제사회에 도움이 되는 세계박람회"의 위상을 이론적으로 설명하는 개념이었다. 이 노선으로 달린 것이 좋지 않았다. 세계박람회를 곤경에 몰아넣은 최대의 원인은 이것일지도 모른다.

▸ 현실적 주제

세계박람회에 주제가 있는 것은 당연하다. 세계박람회에 최초로 주제가 등장한 것은 1933년 시카고세계박람회에서였다. 그 전 82년간은 주제 없이 개최됐다. 그 이유는 간단하다. 필요가 없었기 때문이다.

'반보 앞선 미래'를 실감시키는 것만으로도 최강의 미디어, 최상의 엔터테인먼트가 될 수 있었던 것은 앞에서 이야기해 온 대로다. 제1세대 세계박람회'에서는 물건이 전부이고, 생각해야 할 것은 "얼마나 획기적인 물건을 전시할 것인가" 뿐이었다. 그러나, "보면 알 수 있다"는 시대는 끝나고, 전시관 참가자의 동기 부여가 간단한 '제품전시'에서 '국가 브랜딩'으로 전환했다. 세계박람회 자체도 "이 세계박람회를 개최하려고 구상하게 된 동기는 무엇인가"를 설명하는 개념이 필요했다. "무엇에 대해 전달할 것인가"를 생각하지 않는 세계박람회는 미래가 없다는 문제의식 때문이었을 것이다.

국제박람회 협약체결 5년 후 1933년 시카고세계박람회에 처음으로 공식 주제가 등장했다. '진보의 세기'였다. 지난 100년을 되돌아보고 향후 100년을 전망한다는 제언이었다. 주제란 "이 문제에 대해 모두 함께 생각하자!"고 주최자가 호소하는 것이다.

기능적으로는 "참가자의 문제의식을 유도하는 공통의 열쇠"이며, "세계박람회를 하나의 개념으로 총괄하는" 역할을 했다.

그러나 아무리 주제 설정이 세계박람회의 기본방향이라 하더라도 그 의미를 이해하려면, 세계박람회의 현실을 '주제'의 실현 가능성까지 냉철하게 분석할 수밖에 없다. 주제 또한, 예전처럼 기능하고 있지 않기 때문이다. 오히려 없는 것이 "좋은 것 아닌가"라는 상황이 발생하고 있다. 무엇보다도 주제의 구현방식이 세계박람회 참가국과 국제기구, 글로벌기업의 전시관 전시 준비에 문제를 일으키고 있다는 것을 간파해야 한다.

등록(세계)박람회의 경우 40~50%의 참가국이 참가하는 데만 의의를 두고 실질적으로는 주제를 반영하지 않거나 전시와 공연 콘텐츠가 부실해 관람객이 실망하는 경우가 많다. 그리고 인정(전문)박람회의 경우 주제의 중복과 반복이 빈번했다. 예를 들면 해양을 주제로 한 것이 5개로 가장 많았다. 1954년 나폴리, 1975년 오키나와, 1992년 제노바, 1998년 리스본, 2012년 여수가 그것이다. 다음은 에너지를 주제로 한 것이 3개로 1958년 브뤼셀, 1982년 녹스빌, 2017년 아스타나였고, 물을 주제로 한 것이 3개로 1939년 리에주, 1984년 뉴올리언스, 2008년 사라고사 등이었다. 시간적 간격을 두고 분석해보면, 상상력이 부족했던 것 같다.

기술시대의 레저란 주제를 설정했던 1988브리즈번세계박람회

주제의 전시 표현에 있어 조직위원회의 방식은 변한 것이 없다. 국제참가자는 적든 많든, 자국의 광고대행사 또는 전시회사에 의뢰할 것이며, 필연적으로 반복되는 전시를 보여줄 것이다. 광범위한 개념을 선호하는 주제에 관한 열망 때문에 전시 내용과 형식을 반영하기 어려워졌다. 많은 참가국이 개최국에서 제시한 주제의 성격이 너무 추상적이며 철학적이라고 불만을 토로하고 있다. 복잡다단한 전시 준비 진행상의 곤란을 겪는 것 말고도, 참가국은 자국의 산업이나 기술력과 문화관광을 널리 알릴 기

회가 더 줄어든다고 볼 수 있다.

지금은 누구나 "세계박람회란 국경을 초월해 주제를 구현하는 이벤트"라고 생각하고 있다. 시카고세계박람회 이후 현재까지 수십 개의 주제가 등장했다. 내용의 좋고 나쁨은 있지만, 적어도 "현대사회의 요청에 부응할 수 있는 현실적인 주제"라고, 진지하게 생각하게 된 것이다. 국제박람회기구가 왜 그런 결의를 했는지, 솔직히 잘 모르겠다.

필자가 훌륭하다고 생각하는 주제는, 예를 들면 1962년 시애틀세계박람회의 '우주 시대의 인류', 1988년 브리즈번세계박람회의 '기술 시대의 레저' 등이다. 뛰어난 주제는 창조적인 해석과 콘셉트로 연결되며 참가자의 창조 의욕을 자극한다. 반대로 2010년 상하이세계박람회의 '보다 좋은 도시, 보다 나은 생활'처럼 아무런 촉발성도 없이 관청의 구호 같은 주제는 동기 부여가 되지 않는다.

▸ **역풍을 헤쳐나간 세계박람회**

2000년 하노버세계박람회는 동서 독일 통일 10주년을 기념하는 밀레니엄 이벤트였다. 기존 국제전시장 시설을 활용한 2000년 하노버세계박람회는 '효율적인 세계박람회'를 목표로 했다. 하노버는 '하노버 메세'(산업박람회)로 유명한 국제 견본시(見本市) 도시다.

50만㎡에 달하는 세계 최대의 견본시 시설을 모두 수용해 전시관으로 사용한다는 합리화 계획을 제시했다. 두말할 것도 없이, 참가국의 전시 비용 절감과 기존 인프라의 활용 등을 통해 "세계박람회는 낭비"라는 비판에 대응하기 위해서였다. 세계박람회장 면적 163㏊ 안에, 기존 견본시 시설이 88㏊이며, 신규 조성지가 75㏊였다. 영국 프랑스 일본 등 일부 선진국이 조성지역에 자체 국가관을 건설하는 한편, 개발도상국들은 홀(Hall)이라는 기존 견본시 시설에 공동관 참가를 선택했다. "효율적인 세계박람회 개최"를 실천했다.

그런데 문제는 중요한 요소가 빠져버렸다. 축제 분위기가 과거 세계박람회에 비해 뒤떨어졌고 세계박람회의 매력을 지탱해왔던 '비일상 체험지수'가 극단적으로 낮았다. 합리적이며 기능적으로 만들어진 견본시 박람회장의 풍광은 '축제장의 즐거움'과는 정반대였다. 놀아도 유머가 안 느껴지고 걸어도 설레는 기분이 들지 않았다. 성실한 독일인의 기질이 영향을 주었다고 해도, 견본시장의 메커니즘을 그대로 세계박람회에 적용한 영향이 컸다고 생각한다. 마찬가지로 전시도 '비일상 체험지수'가 부족했다.

특징적이었던 것은 전시공간을 영상으로 채우는 기법이 범람한 것이다. 이 무렵, 액정 프로젝터의 기술 혁신으로, 급격히 소형화되고 밝아지고 저렴해진 것이 그 이유였다. 하지만 관람객의 반응은 싸늘했고 보기에도 지쳐 있었다. 각 전시관에서 모두 프로젝터 영상을 보여주었기 때문이다. 반대로, 관람객이 웃으며 즐거워했던 것은 땅바닥에 주저앉아 목각인형을 파는 아프리카 아주머니와 대화하거나 카레를 먹으면서 보는 아시아 민속무용이었다. "기념품 판매점 없음", "영상관, 식당 없음"이라고 무시했던 개발도상국의 국가관이었다.

8. 세계박람회 사후 활용

▸ 세계박람회와 도시의 관계

세계박람회 올림픽 월드컵 등 세계 3대 메가 이벤트를 개최하면 개최도시의 인프라 정비가 한꺼번에 가속화된다. 특히 국가 차원의 대형 공공투자를 유치해 지역에 큰 파급효과를 가져온다. 세계박람회 개최의 이면에 그런 기대가 있음은 동서고금이 똑같다. 세계박람회의 역사는 일면에 "지역경제 활성화의 기폭제를 갖고 싶다"는 욕망의 역사다.

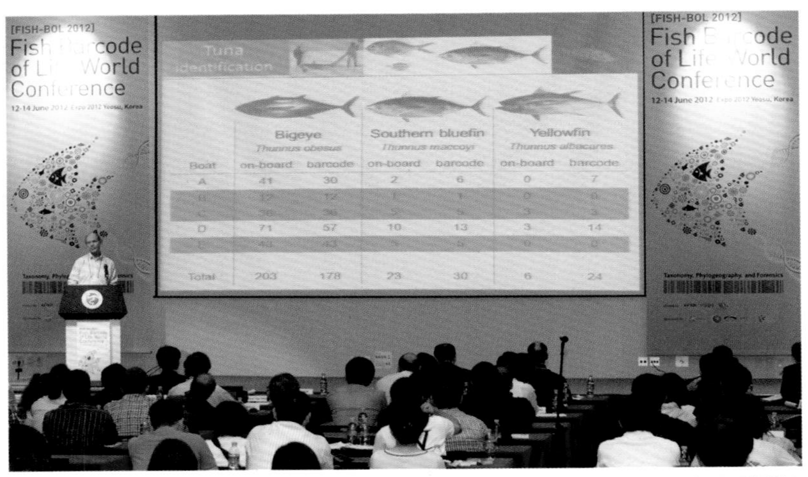

2012여수세계박람회 세계어류DNA바코드 콘퍼런스

예를 들면 2012년 여수세계박람회에 투입된 세계박람회 관련 기반시설의 총액은 1조 5000억 원이었다. 48%인 7200억 원이 도로에, 19.5%인 2925억 원이 철도에 사용됐다. 연륙·연도교 건설, 다기능 어항 개발, 여수항 정비, 생활체육시설 조성, 향일암 일출 명소화사업, 거문도 역사·체험지구 조성 등에도 적지 않은 예산이 투입됐다. 세계박람회와 개최도시의 인프라 관계는 이렇게 간단하지만, 장기적인 안목으로 볼 때 과정은 그렇게 단순하지 않다. 개최하면 반드시 무엇인가를 얻을 수 있는 것도 아니고, 개최하면 반드시 도시가 변하는 것도 아니다. 가장 먼저 세계박람회장 부지를 어떻게든 해결해야 한다. 부지를 잘 확보할 수 있다면 유종의 미를 거둘 수 있지만, 실제로 난도가 매우 높은 과제다. 세계박람회가 잘 개최됐다고 시설물 철거와 사후 활용까지 자동으로 해결되는 것은 아니다. 1992년 스페인 세비야세계박람회가 그랬다.

세비야세계박람회는 1992년 4월 20일부터 10월 12일까지 176일 동안 총 관람객 수 4181만4571명을 유치해 성황리에 끝났지만 박람회장 부지

1992세비야세계박람회장 전경

의 사후 활용에서 큰 실수를 했다. 전시관이 즐비한 마치 미래도시와 같은 공간을 눈앞에 둔 안달루시아주 정부는 "전시관을 비롯한 여러 시설을 이대로 남겨두면 재개발 비용을 들이지 않고 미래형 부도심을 쉽게 조성할 수 있지 않을까"라는 착각을 했다. 실제로 각 참가국의 전시관에 "건물을 남겨달라"고 협조를 요청하고, 폐막 후에는 주정부 관련 기관을 존치된 전시관으로 이전했다. 폐막 5년 후, 현지에 시찰을 갔던 차기 세계박람회조직위 관계자와 전문가들이 본 것은 비참한 광경이었다. 광대한 부지에 산재한 건물들은 모두 폐허나 다름없고, 영업을 계속할 예정이던 놀이공원도 폐쇄됐다. 흩어져 있는 전시관에 입주시킨 관계 기관만 버려진 듯 남아 있었다.

경제 침체로 세계박람회장이었던 카르투하섬의 재개발계획 자체에도 적지 않은 영향을 미치고 있다. 첨단기업 교육기관 문화시설 체육시설 및 레2감이 판단력을 흐리게 한 것이다. 그 정도로 세계박람회장 부지의 사후 활용은 어렵다. 그래서 역대 세계박람회장 부지의 많은 부분은 공원으로 조성되어 있다. 공원이면 불평도 없고 위험 요소도 없기 때문이다.

▸ 부지 활용이 아닌 접근방법

'부지 활용'이란 말 그대로 "먼저 세계박람회를 개최하고, 나중에 부지 활용을 생각한다"는 발상이다. 기본적으로는 "도시 한가운데 생겨버린

광대한 공터를 어떻게 채울 것인가"라는 이야기로 쉽게 결론이 날 수 없다. 최종 결론은 "공원이라도 만들자"가 되어버린다. 순서가 잘못됐다. 먼저 새로운 도시개발계획을 수립하고, 그것을 추진하는 방법으로 세계박람회를 개최해야 한다. "도시개발계획이 먼저, 세계박람회는 다음"이다. 더욱이 새로운 도시개발계획을 확실히 추진하기 위해 세계박람회를 활용해야 하며, 세계박람회를 하기 위해, 또는 추진하기로 결정한 뒤 지역의 미래 개발계획에 고민하는 것은 본말이 전도된 것이다. "세계박람회는 수단이지 목적이 아니다."

1986밴쿠버세계박람회장

이런 '당연함'을 훌륭하게 실천한 대표적인 사례가 1986년 캐나다 밴쿠버세계박람회다. 항만도시에서 컨벤션도시로, 물류거점에서 정보거점으로, 워터프런트 재개발을 비롯한 도시 기반 정비에 한창이던 밴쿠버시는 도시개조의 최종 단계에서 세계박람회를 '활용한다'는 것을 목표로 삼았다. 새로운 도시 이미지를 세계에 홍보하는 데 세계박람회가 가장 효과적이며 기능적인 미디어라고 생각했다. 그래서 세계박람회를 재개발 사업의 한 부분으로 확정하고, 다른 부문과 면밀하게 교감하며 개최계획을 수립했다. 처음부터 세계박람회를 도시개발 프로그램의 한 요소로 간주했던 것이다.

밴쿠버시는 세계박람회 개최 준비를 진행하는 한편 '폴스 크리크' 지역의 재개발사업 추진 주체로 1980년에 비영리법인 '브리티시컬럼비아 프레이스공사'를 설립했다. 당초 약 3억1100만 캐나다달러(약 1215억 원)의 적자를 예상했던 브리티시컬럼비아 주정부는 세계박람회를 강변 재개발사업의 일환으로 채택했다. 세계박람회장은 종합적으로 계획된 해안 커뮤니티와 과학박물관을 포함한 세계박람회 프리뷰센터로 여전히 건재하다. 세계박람회 개최는 황폐한 제재소와 공업지대를 세련된 모습의 도시로 바꾸기 위한 촉매제로 밴쿠버의 드라마틱한 해안 재건을 가져왔다.

캐나다 프레이스전시관은 박람회 기간에 캐나다관으로 사용되었는데, 박람회가 끝난 뒤 부분적으로 개장해 컨벤션 기능이에 충실한 국제무역센터가 됐다. 건물의 양측에는 4척의 대형 여객선이 접안할 수 있으며, 출입국 관리사무소와 세관도 개설되고, 배후에는 500개가 넘는 객실을 보유한 팬퍼시픽호텔도 영업을 개시하는 등 세계적인 컨벤션 기능을 완벽하게 갖췄다. 이 세계박람회가 계획된 경위를 살펴보면 명확히 드러나듯이, 종래의 세계박람회 사례와는 확연히 다르다. 세계박람회를 위해 계획된 것이 아니라 지역개발계획으로서 추진됐다. 그 성과는 크게 변모한 지역의 모습을 세계박람회라는 기회를 통해 국제사회에 크게 어필했다는 점이다. 따라서 세계박람회 사업의 수지만을 고려한 것이 아니라 적자가 나더라도 그것을 도시개발사업을 위한 비용의 일부로 당초 구상단계부터 개발계획에 포함했다는 점에서 독특한 시도였다고 볼 수 있다.

▸ 세계박람회, 도시개발 전략 수단

세비야, 밴쿠버 사례를 살펴보면, 세계박람회 자체가 지역을 변화시키는 것은 아니다. 세계박람회를 개최하면, 혹은 세계박람회를 성공시키고, 그 여세를 몰아 박람회장 부지를 개발하면 반드시 지역 발전이 되는 것은 아니다. "세계박람회는 수단이지 목적이 아니다." 세계박람회는 "목적을 달성하기 위해 개최하는 것이다." 개최 자체가 목적이며, 관람객 수가 예상을 초과하면, 또는 수지가 맞으면 성공이라는 인식이라면, 그야말로 일회성 행사로 끝나버린다. 다시 말해, 개최 자체를 목적화하면 나중에 아무것도 남지 않는다. 지역과의 관계에서 세계박람회는 변화하는 지역의 특성과 이념을 세계에 알리는 미디어 역할을 해야 한다. 실제로 밴쿠버세계박람회는 새로운 도시 기능의 '쇼케이스'로, 지역개발에 일익을 담당했다.

이 세계박람회는 어떻게 이런 성과를 거둘 수 있었을까? 답은 간단하다. 세계박람회를 처음부터 상위 프로젝트의 추진 요소로, 즉 도시개발사업의 전략적인 수단으로 설정했기 때문이며, 무엇보다 세계박람회보다 먼저 새로운 도시개발계획과 지향해야 할 지역의 그랜드디자인을 명확하게 확립했기 때문이다. 세계박람회 후 활용 사례의 경우 정부의 지원, 민간 중심의 관리와 운영, 보유자원의 활용, 복합적 토지이용을 통해 단기적 성과 추구뿐만 아니라 체계적인 사후 활용계획을 통해 장기적인 관점에서 도시성장의 기반으로 활용하는 것이 중요하다.

사례 분석을 통한 시사점
① 명확한 개발 방향 설정
② 철저한 시장 분석에 기반
③ 도시브랜드 이미지 구축을 위한 이슈화·명소화 전략 수립
④ 정부·지자체의 지속적인 관심과 정책 필요

성공적 사후 활용을 위한 4대 요소
① 정부의 적극적인 지원 ② 복합적인 부지 이용 ③ 민간 중심의 관리 운영 ④ 보유자원 활용

9. 21세기 세계박람회에 요구되는 7가지 관점

2023년 11월, 부산이 2030세계박람회를 유치하면 현재까지의 구상·유치 단계에서 본격적인 계획·준비 단계로 국면이 전환된다. 또한 세계박람회에 관심을 갖는 사람이 더 많아질 것이고 세계박람회와 관련된 '관계자'의 수도 비약적으로 증가할 것이다. 추진 상황을 감시하는 언론매체가 다양한 문제를 제기하는 한편 산·학·연·관부터 일반 시민에 이르기까지 다양한 의견 표명이 잇따를 것이다.

가장 중요한 관점은 "21세기에 개최할 만한 세계박람회란 어떤 것인가"다. 2030세계박람회를 의미 있게 만들고 싶다면 제3세대 세계박람회로 전환할 수밖에 없다. 그것은 일부 학자나 평론가, 담당 공무원만의 일이 아니다. 세계박람회는 역할이 다른 방대한 인원이 공동으로 만드는 것이며 그 모두가 당사자다. 세계박람회에 대한 이해와 그 실상을 파악하지 않고 제3세대 세계박람회로 전환하는 것은 불가능하다. 21세기 새로운 세계박람회를 구상할 때 요구되는 7가지 관점을 제시한다. '무엇을 보여줄 것인가?'가 아니라 '어떻게 만들 것인가?'가 핵심이다. 실제 비즈니스로서 세계박람회에 관련된 사람은 물론 2030세계박람회에 관심을 가진 사람들에게, '21세기 세계박람회에 필요한 것'을 얘기하고자 한다.

1) 세계박람회에 관한 세대 간 인식 차이를 잊지 않는다

세계박람회에 관한 논란을 보면서 항상 신경이 쓰이는 것은 세대 간 인식 차이다. 세계박람회에 대한 이미지가 맞물리지 않는다고 생각되는 상황에 자주 부딪히는데, 대부분의 경우 세대 간 세계박람회 체험의 차이에서 기인한다. 1993년 대전세계박람회를 경험한 세대는 세계박람회라는 단어를 들으면 반사적으로 대전세계박람회의 기억을 불러일으켜 세계박람회 논의를 시작하지만, 젊은 세대는 이런 '조건반사'와 무관하다.

대전세계박람회를 관람했던 '제1세대'에게 1993년 세계박람회는 인생에서 가장 행복했던 시대를 상징하는 꿈의 잔치였다. 고도성장의 열기와 함께 뇌리에 박혀있는 흥미진진한 기억은 선명하고 강렬하며 막강한 힘을 가진 '마법의 이벤트'라고 입력돼 있다.

그러나 2012년 여수세계박람회를 체험한 '제2세대'에게는 이런 각인이 없다. 아주 냉담하고 오히려 인터넷과 모바일의 대중화로 인한 사회구조의 변화에 민감할 수밖에 없었던 세대여서 세계박람회를 '과거 시대의 유물'이라고 부정적으로 보는 경향도 많은 것 같다. 그리고 세계박람회와 관련한 추억이 전혀 없는 '제3세대'는 일체의 감회도 없고 관심도 거의 없다. 한국에는 이런 3대가 동거하고 있다. 특히 애틋함이 강한 것은 소년소녀 시절에 1993년 세계박람회를 체험한 세대로, 구체적으로는 초등학생부터 고등학생까지 세계박람회를 접촉한 '꿈돌이' 세대다. 그들은 현재 30대 후반부터 40대 후반이다. 당시 청소년이었던 '꿈돌이' 세대는 순진무구하게 감동했기 때문에 세계박람회에 대한 사랑이 남달리 강하다. 예를 들면 회의 석상에서 누구도 대전세계박람회 이야기를 하지 않았는데, '세계박람회 꿈돌이'들은 어느새 1993년 세계박람회를 생각하며 이야기를 시작하고, 박람회의 이미지 스케치 등을 보면 30년 전의 활력이 넘쳤던 분위기를 투영하면서 추억에 잠긴다. 지금 사회의 핵심에서 의사결정을 하는 것은 '제1세대'이며, 중심에 있는 것은 '세계박람회 꿈돌이'들이다. 물론 2030년 세계박람회도 예외는 아니다.

젊은 세대가 기억해주기를 바라는 것은 '제1세대'의 각인이 상상 이상으로 강하다는 것에서 유래한다. 그러나 2030세계박람회에서 관람객의 핵심은 '제2세대'와 '제3세대'다. 세계박람회에 관심이 없는 세대에게 관심을 가지게 하기 위해서는 '세계박람회란 무엇인가'를 매력적으로 소개하고 콘텐츠(무엇을·What)와 함께 전략과 의미, 유무형의 유산(왜·Why), 자세와 태도(어떻게·How)를 설명하는 것이 중요하다.

2) 현재 노선이 유일한 길이라고 단정 짓지 않는다

세계박람회는 '자연과 환경의 존중'을 중심으로 '지구 규모의 과제를 해결하는 장'이라는 역할이 현재 상식화돼 있다. 1990년대에 "세계박람회는 역할이 끝났다"든지 "세계박람회는 낭비"라는 부정적인 여론에 대응하기 위해 국제박람회기구(BIE)는 '국제사회에 도움이 되는 세계박람회'를 선언했다. 국제박람회기구가 채택한 이념에 근거한 것으로 "세계박람회는 결코 쓸데없는 행사"가 아니라고 호소하는 의미가 있었다는 것은 이미 앞에서 얘기한 바와 같다.

계승해야 할 것은 '과제 해결형 세계박람회'라는 새로운 이념이며, 그것이 21세기 세계박람회다. 그렇게 주장하지만 이 '과제 해결' 노선이 세계박람회를 곤경에 몰아넣은 최대 원인 중 하나다. 진지하게 환경문제에 임한다면 논리와 사실대로 '설명할 수밖에 없고, 마이너스를 제로로 만드는 이야기'를 매력적인 엔터테인먼트로 만들기는 매우 어렵다.

무엇보다 과제를 해결한다면 '해답을 제시'하는 것이 필요한데 그것은 '계몽'으로 향하기 십상이다. "중심에 있는 정보 엘리트가 말단의 대중에게 해결책을 제시하고 그것을 향해 행동하도록 계몽했다." 전형적인 대중매체 구도를 그대로 수용한 것이 새로운 정보감성과 차이를 만들어 공감대를 감소시켰다.

2005아이치세계박람회 나카구테회장 전경

실제로 '자연과 환경의 존중'을 진지하게 받아들였던 2000년 하노버 세계박람회는 실패했고 이어서 2005년 아이치세계박람회도 명목상 '성공'은 챙겼지만 별다른 성과를 거두지 못했다. 2015년 밀라노세계박람회는 모든 것이 어중간한 채로 퇴색되었다. 1990년대 중반에 이 노선을 선택한 후 실제 세계박람회는 한 번도 대성공이라고 할 수 있는 성과를 거두지 못했다. 물론 그것은 시대 변화의 물결에 휩쓸렸기 때문이다. 오로지 '과제 해결' 노선에만 책임을 지우는 것이 공정한 것은 아니지만, 단순히 "세계박람회가 재미없다"는 여론을 무시하는 것 또한 공정한 것은 아니다.

횟수를 거듭할수록 세계박람회장의 열기가 떨어지고 있는 것은 확실하다. 2000년 하노버세계박람회 이듬해인 2001년에 놀라운 책이 출판됐다. 세계박람회 150년의 역사를 다룬 책 'The Great Exhibitions : 150years(위대한 박람회-150년)'의 개정판에 첨부된 'What of the Future'라는 본문에서 '21세기에도 세계박람회는 의미가 있을까'를 주제로 한 것이다. 집필자는 학자나 전문가가 아니며 외교관인 영국의 테드 앨런과 캐나다의 패트릭 레이드였다. 모두 국제박람회기구의 의장을 역임한 세계박람회의 중진으로, 흔히 말하는 핵심 멤버였다.

그들은 이렇게 경고했다. "세계박람회가 진지한 재검토와 국제적인 의사결정을 해야 할 시기에 와 있다는 것은 분명하다. 진보적인 발전은 바로 되는 것이 아니며 성취도 쉽지 않지만 첫걸음을 내딛고 확고하게 일치단결된 행동을 하지 않으면 이미 권위를 잃은 이 미디어는 소멸해 버릴지도 모른다." 국제박람회기구가 1994년 결의를 채택한 7년 후 위기감을 표명한 것이다.

'과제 해결' 노선에 미래는 없다. 지금 필요한 것은 '대답이 아니라 질문'이다.

여러 가지 아이디어가 나오길 진심으로 바란다. 젊은 세대에게 말하고 싶은 것은 2030세계박람회의 방향을 생각할 때 현재 노선이 유일하다고 단정 짓는 순간에 새로운 아이디어는 싹이 잘려버린다는 것이다. 자유로운 발상으로 가능성을 추구했으면 한다.

3) 즉흥적인 논의를 찬양하지 않는다

자유로운 발상으로 전에 없던 아이디어를 모색하고 새로운 가능성을 추구해야 한다. 세계박람회는 중요하지만 생각나는 대로 아이디어를 늘어놓는 것과는 다르다. 2030부산세계박람회가 유치되면 본격적인 기획작업이 시작되고 주최 측에서 위원회와 자문회의, 국제심포지엄, 워크숍 등 의견 청취의 장을 다양하게 마련해야 한다. 신문 TV 온라인 등의 언론 매체가 전문가와 아티스트의 '새로운 발상'을 취재하거나, 일반 시민을 대상으로 '아이디어 공모'를 하면서 다양한 의견과 아이디어가 나올 것이다.

아이디어의 좋고 나쁨은 창조성의 우열과 관계가 없다. 세계박람회에 대해 모르는 사람은 발언하지 말라고, 얘기하는 것도 아니고, 현실성이 없는 아이디어는 가치가 없다고 비판하는 것도 아니다. 모르는 사람이 세계박람회에서 꿈을 키우는 것은 세계박람회가 새로운 활력을 되찾는 데 유용하고 환영할 만하다. 문제는 그러한 "실현 가능성이 없는 아이디어"를 언론 매체가 찬양하고 유포하는 것이다. 모두 좋다고 생각해서 선의로 행동하고 있지만 때로는 그것이 좋지 않은 방향으로 바뀌어버린다.

2005년 아이치세계박람회 추진 사례를 살펴보면, 애초 계획이 붕괴된 후 '환경보호'와 함께 '시민 세계박람회'라는 개념이 제시됐다. 실제 프로젝트의 근간에 관계된 의사결정에 시민을 참여시킨 것은 세계박람회 역사에 유례가 없을 뿐만 아니라 이런 종류의 국가사업에 있어서 획기적인 일이었다. 이러한 흐름 속에서, 주인의식이 높아진 지식인에게서 여러 가지 의견이 제기됐다. "국가 주도를 배제하고, 시민이 만드는 문화 프로젝트로", "전시관을 부정한다, 만국박람회가 아닌 세계박람회를!", "세계박람회를 근본부터 변혁하라"는 논의가 전례 없이 확산되었다. 하지만, 추상적인 관념론이나 이상론으로 현실성이 떨어질 뿐이었다. 아이치세계박람회 이상론과는 달리 보수적인 세계박람회가 되어버렸다.

세계박람회는 주최자가 혼자 만드는 것이 아니다. 국제사회가 함께 만드는 행사이고, 주최자는 호스트에 불과하며, 준비가 시작된 이후 중요한 의사결정의 주최는 '정부대표회의'다. 국제박람회 협약이라는 국가 간 조약도 있다. 주최국이 "좋아, 이것이 하고 싶다"고 해서 뭐든지 자유롭게 할 수 있는 것이 아니다.

젊은 사람은 꼭 자유롭게 발상해주길 바란다. 국제사회가 공유하는 기본계획을 충분히 공부한 뒤 인내하면서 도전의 한계를 실험하는 느긋하고도 전략적인 사고 말이다.

4) 축제라는 것을 잊지 않는다

세계박람회 유치가 확정되면 반드시 "세계박람회에 돈을 들이는 게 의미가 있느냐"는 논의가 시작된다. 대부분은 "단발성 세계박람회는 쓸모가 없다.", "세계박람회를 개최할 돈이 있으면 복지예산으로 돌려라." 등 비용 대비 효과에 근거한 반대론이다. 이 논란은 최근에 시작된 것이 아니다. 제2차 세계대전 전부터 반복되어온 단골 논란이다. 물론 공공이벤트이기 때문에 비용 대비 효과는 중요하며, 이런 종류의 비용에 대한 시선은 과거보다 한층 엄격해졌다.

올림픽의 앞날이 불안하게 여겨지는 것도 비용 문제다. 개최 경비가 너무 많이 들어 유치를 신청하는 도시가 점점 줄어들고 있어 이대로는 소멸해 버릴지도 모른다는 위기감이 확산되고 있다. 결국 어딘가에 상설 올림픽 경기장을 건설해 매회 거기서 개최하면 되는 것 아니냐는 논란도 들리기 시작했다. 국제올림픽위원회(IOC)의 시급한 과제는 경비 절감과 운영 합리화다.

언뜻 보면 세계박람회도 비슷한 상황에 놓여있는 것처럼 보이지만 올림픽과는 결정적으로 다른 포인트가 하나 있다. 그것은 세계박람회가 올림픽과 같은 '경기'나 BtoB(기업 간 상거래)의 견본시 같은 '상거래모임'도 아니고 '축제'라는 것이다. 경기나 모임이라면 합리화는 일종의 발전이라고 할 수도 있겠지만, 축제는 그렇지 않다.

"세계박람회는 낭비"라는 비판을 의식해 합리적이며 기능적인 세계박람회로 기획한 2000년 하노버세계박람회가 참패로 끝난 사실은 이미 앞에서 얘기한 바 있다. 축제 분위기가 전혀 느껴지지 않았고, 걷고 있어도 즐겁지 않았다. 기분이 고조되지 않았다. 그런 세계박람회는 당연히 관람객이 찾지 않는다. 세계박람회는 세계인이 즐기는 축제다. 축제의 3대 요소는 볼거리 먹거리 즐길 거리다. 볼거리는 시선을 사로잡는 매혹적인 건축물, 비일상적인 전시물, 화려한 퍼레이드와 멀티미디어쇼, 세계적인 팝스타와 K팝 가수 공연, 각종 문화예술공연, 상징적인 랜드마크 등이다. 먹거리는 박람회장 식당과 참가국관 레스토랑에서 판매하는 다양한 음식과 음료다. 즐길 거리는 주최자와 참가국관, 기업관에서 관람객에게 제공하는 다양한 체험프로그램이다.

세계박람회 성공의 핵심요소 중 관람객 유치는 매우 중요하다. 수천만 명의 관람객을 유치할 수 있는 전시와 공연, 체험프로그램의 수준을 높여야 한다. 세계박람회의 매력을 가장 깊은 곳에서 지탱하고 있는 것은 '축제의 정신'이다. 세계박람회 역사를 살펴봐도 후세에 전해지는 위대한 세계박람회는 모두 축제의 마음을 가지고 있었다. 에펠탑(파리), 페리스 휠(시카고), 아토미움(브뤼셀), 스페이스 니들(시애틀), 태양의 탑(오사카), 캐나다 플레이스(밴쿠버), 오션나리오(리스본), 생명의 나무(밀라노) 등. 모두 세계박람회 유산의 하나인 모뉴먼트(기념물)로 개최도시의 랜드마크로 남아 있다. 이 기념물은 '합리적인 경영 판단'이나 '낭비 없는 예산 집행'에서 생겨난 것도 아니고, 세계박람회 운영에 필수적이기 때문에 등장한 것도 아니다. 이런 기념물을 제작한 것은, 새로운 세계로 전환하고 싶다는 모험심, "현재 없는 것"을 만들고 싶다는 야심, 무엇보다 세계박람회에 바치는 기백과 열정이다. 이런 것이 '유산'이다.

중요한 것은 세계박람회를 "업무나 비즈니스"로 하지 않는 것이다. 실패를 두려워하지 않고 과감하게 시도해야 한다. 그리고 "축제니까" 사회가 그것을 허락할 것이다. 결코 불가능한 일이 아니다. "절약해서, 철저하게 낭비를 줄인 세계박람회"나 "무난하게 60점 수준의 것만 늘어선 세계박람회"는 매력이 있을 리 없고, 매력이 없으면 관람객 유치도 어렵다. 마음껏 하고 싶은 것을 하면 된다. 실패해도 괜찮다. 그것이 축제다. 팍 하고 펼치는 것이다.

세계박람회는 축제다. 틀림없이, 확실하게, 무난한 것이 좋다는 식은 일상의 기준이며, 축제는 그것과는 다른 특별한 시간을 경험하는 것이다. 그런데도 세계박람회는 관료조직에서 운영하기 때문에, 무사안일로 실패하지 말자고 모두 경직돼 있다. 그런 식으로는 아무리 예산을 쏟아 부어도 축제로서의 즐거움과 매력이 없다. 최선을 다하고, 만약 실패해도 괜찮지 않을까 하는 태연한 모험가 정신으로 하지 않으면 성공하기 어렵다.

5) 작은 성공을 바라지 않는다

2030년 세계박람회를 유치하기 위해 2021년 10월까지 부산(대한민국) 모스크바(러시아) 로마(이탈리아) 오데사(우크라이나) 리야드(사우디아라비아) 등 5개국이 국제박람회기구에 유치신청서를 제출했다. 국제박람회기구 총회에 2회에 걸쳐 경쟁 PT를 발표했고, 2022년 2월 러시아가 우크라이나를 침공하면서 미국과 나토 동맹국의 경제제재로 5월에 러시아가 유치 신청을 철회했다. 한국 이탈리아 우크라이나 사우디아라비아 등 4개국이 국제박람회기구에 유치계획서를 제출했다. 우리나라는 정부의 외교활동과 글로벌 기업들이 회원국에 지지를 호소하면서 치열하게 유치경쟁을 벌이고 있다.

2025년 세계박람회 유치를 경쟁한 곳은 오사카(일본) 에카테린부르크(러시아) 바쿠(아제르바이잔)였다. 당초 파리(프랑스) 맨체스터(영국) 토론토(캐나다)를 포함해 6개국이 유치 신청을 했고, 파리는 오사카의 최대 라이벌이었다. 일본보다 5개월 먼저 유치 신청했던 파리는 계획안 작성에서도 선두를 달리며 가장 유력한 후보로 주목받고 있었다. 그런데 2018년 갑자기 유치 신청을 철회했다. 철회 이유로 보도된 내용은 관람객 수의 불확실성과 통제 불가능한 재정 부담에 노출될 위험이 있다는 것이었다. 요컨대 예산을 파산시키지 않을 만한 집객을 확신할 수 없다는 얘기다. 영국은 런던올림픽의 성공에 이어 2015년에 유치를 신청했지만, 이듬해 11월에 "세계박람회는 납세자에게 비용을 들인 만큼의 가치가 없다"며 포기했고, 토론토도 2016년 11월 시의회가 세계박람회 유치 철회를 결정했다.

1928년 국제박람회기구(BIE) 설립 후 개최 지역은 유럽과 북미 오세아니아 일본 한국 중국뿐이었는데, 최근 들어 상황이 달라졌다.

2017아스타나세계박람회장 전경

2017년 아스타나(카자흐스탄) 2021년 두바이(UAE). 최근 러시아 우크라이나 사우디아라비아 아제르바이잔을 포함해 20세기에는 생각지 못했던 국가가 정식으로 국제무대에 등장하기 시작한 것이다. 더욱 놀라운 것은 "개발도상국, 최초 개최, 미경험"을 유치홍보 슬로건으로 주장하기 시작했다는 점이다. 개발도상국이기 때문에 의미가 있다는 호소가 회원국의 득표에 유리하게 작용하는 상황이 된 것이다. 실제로 2017년 카자흐스탄은 벨기에를 더블 스코어로 이겼고, 2020년 아랍에미리트와 경쟁한 러시아 터키 브라질은 개최 경험이 없었고, 2023년 아르헨티나는 미국과 폴란드를 이겼지만 코로나19 대유행과 금융위기로 인해 2023년 전문박람회 개최를 철회했다. 2017년 카자흐스탄, 2020년 아랍에미리트로 이어지는 라인업은 모두 최초의 개최다. 세계박람회 역사상 유례없는 사례였다.

2021두바이세계박람회장 전경

1928년 국제박람회기구가 창설될 당시 31개국이었던 회원국은 현재 170개국이다. 아프리카가 49개국으로 가장 많고, 유럽 42개국, 미주 31개국, 아시아 22개국, 중동 14개국, 오세아니아 12개국이다. 숫자상으로는 "언젠가 세계박람회를 개최하고 싶다"는 개발도상국이 과반수를 차지하고 있다. '최초의 개최'는 개발도상국들이 공감하는 키워드다.

부산의 세계박람회 개최 의미는 과감하게 세계박람회 개혁에 도전하는 것에 있다. 제3세대 세계박람회로 전환하기 위한 과정과 선택사항을 제시하고, 2030년 세계박람회를 개혁의 원형으로 하는 것을 선언하는 것이다. 개혁에 관한 의지와 결의를 국제사회에 표명하며 공감대를 형성해야 한다.

쇠락이 계속되는 세계박람회의 현 상황을 생각하면 목표로 하는 일부 협약의 수정이 아니라, 제도의 핵심에 칼을 들이대는 수준의 과감한 구조개혁이다. 물론 국제사회의 지지를 받으면서 추진해야 하므로 엄청난 에너지가 필요하다. 1928년의 새로운 체제 발족부터 100년 가깝게 답습해 온 방식과 인식을 조금이라도 바꾸려면, 여러 가지 저항과 실무상의 문제가 대두될 것이다. 현실을 생각하면 유치 확정 이후 2030년 세계박람회 개최까지 7년 정도로는 협약 개정은 물론 대폭적인 궤도 수정이 어려울 것이다. 사실 현재의 규정을 지키면서 치열한 공방을 벌여야 하기 때문에 설득력 있는 비전과 고도의 전략이 필수불가결하다. 핵심은 작은 성공을 바라지 않는 것, 그리고 실패를 두려워하지 않는 것이다.

만약 도전이 결실을 맺으면 세계박람회를 새로운 무대에 끌어올린 공로자로 세계박람회 역사에 각인될 것이고, 멋지게 참패한다면 현재 체제를 뒤흔든 세계박람회로 기억될 것이다. 추진력을 잃은 채 타성으로만 개최되고 있는 세계박람회를 근본적으로 다시 생각하는 계기가 될 것이다.

6) 경험·실적·권위를 판단기준으로 삼지 않는다

1993년 대전세계박람회에서 창조의 현장을 지휘한 것은 30대였다. 전혀 경험이 없었던 세계박람회라는 거대 프로젝트에 창조적인 야심을 불러일으킨 그들은 훌륭한 업무로 기대에 부응했다. 그것이 1993년 대전세계박람회를 유례없는 성공으로 이끈 원동력이었다.

대전세계박람회는 개발도상국 대한민국이 최선의 힘을 다해 '새로운 대한민국'을 전 세계에 알리는 일대 국가사업이었다. 기술 격차를 초월해야 하는 상황에서는 과거의 발상에 얽매이기 쉬운 권위자보다 차라리 대한민국 최초의 세계박람회의 성공적인 개최를 위해 일본을 비롯한 박람회 선진국에서 박람회 관련 실무 노하우를 공부하고 장기연수를 받은 젊은 세대를 활용하는 것이 합리적이었다. 하드웨어와 소프트웨어 모두 혁신적인 기술과 구상이 필요했지만 세계박람회 이전에는 그런 것이 없었다. 젊은 열정과 탐구심이야말로 가장 좋은 자산이었다.

세계를 향해 "어떠냐! 이것이 대한민국이다"고 보여주기 위해서는 유럽과 미국의 모방으로는 의미가 없다. 당시 관계자는 "서양을 뛰어넘는 것을 만들고 싶다" "세계를 상대로 한 방 날려보자"고 분발했을 것이다. 그렇기 때문에 실적이 없는 젊은이에게 기대를 걸은 것이다. 보수적인 관련 업계와 단체조차 그랬다. 사전에 결정한 것도 아니고, 대화한 것도 아닌데, 관계자들이 모두 권위에 의존하지 않고, 위험을 감수하고 젊은 재능에 기대를 걸었다.

"1993년 대전세계박람회라는 기적"의 비밀이 여기에 있었다. 그런 사정은 지금도 변함이 없다. 진심으로 제3세대 세계박람회로 전환하고 싶다면, 경험 실적 권위를 판단기준으로 삼지 않고, 최악의 사태를 각오하고 참신한 크리에이터에게 맡길 수밖에 없다. 경험을 바탕으로 무난하게 처리하려는 사람과 세계박람회를 '비즈니스'로 보는 사람들에게 창조적인 돌파력을 기대하기는 어렵다.

7) 설교나 가르치려고 하지 않는다

21세기 초반부터 세계박람회의 전시가 점점 설명조로 되어간다는 느낌이 들었다. 직감적으로 체험하는 구조에서 멀어졌다. 2000년 하노버세계박람회가 그랬다. 이념과 내용에서 설교의 느낌이 났다. 물론 자연과 환경을 주제로 선정한 이상 어쩔 수 없는 측면도 있다. 환경 문제와 에너지 문제가 점점 심각해지고 있으며, 장밋빛 '꿈과 미래'를 그림으로 제시하기 어려웠을 것이다. 그렇다고 해서 설명 위주의 세계박람회 전시가 칭찬받을 수는 없다. 관람객은 공부하러 온 게 아니고, 더구나 반성하기 위해 비싼 입장료를 지불한 것도 아니다.

관람객이 세계박람회에 요구하는 것은 가슴이 두근거리는 수준 높은 오락과 비일상의 체험이다. 일상에서 할 수 없는 특별한 체험을 기대하며 비싼 입장권을 구입해 세계박람회를 보러 갔는데, 프로젝터 영상을 통한 '설명'뿐이라면 실망하지 않을 수 없다. 모처럼 세계박람회를 관람하기 위해 4인 가족이 1박 2일 동안 1000유로나 들였는데, 아프리카 기아 문제와 같은 설교를 들었다면 돈이 아까울 수밖에 없다.

세계박람회는 관람객이 요구하는 수준 높은 오락에서 멀어졌다. 세계박람회는 주최자인 발신자가 관람객인 수신자에게 전시와 문화행사를 통해 정보를 전달하는 메가 이벤트다. 인터넷에 의한 정보혁명은 정보환경을 격변시켰을 뿐만 아니라, 대중의 정보 감각을 크게 변화시켰다. 정보에 대한 대중의 감성은 최근 몇 년간 극적으로 변화했다.

세계박람회 주최자가 해야 할 일은 관람객을 설득하는 설교가 아니다. '발견'에서 '공감'으로, 그리고 '감동'으로, 그것이 이상적인 프로세스다. 세계박람회라는 지적인 엔터테인먼트가 새로운 정보 감성을 몸에 익힌 현대 대중의 공감을 불러일으키기 위해서는 '해답'보다 양질의 '질문'이 훨씬 가치가 있다. "과제를 발견하는 힘과 질문을 던지는 힘"이다.

▸ 3개의 시나리오

① 세계박람회 쇠락

혁신을 하지 않으면 앞으로 맞게 될 상황은 아마 두 가지일 것이다. 하나는 쇠락이다. '명목상의 교류'를 지속하고 있는 선진국이 철수하고, 콘텐츠 강도가 확 떨어져 유치 신청을 하는 국가가 점차 사라지는 시나리오다. 물론 당장 그렇게 되지는 않겠지만 인기 있는 전시와 문화행사 콘텐츠를 제공하는 선진국과 대기업이 손을 뗀다면 있을 수 없는 얘기는 아니다. 실제로 올림픽은 비용 대비 효과의 관점에서 유치 신청하는 국가가 격감하고 있다.

② 개발도상국에 주도권 양도

세계박람회 유치를 신청하는 국가가 갑자기 제로(0)가 된다고는 생각하기 어렵다. 세계박람회 개최를 희망하는 개도국은 현재도 많기 때문이다. 개발도상국 대중은 세계박람회를 본 적이 없고, 체험 차원에서도, 선진국만큼 시선은 엄격하지 않다. 무엇보다 세계박람회 개최는 국민들에게 큰 자부심을 심어준다.

세계박람회의 성장과 쇠락은 모두 선진국의 상황이다. 개발도상국의 세계박람회가 좋은 평가를 받는다면 유치 신청이 이어질 것이다. 그것은 주도권 양도다. 선진국이 개도국에 세계박람회 주도권을 넘긴다는 의미다.

세계박람회가 개발도상국을 순회하는 메가 이벤트로 연명할 가능성도 없지 않다. 서커스단처럼 순회를 위한 패키지화가 진행될지도 모른다. 물론 개발도상국이 유럽 미국 일본 같은 수준의 세계박람회를 개최하는 것은 어렵다. 규모나 수준도 떨어질 것이다. 바꾸어 말하면 '저렴한 세계박람회'가 될 것이며, 그렇게 되면 "그 정도라면"이라고 선진국도 명목상의 교류를 계속할지 모른다. 어쨌든, 이는 기존 세계박람회와는 다른 별종의 메가 이벤트라고 할 수 있다. 지금까지의 이야기는 "현재 상황이 바뀌어야" 한다는 것을 전제로 했을 때의 진단이다. 상황이 근본부터 바뀌면 당연히 다른 가능성은 열린다.

③ 세대교체

세계박람회가 취할 수 있는 제3의 옵션. 그것이 '세대교체'다. 바로 제3세대 세계박람회로의 전환이다. 공감대가 형성된 것도 아니고 명쾌한 비전이 확립된 것도 아니지만 세계박람회를 세 번째 상승기류에 올리려면 그 방법밖에 없다. 그리고 2030년 부산세계박람회가 세대교체에 앞장서기를 간절히 바란다. 일찍이 세계박람회는 제1세대 세계박람회에서 제2세대 세계박람회로 구조적인 혁신에 성공해, 세대교체를 경험했다. 만약 그때 혁신하지 않고, 계속 19세기 세계박람회를 답습했다면, 지금쯤 세계박람회는 멸종했을 것이다. 2030년 세계박람회를 의미 있게 만들고 싶다면 리스크를 감안하고 제3세대 세계박람회로 전환해야 한다.

EXPO

부록 2030부산월드엑스포 PPT

월드엑스포?

인류가 이룩한 최첨단 기술과 미래비전을 전시,
인류 공동의 문제 해결방안을 제시하는 경제·문화올림픽

※ 국제박람회 기구(BIE*) 공인행사

61조
(2030부산세계박람회)

17조
(2002한일월드컵)

29조
(2018평창동계올림픽)

올림픽, 월드컵과 함께 세계 3대 메가이벤트

* BIE : 1928년 설립, 파리사무국
(불어) Bureau International des Expositions | (영어) International Exhibitions Bureau

02

세계박람회 종류

SPECIALISED EXPO
인정엑스포 (Recognized Exhibitions)
World EXPO와 달리 특정 주제, 당면한 인류적 과제를 주제로 개최하는 EXPO

특정 주제
Since 1936

개최주기	등록엑스포 사이에 1회 개최	개최기간	3개월
개최비용	개최국이 건축하고 참가국에 무상제공		
전시면적	최대 25ha (7만 5,000평)		
개최횟수	31회		
최근 개최사례	1993 대전엑스포, 1998 리스본엑스포 2008 사라고사엑스포, 2012 여수엑스포		

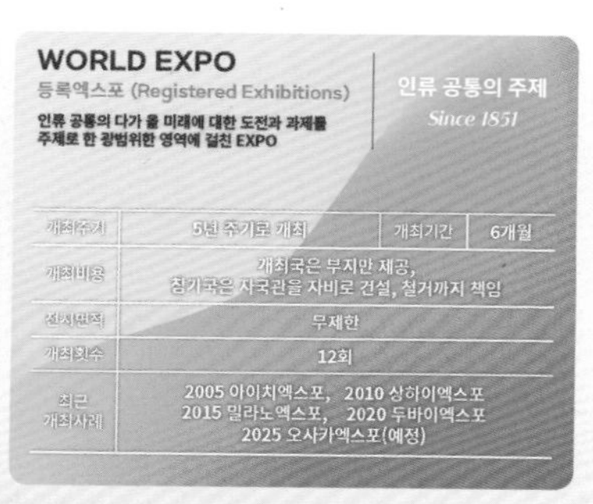

WORLD EXPO
등록엑스포 (Registered Exhibitions)
인류 공통의 다가 올 미래에 대한 도전과 과제를 주제로 한 광범위한 영역에 걸친 EXPO

인류 공통의 주제
Since 1851

개최주기	5년 주기로 개최	개최기간	6개월
개최비용	개최국은 부지만 제공, 참가국은 자국관을 자비로 건설, 철거까지 책임		
전시면적	무제한		
개최횟수	12회		
최근 개최사례	2005 아이치엑스포, 2010 상하이엑스포 2015 밀라노엑스포, 2020 두바이엑스포 2025 오사카엑스포(예정)		

03

WORLD EXPO 역사

#1. 역사적으로 World EXPO는 국가와 기업의 글로벌 리더십을 결정짓는 무대

1851 런던박람회 최초 개최 이래 170년 역사, 1928년 BIE(국제박람회 기구) 설립 후 14회 개최

EXPO 1851, 1862
LONDON

EXPO 1855, 1867, 1878, 1889
PARIS

- 1851년 런던에서 최초 개최, 영국과 프랑스의 글로벌 리더십 경쟁
- 산업혁명기의 성과를 바탕으로 양국은 세계의 비전과 과학·기술 경쟁력을 선보임
- 수많은 예술가, 과학자, 문호들이 EXPO를 중심으로 양국으로 집결

EXPO 1878
PARIS

1878 파리 엑스포, 에디슨의 전구와 축음기 소개

EXPO 1889
PARIS

1889 파리 엑스포의 상징 에펠탑 전구로 장식

EXPO 1939
NEW YORK

1939 뉴욕 엑스포, 1천만V 방전 시연, 전기시대 리더 선언

에디슨의 회사 **100년 기업 GE**
EXPO를 통해 전기문명을 선보이고,
글로벌 리딩기업으로 입지 및 산업기반 확보

04

WORLD EXPO 역사

#2. 그 원동력은 바로 새로운 생각이 새로운 미래를 선점하는 무대

GM은 고속도로의 개념을 제시하며, 세계 자동차 산업의 리더로 부상, 코카콜라는 자판기를 비롯한 새로운 유통을 선보이며 글로벌 브랜드로 급성장

EXPO 1939
NEW YORK

· 고속도로의 개념을 처음 제시한 뉴욕 엑스포
· 이후 자동차 대중화 시대를 여는 계기가 되었으며, GM은 이후로도 모두 8번의 참가를 통해 글로벌 자동차 트렌드를 앞서 제시하는 글로벌 리더로 등극

EXPO 1933
CHICAGO

· 1893년 시카고 EXPO를 시작으로 글로벌 브랜드의 반열에 오른 코카콜라
· 1933년 시카고 EXPO에서는 자판기의 개념을 선보이며 음료 유통과 소비의 새로운 방식을 제안, 코카콜라는 현재까지도 EXPO의 주요 참가사

05

WORLD EXPO 역사

#3. 그 결과 후발 선진국, 자신들의 역량을 글로벌 무대에서 공인받는 무대

2류 국가로 치부되던 미국이 세계 생각의 중심으로 공인받고, 패전국 일본과 죽의 장막 속 공장국가 중국이 기술·경제 대국으로 인정받는 무대

EXPO를 통해 명실상부한
리더국으로 인식을 공고히 한 미국

EXPO 1893 CHICAGO · EXPO 1915 SAN FRANCISCO · EXPO 1930 CHICAGO · EXPO 1939 NEW YORK · EXPO 1962 SEATTLE

· 산업혁명의 후발국이었던 미국은 7회에 걸친 월드엑스포 개최를 통해 양차 세계대전의 혼란에 빠진 유럽을 대신해 과학기술과 세계의 비전을 선포하는 국가로 급부상

EXPO를 통해 새로이 리더국으로 부상하고
그 지위를 다지고 있는 일본과 중국

EXPO 1970 OSAKA · EXPO 2005 AICHI · EXPO 2025 OSAKA · EXPO 2010 SHANGHAI

· 일본은 2025년 개최예정인 오사카 엑스포를 포함, 3회의 월드엑스포 개최를 통해 경제대국 일본을 다시 각인

· 중국은 2010년 상하이 엑스포 개최를 통해 중국의 성장과 번영을 전세계에 알리며 미국과 함께 G2로 급부상(7,300만명 관람)

06

월드엑스포에 등장한 문명 그리고 기업

1851-런던 **증기기관차**	1853-뉴욕 **엘리베이터**	1876-필라델피아 **전화기**	1878-파리 **에디슨전구, 축음기**
1889-파리 **에펠탑**	1893-시카고 **지퍼**	1901-버팔로 **엑스레이기**	1904-세인트루이스 **비행기**
1915-샌프란시스코 **자동차**	1939-뉴욕 **텔레비전**	1967-몬트리올 **아이맥스영화**	2005-아이치 **고속자기부상열차**

루이비통
1878 파리EXPO에서 세계무대 데뷔
캔버스천 직사각형 트렁크 소개, 브랜드의 시그니처 탄생

코카콜라
1893 시카고EXPO에서 첫 등장, 1933 EXPO
자판기 대중 소비의 새방식 등 엑스포와 함께 변천

GM
1939 뉴욕엑스포에서 자동차 대중화시대 진입
8회 엑스포 참가를 통해 글로벌 자동차 트렌드 선도

GE
1889 파리엑스포의 상징 에펠탑을 전구로 장식
1939 뉴욕 엑스포에서 1천만V 방전 시연, 전기시대 리더 선언

07

대한민국의 엑스포 참가

조선말부터 대한제국, 현대의 대한민국에 이르기까지

EXPO는 세계를 만나고자 하는 국가희망의 관문이며, 세계에 한국을 알리는 창구 역할

박람회와 첫 참관
1883년 보스턴 박람회

보빙사의 미국 방문은 조선의 우정국 신설, 경복궁 내 전기시설 설치 등 서양문물 도입에 중요한 계기가 됨

조선의 외교사절단 보빙사

세계박람회 첫 참가
1893년 시카고박람회

최초로 참가한 1893년 시카고 박람회의 조선전시실은 비록 작은 규모였으나 자기, 모시옷 등 관심을 끌었고 조선 아악을 연주

시카고박람회 조선전시실

대한민국 수립 이후 첫 참가
1962년 시애틀박람회

한국은 이후 열린 BIE 공인 엑스포에 빠짐없이 참가하여 국제사회에 한국을 널리 알리고 기업의 해외 진출 지원 역할

326㎡국가전시관, 1,608점 전시

2번의 인정엑스포 개최
1993년 대전, 2012년 여수엑스포

남의 잔치 들러리에서 국제무대의 주역으로 등장, 1893년 시카고 박람회 첫 참가 후 100년후 산업강국 면모 대전엑스포 개최

산업강국 한국, '한류' 무대 활약

08

2030부산세계박람회 개최 개요
주제
세계의 대전환, 더 나은 미래를 향한 항해
Transforming Our World, Navigating Toward a Better Future
부제 1
자연과의 지속가능한 삶
Sustainable Living with Nature
부제 2
인류를 위한 기술
Technology for Humanity
부제 3
돌봄과 나눔의 장
Platform for Caring & Sharing
개최기간 : 2030. 5월 1일 ~ 10월 31일 (6개월간)
개최장소 : 북항 일원 343만㎡
참가규모 : 200여개국, 3,480만명 예상
경제효과 : 생산 43조원, 부가가치 18조원, 고용 50만명 예상
09

2030부산세계박람회 비전
변곡점에 서 있는
국제사회
기후위기
빈부격차
기술격차
COVID 19
인류는 전 지구적 위기에 직면,
더 나은 미래를 위한
근본적 변화를 이뤄내는
대전환의 필요성 제기
Transforming Our World,
Navigating Toward a Better Future
☑ 인류가 직면한 위기 극복을 위한 '대전환' 키워드 제시
☑ '부산엑스포'가 인류 공동 문제해결 플랫폼 기능(부산 이니셔티브 시행)
부제 1
자연과 지속가능한 삶
세계가 직면한 기후변화위기를 극복하고
자연과 함께하는 삶
부제 2
인류를 위한 기술
첨단기술의 개발에 따른 여러
양면성문제를 해결하고 인류의 행복 증진
부제 3
돌봄과 나눔의 장
계층 간, 국가 간 존재하는
다양한 격차문제를 해소
왜 대한민국인가?
식민지와 해방, 전쟁과 분단,
산업화와 민주화 등 급격한 전환을
경험하고 성공적으로 이행한 국가
기후위기 대응 및 녹색경제 전환,
인간중심기술의 구현에
앞장서는 디지털 강국
왜 부산인가?
대한민국의 전환을
이끌어온 도시
(과거, 현재, 미래 공존)
자연과의 공존을 실천하고,
인간 중심의 기술이 구현되는
미래 도시이자 돌봄과
나눔의 정신이 깃든 도시
10

국가의 도전과 의미

2030년은 UN SDGs 목표달성의 해, 세계질서의 방향이 윤곽을 드러내는 해

기후위기 관리 등 인류 어젠다

2030년까지 성과가 기후위기를 관리해 나갈 수 있을 것인지, 지구의 자동적 온난화까지 가세해 종말을 향한 타이머가 작동할 것인지 결정짓는 해

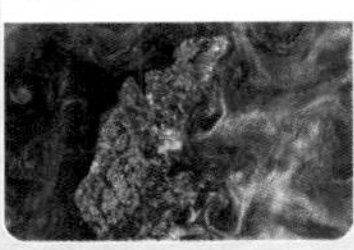

미국과 중국의 경제 외교 경쟁

미국과 중국의 GDP 역전 뿐 아니라, 중국의 기술 혁신이 미국을 추월할지 여부가 분명해지는 해
→ 어떠한 형태로든지 새로운 국제질서 시작

세계 10대 경제대국에 걸맞은 영향력 확보

강대국이 정한 표준을 따라야 했던 나라에서 스스로 뉴 스탠다드를 제시하고, 글로벌 스탠다드의 제정에 VOICE를 내는 나라

세계 미래를 주도적으로 논의하는 나라

기후변화, 빈부격차, 팬데믹 등 글로벌 문제에 주도적으로 아젠다를 제시하고, 다른나라의 참여를 독려하는 나라

우리 인류가 지속가능한 삶을 살아갈 지, 어느 나라가 리더십을 가질 지 결정되는 해
바로 그 시점에 인류의 사회, 문화, 기술의 올림픽을 개최하는 것

11

부산의 도전과 의미

대한민국 대표선수 **부산 한국의 근현대사를 앞장서 개척해 온 부산의 또다른 도전**

1876년 대한민국 최초 무역항으로 개항

민족사의 아픔 속에서도 꿋꿋이 근대도시로서 발걸음을 떼었던 도시

1950년 『크리스마스 카고』

흥남철수작전 등 실향민의 아픈 가슴을 안아 준 기착지, 30만의 도시 부산이 100만의 피난민을 수용한 개방적 도시

70년대 수출한국, 경제부흥의 산실

제일제당(삼성), 락희화학(LG), 신진공업(대우버스), 동양고무(화승), 국제, 미원간장(대상), 제일모직 등 대한민국 부흥 대표기업을 잉태한 도시

해양수도, 글로벌 컨텐츠와 컨벤션 도시

90년대 이후 경공업 쇠퇴로 인한 위기를 극복하고 글로벌물류, 콘텐츠, 컨벤션 중심으로 새롭게 세계를 연결하는 도시

국가성장의 핵심축 도약

2030월드엑스포 유치를 통해 부울경과 함께 미래 국가성장의 핵심축으로의 도약을 준비하는 도시

개항, 한국전쟁, 수출입국, IMF, 글로벌 선도, 국가성장의 핵심 축
2014년부터 엑스포 개최를 준비해 온 부산

12

2030부산세계박람회 기대효과

- 대한민국 첫 '등록 엑스포' 개최로 국가·지역 브랜드 제고
- 2030년 스마트 혁신강국으로서 대한민국 위상을 전세계에 알리는 계기
- 부산의 소프트파워를 기반으로 도시대전환 / 한류 글로벌 확산
- 대한민국 새로운 경제성장축 / 국가 균형발전 촉진

향후 10-20년 내 한국이 유치할 수 있는
가장 중요하고, 경제적·문화적·외교적으로도 영향력이 큰 최대 규모의 국제행사

13

유치경쟁 도시

역대 어느 때보다 치열한 2030 EXPO 유치

14

한국의 글로벌 경쟁력

economy
열린 경제강국

세계 10대 경제대국, 무역규모 세계 8위,
개도국-선진국간 가교 국가

industry
최첨단 산업강국

반도체, 배터리, 전기차, 청정에너지 등
혁신 기술선도 국가

culture
창의적 문화강국

K-POP, 드라마, 영화 등 세계에
영감을 주는 문화·콘텐츠 강국

분단국가, 최빈국을 넘어 **대전환을 성공적으로 이루어낸 나라, 대한민국**

15

부산의 글로벌 경쟁력

overcoming
위기 극복의 도시

한국전쟁의 폐허에서
대한민국 발전의 원동력

central city
한류 중심 도시

연간 4천만 이상의 관광객,
부산국제영화제 등의 K-Culture의 중심

future
미래 선도 도시

블록체인 경제특구, 스마트시티 조성등
4차 산업혁명의 모델

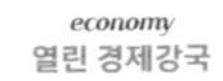

한국의 과거와 현재, 미래를 보여주는 **대전환의 장소**
친환경 사이트 / 접근성 / 역사적 상징성

16

범국가적 유치의지

정부

◎ 부산세계박람회 유치를 국정과제로 채택 ('22. 5.)
◎ **정부위원회 주도하에** 범국가적 유치 활동 총력 전개 ('22. 6.)

17

범국가적 유치의지

기업

2030부산세계박람회 유치 기원을 위한
전국상공인 결의 대회 개최 (4. 22)

삼성전자, 현대자동차 등 대한민국 대표 글로벌 10대 기업이 참여한 가운데 '유치지원 민간위원회' 발족 (5. 31)

국민/시민

(사)2030부산월드엑스포범시민유치위원회, 대학생서포터즈 등
국민 주도의 다양한 유치 지지 활동 전개

18

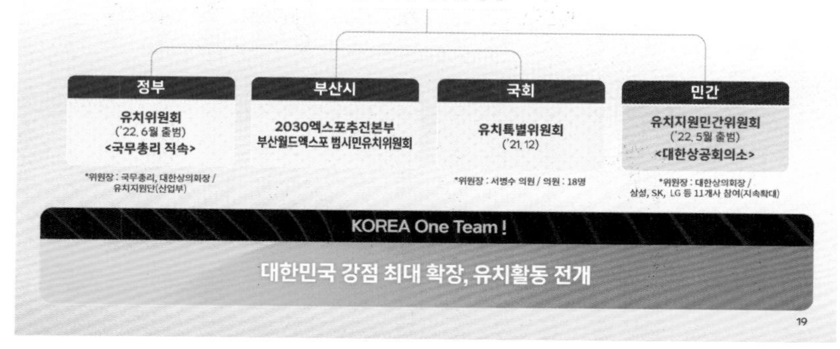
2030부산세계박람회 유치 지원 조직
범국가유치추진체계
정부
유치위원회
('22. 6월 출범)
<국무총리 직속>
*위원장 : 국무총리, 대한상의회장 /
유치지원단(산업부)
부산시
2030엑스포추진본부
부산월드엑스포 범시민유치위원회
국회
유치특별위원회
('21. 12)
*위원장 : 서병수 의원 / 의원 : 18명
민간
유치지원민간위원회
('22. 5월 출범)
<대한상공회의소>
*위원장 : 대한상의회장 /
삼성, SK, LG 등 11개사 참여(지속확대)
KOREA One Team !
대한민국 강점 최대 확장, 유치활동 전개
19

추진현황과 향후 일정
'14년 ~ '21년
· 유치계획 수립 '14년
· 100만인 서명운동 '15년-'16년
· 국가사업화 '19년
· 유치신청 '21년
산 세계박람회 정부와 부산시가
꼭 유치 하겠습니다!
'22년
· 제2차 유치경쟁 PT 6월
· 유치계획서 제출 9월
· 제3차 유치경쟁 PT 11월
'23년 상반기
· BIE현지실사 4월
· 제4차 유치경쟁 PT 6월
· BIE회원국 리셉션 6월
'23년 하반기
· BIE회원국 심포지움 10월
· 제5차 유치경쟁PT 11월
· 개최국(도시) 결정 11월
BIE회원국 대상 유치교섭 활동
20

2030년!
세계를 리드하는 대한민국,
새로운 국가 성장동력 · 국토균형발전
2030부산세계박람회 유치를 위해
국민 모두의 관심과 동참이 필요합니다.

엑스포 부산 오다

발행일 2023년 3월 31일

글 구시영, 오룡, 이각규, 이석주, 정유선
펴낸이 임규찬
기획 오상준
펴낸곳 함향 출판등록 제2018-000007호
주소 부산광역시 동래구 명륜로69 상가동 1001호
E-mail phil8741@naver.com
블로그 https://blog.naver.com/hamhyangbook
편집디자인 씨에스디자인
인쇄 인쇄출판 유신

ISBN 979-11-978814-5-9
가격 : 20,000원

도서출판 함향은 함께 향유합니다.

* 이 책은 국제신문과 (사)금융도시부산포럼이 공동 기획해 출판되었습니다.
금융도시부산포럼 참여기관 : 부산시, 부산시교육청, BNK 부산은행, 한국거래소, 한국예탁결제원, 한국자산관리공사, 한국주택금융공사, 부산연구원, 초록우산 어린이재단 부산지역본부, 동래구진로교육지원센터